studio [21]

Das Deutschbuch

A1

Edition for English-speaking learners

by Hermann Funk
and Christina Kuhn

Exercises:
Laura Nielsen
and Kerstin Rische

Phonetics:
Beate Lex
and Beate Redecker

This book is also available online on

www.scook.de/eb

Please accept the terms and
conditions to use the eBook.

Book Code: **umt4h-65nfn**

studio [21]
Das Deutschbuch A1
Edition for English-speaking learners

Series editor: Hermann Funk
Developed on behalf of the publisher by
Hermann Funk and Christina Kuhn
Exercises: Laura Nielsen and Kerstin Rische

In co-operation with the editorial department:
Dagmar Garve, Andrea Mackensen,
Nicola Späth (picture editor), Regin Osman (editorial assistant),
Gunther Weimann (project manager)

Phonetics: Beate Lex and Beate Redecker

Translation: Elizabeth Hine

Advisors:
Ayten Genc (Ankara); Sofia Koliaki, Andy Bayer (Athens);
Verena Paar-Grünbichler (Graz); Claudia Petermann (Jena);
Aurica Borszik (Kleestadt); Gertrud Pelzer (Mexico City);
Julia Evteeva, Irina Semjonowa, Elena Shcherbinina (Moscow);
Ralf Weißer (Prague); Luciano L. Tavares (Rio de Janeiro);
Priscilla M. Pessutti Nascimento, Renato Ferreira da Silva
(Sao Paolo); Christine Becker, Barbara Ziegler (Stockholm);
Niko Tracksdorf (Storrs); Evangelia Danatzi (Thessaloniki)

Illustrations: Andrea Naumann, Andreas Terglane: p. 20 (study tip), 74 (exercise 1a), 75, 191 (exercise 4),
221, 225, 226, 242, 243 ("Joker"), 255 and 258

Cover design, design and typesetting: Klein & Halm Graphikdesign, Berlin

For information about the **studio [21]** textbook series, please go to www.cornelsen.de/studio21.

Based on **studio d A1** by Hermann Funk, Christina Kuhn and Silke Demme

Symbols

))☺ Listening exercise

((Pronunciation exercise

I—I Routine exercise

🔍 Focus on form,
reference to grammar overview
in the appendix

Extra e-book materials

 Vocabulary

 Extra interactive
vocabulary exercises

 Extra interactive
grammar exercises

Video clips – speaking practice

www.cornelsen.de

First edition 2015

First print 2015

All print runs of this edition are identical and can be used in parallel in the classroom.

Printed by Firmengruppe APPL, aprinta Druck, Wemding

ISBN: 978-3-06-520105-6

PEFC zertifiziert
Dieses Produkt stammt
aus nachhaltig
bewirtschafteten
Wäldern und
kontrollierten Quellen
PEFC/04-32-0928   www.pefc.de

Foreword

Dear learners and teachers of German,

studio [21] - Das Deutschbuch is aimed at adults with no previous knowledge of German who are learning in a German-speaking country or abroad. It is available in three complete volumes or six part-volumes and leads up to level B1 of the Central European Framework of Reference for Languages. **studio [21]** offers a comprehensive digital teaching and learning package that can be used in the classroom, on the go or at home.

studio [21] - Das Deutschbuch consists of twelve units and four *Stationen*, together with an integrated exercises section and an e-book. Each unit consists of eight pages of classroom exercises and eight pages of exercises for revision and consolidation.

Each unit begins with a generously illustrated double-page spread which arouses the learners' interest. These pages provide a variety of insights into everyday life in Germany, Austria and Switzerland (D-A-CH) and motivate learners to discuss the topics, aided by the word-picture bar. In the e-book, learners can enlarge the pictures in the word-picture bar, listen to the corresponding words and study the vocabulary for each doublepage.

The following three double-page spreads focus on spoken interaction and fluency. Through transparent learning sequences learners practise their acquired language skills within a meaningful context. Grammar is taught in clear, well thought-out steps, phonetics and pronunciation are practised in context and words are learned in collocations. Goal orientated tasks bring together the contextual and linguistic aspects of each unit.

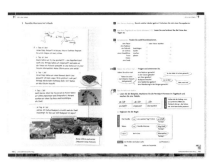

The exercises are suitable for further learning at home, and learners can check their progress independently on the last page of each section. The e-book contains all the exercises as well as interactive variants. There are extra video clips which provide speaking practise as well as interactive vocabulary and grammar exercises.

Every third unit is followed by an optional *Station*, in which the material can be revised and expanded. Learners have the opportunity to read about people with interesting jobs and to do exercises related to the video. The *Magazin* sections invite learners to spend time reading and reflecting.

We hope both learners and teaches enjoy working with **studio [21] - Das Deutschbuch** and wish them every success!

Contents

	Spoken interaction	Themes and texts

Word fields	Grammar	Pronunciation
Greetings Introductions	The alphabet Questions with *wie, wo* and *wohin* The prepositions *in* and *aus*	Word stress	
Drinks Numbers up to 1000	Statements Questions with *woher* and *was* Verbs in the *Präsens* The verb *sein* Personal pronouns	Word stress	
Things in the classroom	Nouns: singular and plural Articles: *der, das, die / ein, eine* Negation: *kein, keine* The verb *haben*	Word stress The umlauts: *ä, ö, ü*	
Compass points Countries and languages	The *Präteritum* of *sein* W-questions, statements and 'yes/no' questions	Sentence stress in questions and statements	

Words – Games – Practice; *Filmstation, Magazin*

Word fields	Grammar	Pronunciation
Home Furniture	Articles in the accusative Possessive adjectives in the nominative Adjectives in a sentence	Emphasis Word stress in compound nouns Consonant: *ch*	
Times of the day Days of the week	Questions with *wann* The prepositions *am, um, von ... bis* Separable verbs in the *Präsens* Negation with *nicht* The *Präteritum* of *haben*	Consonants: *p, b, t, d, k, g* Sentence stress	
City Transport Office	Prepositions: *in, neben, unter, auf, vor, hinter, an, zwischen, bei* and *mit* + dative Ordinal numbers	Consonants: *f, w* and *v*	

Words – Games – Practice; *Filmstation; Magazin*

	Spoken interaction	Themes and texts

Start auf Deutsch

In this unit you will learn ...

- ▶ to understand international words in German
- ▶ to greet someone
- ▶ to introduce yourself and others
- ▶ to ask about names and origins
- ▶ to spell first names and family names

1 Deutsch sehen und hören

1 Photos and sounds. **Listen. Where is it? What do you know?**

1.02

2 Photos and words

a) What belongs together? Match the photos.

1. ☐ Musik	7. ☐ Parlament/Reichstag	13. ☐ Computer
2. ☐ Touristen	8. ☐ Pizza	14. ☐ Restaurant
3. ☐ Büro	9. ☐ Kasse	15. ☐ Airbus
4. ☐ Supermarkt	10. ☐ Natur	16. ☐ Euro
5. ☐ Alpen	11. ☐ Telefon	17. ☐ Oper
6. ☐ Rhein-Main-Airport, Frankfurt	12. ☐ Konzert	18. ☐ Pilot

b) What are the words in your language?

acht

e

f

g

h

i

j

 3 Who comes from Germany?

1.03 **Listen.**

2 Im Deutschkurs

1 Introducing yourself in class. **Listen and read.**

1.04

Wie heißen Sie?

Woher kommen Sie?

♀ Guten Tag! Ich bin Frau Schiller.
Ich bin Ihre Deutschlehrerin.
Wie ist Ihr Name?
♂ Hallo, mein Name ist Cem Gül.
♀ Und woher kommen Sie?
♂ Aus der Türkei.
♀ Wie heißen Sie?
♀ Ich heiße Lena Borissowa.
Ich komme aus Russland.

♀ Und wie heißen Sie?
♀ Mein Name ist Ana Sánchez. Ich komme
aus Brasilien.
♀ Und Sie?
♀ Ich bin Alfiya Fedorowa. Ich komme
aus Kasachstan.
♀ Und wer sind Sie?
♂ Ich bin Herr Tang. Ich komme aus China.

2 Class party

a) **Ask and answer.**

Wie ist Ihr Name?   *Woher sind Sie?*

b) **Find a partner. Take notes.**

Name?

Woher?

c) **Introduce your partner.**

Das ist …   *Er kommt aus …*

3 Where do you live? **Listen and read.**

1.05

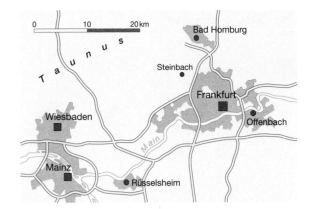

♥ Herr Gül, wo wohnen Sie jetzt?
♨ Ich wohne in Frankfurt.
♥ Frau Sánchez, wo wohnen Sie?
♨ Auch in Frankfurt.
♥ Und Sie, Frau Borissowa, wo wohnen Sie?
♨ In Steinbach.
♥ Wo wohnt Herr Tang?
♨ Er wohnt in Bad Homburg.

4 *Aus* or *in*?

a) **Complete.**

1. Wo wohnen Sie? .... Frankfurt.

2. Woher kommen Sie? .... Brasilien.

b) **Find further examples in 1 and 3.**

5 Personal data. **Match the data to people from 1 and 3 and complete the information.**

> *Frau Borissowa kommt aus Russland und wohnt in Steinbach.*

> *Herr ... kommt aus ... und wohnt in ...*

1. Name? ....

  Woher? Aus Russland.

  Wo? In Steinbach.

2. Name? ....

  Woher? Aus Brasilien.

  Wo? In Frankfurt.

3. Name? ....

  Woher? Aus der Türkei.

  Wo? ....

4. Name? ....

  Woher? Aus China.

  Wo? ....

6 *Guten Tag!* **Practise the dialogue with different partners.**

Guten Tag! Ich bin ...
Wie heißen Sie?

  Hallo, mein Name ist ...
  Woher kommen Sie?

Ich komme aus ... Und Sie?

  Ich komme aus ...

Wo wohnen Sie?

  Ich wohne in ... Und Sie?

Ich wohne in ...

ABC

3 Das Alphabet

))⊙ **1** The alphabet rap. **Listen and join in.**
1.06

))⊙ **2** City dictation. **Listen and write the names of the cities.**
1.07

1. ....
2. ....
3. ....
4. ....

5. ....
6. ....
7. ....
8. ....

3 Abbreviations. **What's that? Match.**

Transport/Auto	TV/Computer	Finanzen
....	....	....
....	....	....
....	....	....
....	....	....
....	....	....

RTL
IBM
DB Mobility Networks Logistics
VW
ORF
ZDF
1 Fr. 2009

))⊙ **4** Spelling names.
1.08 **Listen and write the names.**

1. ....
2. ....
3. ....

5 Game. **Spell and write the names.**

Guten Tag, ich heiße M-ü-l-l-e-r–W-a-b-e-r-s-k-i.

6 The top 10 family names in Germany. **And in your country?**

Kim!

Rodriguez!

Jones!

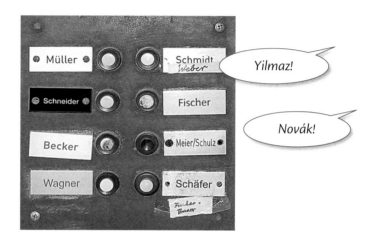

Müller   Schmidt / Weber

Schneider   Fischer

Becker   Meier/Schulz

Wagner   Schäfer

Fischer + Bauer

Yilmaz!

Novák!

7 The top 5 first names in Germany

1.09

a) **Listen to the names. Which syllable is stressed? Match.**

1. Silbe betont	2. Silbe betont
'Leon	

Nr.	Vorname
Jungen	
1	Leon
2	Lukas
3	Elias
4	Finn
5	Jonas
Mädchen	
1	Mia
2	Sophie
3	Lena
4	Lea
5	Maria

b) **Listen again and repeat.**

c) **Which first names from Germany, Austria and Switzerland do you know?**

8 International first names. **Which are your favourites?**

Internet tip
www.vorname.com

ABC

4 Internationale Wörter

1 People in D-A-CH

a) Read quickly. Mark two pieces of information in each text and compare.

1. Das ist **Markus Bernstein**. Herr Bernstein ist 42 Jahre alt. Er wohnt mit seiner Familie in Kronberg. In 30 Minuten ist er am Airport in Frankfurt. Er ist Pilot bei der Lufthansa. Herr Bernstein mag seinen Job. Er fliegt einen Airbus A320. Heute fliegt er von Frankfurt nach Madrid, von Madrid nach Frankfurt und dann Frankfurt–Budapest und zurück. Er spricht Englisch und Spanisch.

2. **Ralf Bürger** ist Student an der Friedrich-Schiller-Universität in Jena. Das ist in Thüringen. Ralf studiert Deutsch und Interkulturelle Kommunikation. Er ist im 8. Semester. Seine Freundin **Magda Sablewska** studiert auch Deutsch, im 4. Semester. Magda kommt aus Polen, aus Krakau. Ralf ist 26, Magda 23 Jahre alt. Magda spricht Polnisch, Deutsch und Russisch. Ralf spricht Englisch und ein bisschen Polnisch.

3. **Andrea Fiedler** aus Bern ist seit 2009 bei Siemens in München. Vorher war sie drei Jahre für Siemens Medical Dept. in Singapur. Sie ist Elektronikingenieurin, Spezialität: Medizintechnologie. Sie spricht Englisch, Französisch und ein bisschen Chinesisch. Sie wohnt in Erding bei München. Sie mag die Alpen. Ski fahren ist ihr Hobby – und ihr BMW!

4. **Milena Filipová** ist 29. Sie lebt seit zehn Jahren in Wien. Sie ist Musikerin und kommt aus Nitra. Das ist in der Slowakei. Sie spielt Violine und gehört zum Ensemble der Wiener Staatsoper. Sie findet Wien fantastisch: die Stadt, die Menschen, die Restaurants, die Donau, die Atmosphäre im Sommer, die Cafés. Um 20 Uhr hat sie heute ein Konzert.

b) Which texts do the words belong to? Match.

1. ☐ studieren
2. ☐ Hobbys
3. ☐ Musik
4. ☐ Universität

5. ☐ Rhein-Main-Airport
6. ☐ Familie
7. ☐ Ski fahren
8. ☐ Französisch

9. ☐ Frankfurt
10. ☐ Polnisch
11. ☐ Oper
12. ☐ Konzert

2 Understanding international words

a) Choose a text from 1. Which words do you understand? Write them down.

Markus Bernstein	Ralf Bürger/ Magda Sablewska	Andrea Fiedler	Milena Filipová
....	.Student........................	....	....

b) Sort the words.

Technik	Job	Sprachen	Musik	Geografie	Tourismus	andere
....	....	....	....	....	....	....
....	....	....	....	....	....	....

3 German in my everyday life. **Collect words and photos.**

4 International words – German words. **Make a newspaper collage in class.**

ABC

1 Kaffee oder Tee?

In this unit you will learn ...

▶ to get to know people
▶ to introduce yourself and others
▶ the numbers 1-1000
▶ to order and pay
▶ to say and understand telephone numbers

1 Im Café

a

1 Conversations in a café

1.10 Ü1–2

a) **What are the people talking about? Listen and find the key words.**

b) **Listen again and read. Match the photos to the right dialogues.**

1. ☐
- ○ Entschuldigung, ist hier noch frei?
- ○ Ja klar, bitte. Sind Sie auch im Deutschkurs?
- ○ Ja. Ich heiße Astrud Jobim. Ich komme aus Brasilien. Und Sie?
- ○ Ich bin Katja Borovska. Ich komme aus der Slowakei. Ich wohne jetzt in Berlin.
- ○ Was trinken Sie?
- ○ Ehmmm, Tee.
- ○ Zwei Tee, bitte.

2. ☐
- ○ Grüß dich, Julian. Das sind Emir und Alida.
- ○ Hi! Woher kommt ihr?
- ○ Wir kommen aus Indien. Und du? Woher kommst du?
- ○ Aus Berlin.
- ○ Was möchtest du trinken? Kaffee oder Tee?
- ○ Lieber Latte macchiato.
- ○ Ich auch!
- ○ Zwei Kaffee und zwei Latte macchiato, bitte.

c) **Practise the dialogues in class.**

sechzehn

Orangensaft

Apfelsaft

Coca-Cola

Wasser

Kaffee

Tee

Cappuccin

2 Drinks. **Collect words.**
Ü3

Getränke

3 Collect useful phrases. **Complete the table.**

Useful phrases	Greeting	Name	Where from?
	Hallo!	Ich heiße ...	Aus Indien
		Das ist ...	

4 What would you like to drink? **Ask and answer questions.**

Was trinken Sie?

Kaffee, bitte.

Trinken Sie Bier oder Wein?

Wein, bitte.

ABC

siebzehn

Kaffee Kakao Rotwein Weißwein Milch Bier Eistee

2 Wer? Woher? Was?

1 Coffee or tea? **Practise. Speak quickly.**

Möchten Sie Möchtest du	Kaffee oder Tee? Cola oder Apfelsaft? Rotwein oder Weißwein? Cappuccino oder Kaffee?	Nein, lieber	Orangensaft. Wasser.

2 Where are they from? What would they like to drink?

a) Listen and repeat.

1.11

b) What is correct? Listen and tick the right boxes.

1.12
Ü4–6
1. ☐ Amir kommt aus Libyen.
2. ☐ Anna ist aus Serbien.
3. ☐ Amir trinkt Kaffee mit viel Milch.

3 Lots of milk, a little sugar

Ü7 **a) Match.**

Kaffee mit ☐ viel Milch
☐ wenig Zucker
☐ wenig Milch
☐ viel Zucker
Kaffee ohne ☐ Milch und
Zucker

b) Practise. Speak quickly.

Ich möchte Ich trinke Ich nehme	gern lieber	Tee Kaffee Eiskaffee Eistee	mit Milch. ohne Milch. mit Zucker. ohne Zucker. mit Milch und Zucker. mit viel Milch und wenig Zucker. mit wenig Milch und viel Zucker.	Und du? Und Sie?

Mini memo

viel – wenig
mit – ohne

c) Read the useful phrases and make dialogues.

Useful phrases

Ordering something

Was möchten Sie trinken?	Zwei Kaffee, bitte.
Was möchtest du trinken?	Und zwei Wasser, bitte.
Kaffee oder Tee?	Lieber Tee/Wasser.
Was nehmen/trinken Sie? Kaffee?	Ja, mit viel Milch.
Mit Zucker?	Nein, ohne Zucker./
	Ja, bitte.

4 Conversations in a café. **Use your classmates' names.**

Ü8

Woher ...?

Hallo, ... Das ist ...

Zwei ..., bitte!

Ich wohne in ...

Was möchtest du?

Ich trinke ...

 5 Verbs and endings

16 Ü9–10

a) Collect the verbs from the dialogues on pages 10 and 16.

Sie sind, ich heiße, ich komme ...

Mini memo

sein			
ich	bin	wir	sind
du	bist	ihr	seid
er/es/sie	ist	sie/Sie	sind

b) Complete the verbs in the table.

Grammar

	kommen	....	**trink**en	....
ich	komme	....	....	....
du	....	wohnst	....	heißt
er/es/sie	....	....	....	heißt
wir	....	....	....	heißen
ihr	....	wohnt	....	....
sie/Sie	....	wohnen	....	....

 c) Listen to the verbs. Check your answers.

1.13

 6 Word stress

1.14

a) Listen to the verbs and mark the stress.

1. heißen
2. trinken
3. kommen
4. nehmen
5. wohnen
6. hören
7. lesen
8. sortieren
9. verstehen
10. sprechen
11. sammeln
12. üben

b) Listen again and repeat.

 ABC

3 Zahlen und zählen

1 Seeing numbers. **Read the numbers aloud.**

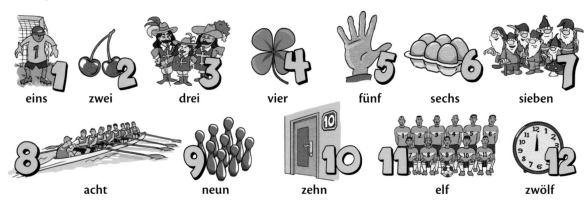

| eins | zwei | drei | vier | fünf | sechs | sieben |

| acht | neun | zehn | elf | zwölf |

2 Saying numbers. **Throw the dice and say the numbers.**

 3 Listening to numbers

1.15

a) Listen and read.

dreizehn, vierzehn, fünfzehn, sechzehn, siebzehn, achtzehn, neunzehn, zwanzig, einundzwanzig, dreißig, zweiunddreißig, vierzig, dreiundvierzig, fünfzig, vierundfünfzig, sechzig, fünfundsechzig, siebzig, siebenundsiebzig, achtzig, achtundachtzig, neunzig

Mini memo

dreißig	siebzig
vierzig	achtzig
fünfzig	neunzig
sechzig	

b) Listen again and repeat.

c) Mark the stress (`) and say the numbers aloud.

Read numbers like this:

und → zwanzig 24 vier

4 Numbers up to 1000

Ü11

a) Write the numbers and say them aloud.

1. einhundert _100_   5. fünfhundert ....   9. neunhundert ....
2. zweihundert _200_   6. sechshundert ....   10. eintausend ....
3. dreihundert ....   7. siebenhundert ....
4. vierhundert ....   8. achthundert ....

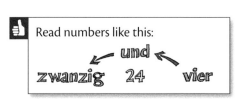 **b) Which number do you hear? Tick the right boxes.**

1.16

1. ☐ 92 ☐ 920   2. ☐ 616 ☐ 666   3. ☐ 913 ☐ 931   4. ☐ 414 ☐ 440

5 Mobile phone numbers.
**Dictate your mobile
phone numbers to each other and
check them on your phone.**

0178 666 88 81

1.17

6 Lottery. **Circle six numbers. Listen to
the lottery numbers. How many correct
numbers did you have?**

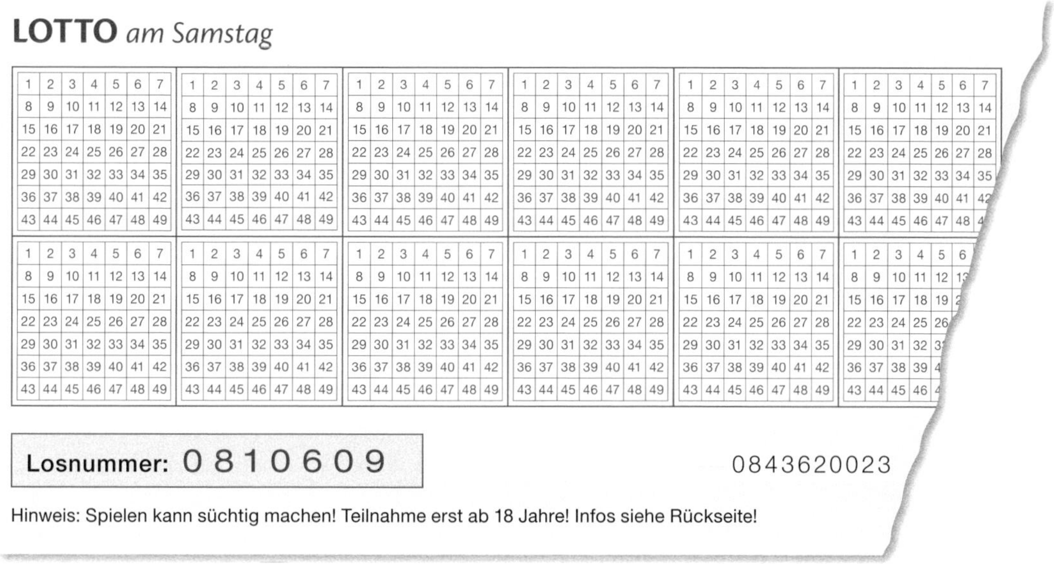

LOTTO *am Samstag*

1	2	3	4	5	6	7
8	9	10	11	12	13	14
15	16	17	18	19	20	21
22	23	24	25	26	27	28
29	30	31	32	33	34	35
36	37	38	39	40	41	42
43	44	45	46	47	48	49

(This grid of numbers 1–49 is repeated across multiple lottery fields.)

Losnummer: **0 8 1 0 6 0 9**

0843620023

Hinweis: Spielen kann süchtig machen! Teilnahme erst ab 18 Jahre! Infos siehe Rückseite!

1.18

7 Class game: Bingo with numbers 1–50. **Write down nine
numbers up to 50. Listen and cross out the numbers you
hear. The winner is the first person to cross out all
their numbers. Play again.**

BINGO

8 Saying numbers quickly
Ü12

a) **Form two groups. Read the
numbers aloud. Group A begins.
If group A makes a mistake,
it's group B's turn.
The first group to finish wins.**

25	12	125	567	999	291
91	15	193	987	119	713
75	55	444	812	680	1000
67	3	763	745	910	325
53	13	217	311	515	81
17	115	323	476	422	703

b) **Dictate five numbers. The others write the numbers down.**

ABC

4 Telefonnummern und Rechnungen

1 What is the telephone number? **Listen and write.**

1.19 Ü13–14

1. .... 3. ....

2. .... 4. ....

2 Important telephone numbers

a) **Find these numbers in the telephone book or on the internet and complete the table.**

	D	A	CH
Polizei			
Feuerwehr	112		
Notarzt			

b) **Look for other telephone numbers in your city for:**
taxis, pizza delivery, out-of-hours pharmacy ...

Taxi-Meier
58 77 58

Straßendienst im Auftrag des
ADAC
☎ 0180 2 22 22 22
Dt. Festnetz 6 Cent/Anruf, Dt. Mobilfunk max. 42 Cent/Min.

Pizza Pronto
83 73 99

Schloss-Apotheke
NOTDIENST
437 39 60

3 Getting the bill. **Listen and match the dialogues. Fill in the prices.**

1.20

Warme Getränke

Kaffee	2,20 €
Espresso	1,90 €
Cappuccino	2,60 €
Milchkaffee	2,90 €
Latte macchiato	2,90 €
Tee (verschiedene Sorten)	2,20 €

Alkoholfreie Getränke

Mineralwasser	0,25l	2,10 €
	0,75l	5,90 €
Coca-Cola, Fanta, Sprite	0,2l	2,20 €
Eistee	0,2l	2,40 €
Apfelsaft, Orangensaft	0,2l	2,20 €
Apfelsaftschorle	0,2l	1,90 €

a ☐ **Kafka**
Schlossstraße 122
14217 Köln
- - - - - - - - - - - - - - - - -
Rechnung
Tisch #12
- - - - - - - - - - - - - - - - -
2 x
Mineralwasser
Coca Cola   2,20
- - - - - - - - - - - - - - - - -
Saldo   _____

b ☐ **JUPPI**
CAFÉ - BAR - WEEKENDCLUB
HOLLSTEINSTRASSE 31
10437 BERLIN • TEL. 437 39 611

TISCH 14   SALDO   0.00

CAPPUCCINO 1X _____

c ☐ **Krombacher**
EINE PERLE DER NATUR.

Rechnung

Verzehr	EUR
SPEISEN	
GETRÄNKE	
Eistee	2,40
3x	
insg.	7,

4 Paying in a café
Ü15–17

a) Read the dialogue aloud.

Wir möchten bitte zahlen!

Zusammen, bitte.

Bitte.

Zusammen oder getrennt?

Zwei Wasser und zwei Kaffee, das macht 8,60 Euro.

Danke! Auf Wiedersehen.

b) Practise the dialogue with different partners.

Zahlen!

Zusammen/Getrennt.

Bitte.

Zusammen/Getrennt?

2/3/4 … Cola/Wasser/ Cappuccino …, das macht … Euro.

Danke, …

Useful phrases

Paying in a café

Zahlen, bitte! /
Ich möchte zahlen, bitte!
Zusammen/Getrennt, bitte.
Bitte!

Zusammen oder getrennt?
Das macht … Euro.
Danke! Auf Wiedersehen!

5 Research project: "The euro". In which countries do you pay in euros? Read the text and complete the information.

Der Euro ist offizielles Zahlungsmittel in … Ländern der Europäischen Union (EU). Die Länder der Eurozone sind …. Über 300 Millionen Menschen bezahlen mit dem Euro. Die Euroscheine sind in allen Ländern gleich, die Münzen tragen nationale Symbole.

6 Quiz. Match the coins to the right countries.
Ü18–19

1. ☐ Österreich
2. ☐ Deutschland
3. ☐ Niederlande
4. ☐ Spanien
5. ☐ Irland
6. ☐ Italien
7. ☐ Estland
8. ☐ Slowenien

a   b   c   d

e   f   g   h

ABC

1 Meeting at a café

🔊 **a) Put the dialogues into the correct order. Then listen and check the dialogues.**

1.02

1. ☐1 💬 Hallo, Marina! Marina, das ist Conny. Sie ist Deutschlehrerin. Conny, das ist Marina Álvarez.
   ☐ 💬 Was möchtet ihr trinken?
   ☐ 💬 Zwei Cappuccini und ein Wasser, bitte.
   ☐ 🗨 Ich auch.
   ☐ 🗨 Ich komme aus Argentinien, aus Rosario.
   ☐ 🗨 Cappuccino.
   ☐2 🗨 Hallo, Marina. Woher kommst du?

2. ☐1 💬 Entschuldigung, ist hier noch frei?
   ☐ 💬 Ja. Ich heiße Isabel und das ist Carlos. Wir kommen aus Kolumbien. Wie heißt du und woher kommst du?
   ☐ 💬 Kaffee und Wasser.
   ☐ 🗨 Ja klar, bitte. Seid ihr auch im Deutschkurs?
   ☐ 🗨 Drei Kaffee und zwei Wasser, bitte!
   ☐ 🗨 Ich bin Tuva. Ich komme aus Schweden und wohne jetzt in Berlin. Was trinkt ihr?

b) Which photos go with the dialogues? Match.

2 Practising useful phrases. **What goes together? Match.**

Entschuldigung, ist hier frei? 1		a Tee, bitte.
Marina, das ist Conny. 2		b Ja klar, bitte.
Kaffee oder Tee? 3		c Ich auch.
Sind Sie auch im Deutschkurs? 4		d Hallo, Conny.
Ich trinke Kaffee. 5		e Ja, im Kurs A1.

3 Drinks

a) **What is that? Match.**

1. ☐ Espresso	3. ☐ Cola	5. ☐ Wasser	7. ☐ Milch
2. ☐ Kaffee	4. ☐ Kakao	6. ☐ Orangensaft	8. ☐ Wein

b) **What do/don't you like to drink? Complete with the drinks from a).**

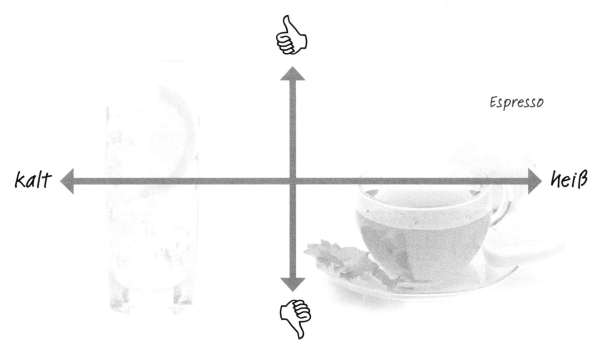

4 Questions and answers. **Complete the dialogues.**

1. 💬 Hallo, ich bin Ina Albrecht. Wie heißen Sie?
   👄 ....

2. 💬 Tag, Lena!
   👄 ....

3. 💬 Was trinken Sie?
   👄 ....

4. 💬 Woher kommst du?
   👄 ....

5. 💬 ....
   👄 Hallo, Katja.

6. 💬 ....
   👄 Aus China.

7. 💬 ....
   👄 Tee, bitte.

5 Learning whole sentences. **Listen and repeat.**
1.03

6 Dialogue in a café

a) **Wie heißen Sie? Woher kommen Sie? Complete the dialogue.**

👂 ...
👄 Ja klar, bitte.
👂 ...
👄 Hallo, ich bin .... Woher kommt ihr?
👂 ...
👄 Ich komme aus ....
👂 ...
👄 Tee mit Zucker.
👂 ...

b) **Text karaoke. Listen and say the 👄-parts of the dialogue.**
1.04

7 Speak fluently. **Listen and repeat.**
1.05

1. mit Milch. – Tee mit Milch. – Ich möchte Tee mit Milch.
2. wenig Zucker. – viel Milch und wenig Zucker. – Kaffee mit viel Milch und wenig Zucker. –
   Ich trinke Kaffee mit viel Milch und wenig Zucker.
3. ohne Zucker. – viel Eis und ohne Zucker. – Eistee mit viel Eis und ohne Zucker. –
   Ich nehme Eistee mit viel Eis und ohne Zucker.

8 Who drinks what? **Listen and tick the right boxes.**

1.06

1.

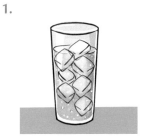 

a ☐ Fanta mit viel Eis. b ☐ Fanta mit wenig Eis.

3.

a ☐ Orangensaft. b ☐ Cola.

2.

a ☐ Kaffee mit viel Zucker. b ☐ Kaffee mit viel Milch.

4.

a ☐ Rotwein. b ☐ Weißwein.

9 Two text messages. **Complete with the verb *sein*.**

Hi, Paul und ich .... im Café Kafka.

Wo .... du?

Maren .... auch da! ;-)

Kommst du auch? Ciao, Lena

Wo .... ihr? Ich .... im Englischkurs. Die Lehrerin .... nett, sie .... aus den USA.

Bis morgen! :-) Kasia

10 Verbs. **Complete.**

1. 💬 Frau Sánchez, woher *kommen* Sie? 🗨 Ich .... *e* aus Barcelona.

2. 💬 Hallo, ich .... *e* Jenny. Ich .... *e* in Berlin. Und ihr, wo .... *t* ihr?

   🗨 Wir .... *en* auch in Berlin!

3. 💬 Noemi, ... *t* Peter lieber Tee oder Kaffee? 🗨 Er .... *t* lieber Kaffee.

4. 💬 Sandra, wie .... *t* die Studentin? 🗨 Sie .... *t* Rani.

5. 💬 Alida und Belal, was .... *t* ihr? 🗨 Wir .... *en* zwei Milchshakes.

11 Understanding numbers. **Who drinks what? Listen and write the numbers.**

1.07

Nichtalkoholische Getränke
206. Mineralwasser
207. Mineralwasser, groß
208. Tafelwasser
209. Tafelwasser, groß
210. Coca Cola
211. Sprite
212. Fanta
213. Spezi (Cola mit Fanta)
214. Apfelsaft
215. Orangensaft
216. Bananensaft
217. Kirschsaft
218. Tomatensaft
219. Apfelschorle
220. Apfelschorle, groß

Tisch 3: ....   Tisch 88: ....   Tisch 34: ....

12 At the station. **Which train is right? Listen and tick.**

1.08

1. ☐ ICE 2430   ☐ ICE 3340   ☐ ICE 3043
2. ☐ EC 1509   ☐ EC 1590   ☐ EC 5109
3. ☐ ICE 8788   ☐ ICE 8878   ☐ ICE 8887

13 What's the telephone number? **Listen and complete the telephone numbers. Then read the telephone numbers aloud.**

1.09

Julian

....

Sabine

....

Michaela

....

Jarek

....

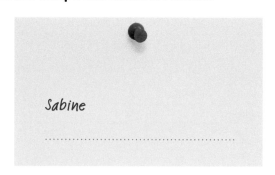

14 Switchboard. **Listen and fill in the telephone numbers.**

1.10

1. ○ Empfang, Stein am Apparat.

   ○ Hallo, Paech hier. Wie ist die Telefonnummer von Frau Mazanke, Marketingabteilung?

   ○ Einen Moment, ... und die

   Durchwahl ist ....

   ○ Danke schön.

2. ○ Hallo, ich brauche die Telefonnummer von Herrn Feldmeier in München.

   ○ Ja, die Vorwahl ist .... und dann

   die ....

3. ○ Stein, Empfang.

   ○ Guten Morgen, Frau Stein. Wie ist die Telefonnummer von Frau Rosenberg in Dresden?

   ○ Frau Rosenberg, Serviceteam?

   ○ Ja.

   ○ Das ist die .... und die .... für Dresden.

15 Getting to know someone – ordering – paying

a) **What goes together? Match.**

> Was nehmen Sie? – Wir möchten bitte zahlen! – Hallo, Lena! Das ist Joe. – Hi! Woher kommst du, Joe? – Zusammen oder getrennt? – Drei Kaffee, bitte.

1.

....

....

2.

....

....

3.

....

....

b) **Write two dialogues.**

1.

trinken?

zwei Tee, bitte.

mit/ohne Milch?

mit Milch und Zucker.

2.

zahlen, bitte.

zusammen/getrennt?

zusammen.

zwei ..., das macht ...

Bitte.

Danke, ...

1. + Was möchten Sie trinken?   – Wir nehmen ...

16 Text karaoke. **Listen and say the 👄-parts of the dialogue.**

1.11

👂 ...

👄 Ich möchte zahlen, bitte.

👂 ...

👄 Zusammen, bitte.

👂 ...

👄 Hier, bitte.

👂 ...

👄 Auf Wiedersehen!

17 Listening to and understanding dialogues. **What is correct? Listen and tick.**

1.12

1. Woher kommt Angelina?
   a ☐ Aus Spanien.   b ☐ Aus Italien.   c ☐ Aus Frankreich.

2. Was trinkt Frau Brauer?
   a ☐ Tee mit Milch.   b ☐ Tee mit Milch und Zucker.   c ☐ Tee ohne Milch.

3. Was bezahlt Emil?
   a ☐ 3,50 €.   b ☐ 5,50 €.   c ☐ 5,30 €.

18 The euro

1.13

a) **Listen and write the prices.**

1.

2.

3.

4.

5.

6.

b) **Listen again and repeat.**

19 Coffee: an international drink. **Which words do you understand? Write them down.**

Das Kaffeetrinken ist eine arabische Tradition. Die Türken haben Mokka international populär gemacht. In Europa hat Österreich eine lange Kaffeehaustradition und viele Kaffeevariationen. Heute ist Kaffeetrinken „in". Latte macchiato, Espresso und Cappuccino heißen die Top-Favoriten in Hongkong, New York, Berlin und St. Petersburg. Café-Ketten wie Starbucks, Segafredo und Coffee Bean sind so international wie McDonalds. Cafés sind ideal für die Kommunikation und für Kontakte.

Kaffee	Geografie	andere
		Tradition

Fit for Unit 2? Test yourself!

Active language use

Introducing yourself and others

Wie heißen Sie? Woher kommen Sie? Wo wohnen Sie?

Ich ....

....

⛂ Hallo Tim. Das .... Frau Schiller. Sie .... Deutschlehrerin. Frau Schiller .... aus Jena.

✉ Guten Tag, Frau Schiller. ▸ KB 1.1, 1.3

Ordering and paying in a café

⛂ Was trinkst du?

✉ Ich .... Cola.

⛂ Ich auch. Zwei Cola, bitte.

⛂ Ich möchte bitte ....!

✉ Zusammen oder ....?

⛂ Zusammen, bitte.

✉ Das .... 3,50 Euro. ▸ KB 2.1, 2.3, 4.4

Word fields

Numbers

1.14 □ 24 ■ 42 □ 54 □ 55 □ 138 □ 183 □ 789 □ 799 ▸ KB 3.1 – 3.8

4.1 – 4.3

Drinks

Getränke

Orangensaft ▸ KB 1.2, 2.3

Grammar

Verbs

Hallo, ich heiß.... Samuel. Und das .... Jenny. Sie komm.... aus England. Jenny und ich

wohn.... in München. Und ihr, wo wohn.... ihr?

sein: ich ...., du ...., er/es/sie ...., wir ...., ihr ...., sie/Sie .... ▸ KB 2.5

Pronunciation

Word stress

1.15 kommen – heißen – fünfundneunzig – eintausenddreizehn ▸ KB 2.6, 3.3

2 Sprache im Kurs

In this unit you will learn ...

▶ to communicate in class: ask questions, ask for repetition
▶ to work with a dictionary
▶ to apply different strategies for learning vocabulary

1 Wörter und Fragen

Kannst du das bitte schreiben?

Was machst du?

Na klar, gerne.

1.21

1 Classroom language. **Listen and repeat.**

2 Asking questions. **How do you say that in German? Ask and answer questions in class.**
Ü1

> **Useful phrases**
>
> ### Asking questions and asking for repetition
>
> Wie heißt das auf Deutsch?
> Was ist das auf Deutsch?
> Was heißt ... auf Deutsch?
> Entschuldigung, wie bitte?
> Das verstehe ich nicht. Können Sie das bitte wiederholen?
> Können Sie das bitte buchstabieren?
> Können Sie das bitte anschreiben?

zweiunddreißig

 *die Brille*

 *die Lampe*

 *der Kuli*

 *das Handy*

 *das Wörterbuch*

3 Things in the classroom

Ü2–5

a) Read the words. Which ones do you know already?

1. ☐ die Tafel
2. ☐ das Papier
3. ☐ der Tisch
4. ☐ der Stuhl
5. ☐ das Buch
6. ☐ die Tasche

7. ☐ der Füller
8. ☐ die Brille
9. ☐ das Wörterbuch
10. ☐ der Bleistift
11. ☐ der Radiergummi
12. ☐ das Heft

13. ☐ das Handy
14. ☐ der Kuli
15. ☐ die Landkarte
16. ☐ das Whiteboard
17. ☐ der Becher
18. ☐ das Brötchen

b) Put the words into the right categories.

lesen	schreiben	hören	Pause machen
....	....	....	....

4 Identifying word stress

1.22

a) Listen and write the words.

b) Listen again and mark the word stress. Then repeat the words.

der 'Tisch

5 Asking about things in the classroom.

Ü6–7 **Ask and answer questions.**

Becher.

Wie heißt das auf Deutsch?

Der Becher!

ABC

dreiunddreißig

der Bleistift

der Radiergummi

der Computer

der Füller

das Heft

2   Mit Wörterbüchern arbeiten

9   Ü8

1 Finding articles in the dictionary. **Write the words in the table.**

So:

Au|to, das; -s, -s ⟨griech.⟩ (kurz für Automobil); ↑ K 54: Auto fahren; ich bin Auto gefahren **au|to...** ⟨griech.⟩ (selbst...)

Com|pu|ter [...'pju:...], der; -s, - ⟨engl.⟩ (programmgesteuerte, elektron. Rechenanlage; Rechner)

die Ta|sche ['taʃə]; -, -n: 1. *Teil in einem Kleidungsstück, in dem kleinere Dinge verwahrt werden können:* er steckte den Ausweis in die Tasche seiner Jacke; die

Oder so:

'Tisch *m* (-es; -e) mesa *f; bei ~, zu ~* a la mesa; *vor (nach) ~* antes de la comida (después de la comida; de sobremesa); *reinen ~ machen* hacer tabla

Tür *f* (-; -en) puerta *f; (Wagen♀)* portezuela *f; fig. ~ und Tor öffnen* abrir de par en par las puertas a; *fig. offene ~en einrennen* pretender demostrar lo evidente; *j-m die ~ weisen,*

Haus *n* (-es; ⸚er) casa *f; (Gebäude)* edificio *m;* inmueble *m; (Wohnsitz)* domicilio *m; (Heim)* hogar *m;* morada *f; Parl.* Cámara *f; (Fürsten♀)* casa *f,* dinastía *f; (Familie)* familia *f; (Firma)* casa *f* comercial, firma *f; der Schnecke:* concha *f; Thea.* sala *f;*

Grammar	der (masculine)	das (neuter)	die (feminine)
	der Computer		

2 Working with word lists. **Twelve nouns from pages 8 to 15. Find the articles in the word list at the back of the book.**

1. .... Name
2. .... Euro
3. .... Konzert
4. .... Foto
5. .... Pizza
6. .... Frage
7. .... Pilot
8. .... Frau
9. .... Telefon
10. .... Computer
11. .... Büro
12. .... Musik

3 Articles – Study tips. **Read and try out the tips.**

der Löwe
der Pilot

das Haus
das Handy

die Lehrerin
die Landkarte

 Study tip 1
Learn nouns and articles together.

 Study tip 2
Combine words and pictures. Create 'article stories' in your head.

4 Plural nouns

10   Ü9–10

a) Read the plural nouns and complete the rule.

1. die Tafeln	7. die Füller	13. die Handys
2. die Papiere	8. die Brillen	14. die Kulis
3. die Tische	9. die Wörterbücher	15. die Landkarten
4. die Stühle	10. die Bleistifte	16. die Whiteboards
5. die Bücher	11. die Radiergummis	17. die Becher
6. die Taschen	12. die Hefte	18. die Brötchen

Rule The definite article is always .... in the plural form.

b) What are the singular forms of the words? The word list at the back of the book will help you.

die Tafeln – die Tafel

5 Hearing umlauts

a) Listen and repeat.

1.23
Ü11

1. ☐ der Bruder	☐ die Brüder	5. ☐ das Wort	☐ die Wörter
2. ☐ zahlen	☐ zählen	6. ☐ der Stuhl	☐ die Stühle
3. ☐ das Buch	☐ die Bücher	7. ☐ der Ton	☐ die Töne
4. ☐ die Tür	☐ die Türen	8. ☐ das Haus	☐ die Häuser

b) Which word do you hear? Tick the right boxes in a).

1.24

6 Articles and plural forms in international dictionaries. Mark.

Haus *n* (-*es*; ⸚*er*) casa *f*; (*Gebäude*) edificio *m*; inmueble *m*; (*Wohnsitz*) domicilio *m*; (*Heim*) hogar *m*; morada *f*; *Parl.* Cámara *f*; (*Fürsten⸚*) casa *f*, dinastía *f*; (*Familie*) familia *f*; (*Firma*) casa *f* comercial, firma *f*; *der Schnecke:* concha *f*; *Thea.* sala *f*;

Kurs *m* (-*es*; -*e*) **1.** (*Lehrgang*) curso *m*, cursillo *m*; **2.** ✝ *v. Devisen:* cambio *m*; *v. Wertpapieren:* cotización *f*; (*Umlauf*) circulación *f*; ✝ zum ~ von al cambio de; al tipo de; im ~ stehen

Pilot(in *f*) *m* **-en, -en** pilot.
Pilot-: ~**anlage** *f* pilot plant; ~**ballon** *m* pilot balloon; ~**film** *m* pilot film; ~**projekt** *nt* pilot scheme; ~**studie** *f* pilot study.

7 Article practice. The 'A-B-C-Stopp' game. Play in class.

> A, B, C, D ...

> Stopp!

> H! Ein Wort mit H!

> H? H? – Heft, das Heft, die Hefte!

Study tip
Learn nouns and plural forms together:
das Buch – die Bücher.

ABC

3 Ist das ein …? Nein, das ist kein …

 1 The indefinite article. **Look at the photos and read.**

eine Deutschlehrerin

die Deutschlehrerin Katharina Meier

ein Pilot

der Lufthansapilot Frank Liebmann

ein Auto

das Auto von Sebastian Vettel

 **2** Guess the person.
1.25 **Listen.**
Who is it?

Ein Mann? Eine Frau? Eine Lehrerin und ein Buch?
Das ist …

3 Finding articles. **What are the definite articles?**

1. ein Foto
2. eine Tasche
3. ein Gespräch
4. ein Lehrer
5. eine Tafel
6. ein Auto

 4 *Ein, eine → kein, keine*
9 Ü13–14
a) **Ask and answers questions.**

Handys?

Hunde?

Eis?

Keine Handys, bitte!

Kein Eis, bitte!

b) **Find more examples of prohibited things online.**

c) **What is it? Practise.**

> Ist das ein Handy?

> Nein, das ist kein Handy, das ist ein iPod.

Useful phrases

Ist das	eine Lehrerin? ein Handy? ein Fenster? ein Kuli? eine Cola?	Nein, das ist kein(e) …, das ist	ein Lehrer. ein iPod. eine Tür. ein Füller. ein Kaffee.
Sind das	Hefte? Fahrräder? Fußbälle?	Nein, das sind keine …, das sind	Bücher. Motorräder. Tennisbälle.

5 Learning articles systematically. **Complete the table.**

9

Grammar

		Definite article	Indefinite article		Negation with *kein*	
Singular		der Mann	ein	Mann	kein	Mann
		das Buch				
		die Frau				
Plural		die Männer	–	Männer		Männer
		die Bücher				
		die Frauen				

6 Guessing game. **Write ten words on cards.**
Take a card and draw the word. The others guess the word.

> Ist das ein Hund?

> Nein, das ist kein Hund.

> Ist das eine Katze?

> Ja, stimmt.

ABC

4 Menschen, Kurse, Sprachen

1 Zaira, Vedat and Hong are learning German.
Ü15-20 **Read the texts and collect information.**

Wer?	Woher sind sie?	Was sagen sie?
Zaira		

Zaira Franca lebt in Sao Paolo. Sie arbeitet bei BASF. Sie lernt Deutsch im Goethe-Institut, im A1-Kurs. Sie lebt allein und hat ein Kind. Luisa ist 12 und geht in das Colégio Visconde in Porto Seguro. Zaira möchte Deutsch lernen. Sie sagt: „Deutsch ist wichtig für meine Arbeit und die Kurse im Goethe-Institut machen Spaß."

Vedat Arslan kommt aus der Türkei, aus Erzurum. Er lernt Deutsch an der Volkshochschule in Köln. Er ist verheiratet mit Seval. Sie haben zwei Kinder, Yasemin und Volkan. Vedat hat im Moment keine Arbeit. Seval arbeitet bei der Telekom. Die Arslans wohnen seit 2009 in Köln. Sie sprechen Türkisch und Deutsch. Yasemin und Volkan lernen Englisch in der Schule. Die Arslans sagen: „Deutschland ist unsere neue Heimat."

Hong Cai ist Studentin. Sie lebt in Shanghai und studiert an der Tongji Universität. Sie ist 21 und möchte in Deutschland Biologie oder Chemie studieren. Ihre Hobbys sind Musik und Sport. Sie spielt Gitarre. Ihre Freundin Jin studiert Englisch. Sie möchte nach Kanada. Deutsch ist für Hong Cai Musik. Sie sagt: „Ich liebe Beethoven und Schubert."

2 Communicating in the German course

**a) Put the nouns into the right categories.
There is more than one right answer.**

1. die CD
2. das Radio
3. Türkisch
4. die Sätze
5. die Texte
6. Deutsch
7. das Buch
8. das Magazin
9. die Biografie
10. Englisch
11. die Musik
12. die Lotto-Zahlen
13. die Arbeitsanweisung
14. die Pause
15. die Artikel
16. das Wörterbuch
17. die Buchstaben
18. die Frage
19. das Handy
20. das Lernplakat

hören	lesen	schreiben	sprechen
die CD	....	....	....
....	....	....	....

b) One word does not fit. Which is it? .... machen.

3 Questions, requests, instructions.
Who says what? What do they both say? Tick the right boxes.

	Kursteilnehmer/in	Kursleiter/in
1. Was ist das?	☐	☐
2. Wie heißt das auf Deutsch?	☐	☐
3. Erklären Sie das bitte!	☐	☐
4. Sprechen Sie bitte langsamer!	☐	☐
5. Buchstabieren Sie das bitte!	☐	☐
6. Können wir eine Pause machen?	☐	☐
7. Lesen Sie den Text!	☐	☐
8. Schreiben Sie das bitte an die Tafel!	☐	☐
9. Ordnen Sie die Wörter!	☐	☐
10. Machen Sie bitte Ihre Hausaufgaben!	☐	☐

ABC

1 Asking questions

a) **Which object matches the dialogue?** 1.16

1. .... ☐ 2. .... ☐ 3. .... ☐

b) **What is that? Write the words with the article in a).**

c) **Complete the questions.**

verstehe – buchstabieren – Entschuldigung – heißt

1. Wie .... das auf Deutsch?   3. .... , wie bitte?

2. Das .... ich nicht.   4. Können Sie das bitte .... ?

2 Classroom puzzle. **Write the words with the article.**

1. ....   6. ....

2. ....   7. ....

3. ....   8. ....

4. ....   9. ....

5. ....   10. ....

3 Technology. **Collect words.**

der Beamer

Technik

4 Rows of words

a) **Complete the articles.**

1.	.... Handy	.... Computer	.... Whiteboard	*die*... Brille
2.	.... Kuli	.... Radiergummi	.... Bleistift	.... Füller
3.	.... Heft	.... Becher	.... Wörterbuch	.... Kursbuch
4.	.... Tisch	.... Stuhl	.... Papier	.... Lampe

b) **Which word doesn't fit? Cross it out.**

5 Learning word pairs

a) **Complete.**

Tee – Stuhl – antworten – schreiben – trinken – Stift – Radiergummi – nein – ~~Frau~~ – sprechen

1. der Mann und die *Frau*....

2. essen und ....

3. lesen und ....

4. ja oder ....

5. Kaffee oder ....

6. der Tisch und der ....

7. das Papier und der ....

8. hören und ....

9. fragen und ....

10. der Bleistift und der ....

⫘⫘ b) Listen and check.

1.17

c) **Listen again and repeat.**

6 Speaking fluently. **Listen and repeat.**

1.18

1. Deutsch? – auf Deutsch? – Wie heißt das auf Deutsch?
2. Deutsch? – auf Deutsch? – Was ist das auf Deutsch?
3. bitte? – wie bitte? – Entschuldigung, wie bitte?
4. wiederholen? – bitte wiederholen? – Können Sie das bitte wiederholen?
5. buchstabieren? – bitte buchstabieren? – Können Sie das bitte buchstabieren?
6. anschreiben? – bitte anschreiben? – Können Sie das bitte anschreiben?

7 Text karaoke. **Listen and say the 👄-parts of the dialogue.**

1.19

👂 ...

👄 Entschuldigung, wie heißt das auf Deutsch?

👂 ...

👄 Ich verstehe das nicht. Können Sie das bitte wiederholen?

👂 ...

👄 Ah. Können Sie das bitte buchstabieren?

👂 ...

8 Der, das or die?

a) **Complete the table.**

Pilot – Handy – Lehrerin – Haus – Tisch – Frau – Foto – Computer – Buch – Tasche – Stuhl – Brille

der	das	die
....	....	....
....	....	....
....	....	....
....	....	....

b) **Check your answers in a dictionary or in the word list at the back of the book.**

9 Word cards

a) **Complete the word cards as in the example.**

| die Frau | der Mann | .... Handy | .... Stuhl |

Vorderseite

| die Frauen | die Männer | .... | .... |

Rückseite

b) **Write more word cards with the nouns from 8 a).**

10 Parents' evening. **What do the children need for school? Listen and write.**

1.20

4 Hefte ....

....

....

....

....

....

11 Umlauts

1.21

a) **Listen and write the words.**

1. .... 5. ....

2. .... 6. ....

3. .... 7. ....

4. .... 8. ....

b) **Check your answers in a dictionary or in the word list at the back of the book.**

c) **Listen again and repeat.**

12 Articles. **Fill in the definite or indefinite article.**

1. 💬 Ist das .... Kuli?   ☝ Ja, das ist .... Kuli von Anna.

2. 💬 Ist das .... Handy?   ☝ Ja, das ist .... Handy von David.

3. 💬 Ist das .... Buch?   ☝ Ja, das ist .... Buch von Frau Schiller.

4. 💬 Ist das .... Kaffee?   ☝ Nein, das ist .... Tee.

5. 💬 Ist das .... Katze?   ☝ Nein, das ist .... Hund.

13 *ein, eine → kein, keine.* **Write the answers.**

1. 💬 Ist das ein Kuli?   ☝ *Nein, das ist kein Kuli, das ist ein Bleistift.* ....

2. 💬 Ist das ein Stuhl?   ☝ ....

3. 💬 Ist das ein Rucksack?   ☝ ....

4. 💬 Ist das ein Füller?   ☝ ....

5. 💬 Ist das ein Handy?   ☝ ....

6. 💬 Ist das ein Buch?   ☝ ....

14 Prohibited items and actions. **Write.**

 1. ....

 3. ....

 2. ....

 4. ....

15 Verbs and infinitives. **Read the text again. Mark all the verbs and write the infinitive forms.**

1. *leben* ....
2. ....
3. ....
4. ....
5. ....
6. ....
7. ....
8. ....
9. ....

Zaira Franca lebt in Sao Paolo. Sie arbeitet bei BASF. Sie lernt Deutsch im Goethe-Institut. Im A1-Kurs. Sie lebt allein und hat ein Kind. Luisa ist 12 und geht in das Colègio Visconde in Porto Seguro. Zaira möchte Deutsch lernen. Sie sagt: „Deutsch ist wichtig für meine Arbeit und die Kurse im Goethe-Institut machen Spaß."

16 Mrs Gonzales talks about herself

a) **Read and collect information.**

Ich bin Teresa Gonzales. Ich komme aus Mexiko und lebe in Mexiko-Stadt. Ich bin 20 Jahre alt. Ich bin verheiratet mit José Gonzales. Wir haben keine Kinder. Ich spreche Spanisch, Englisch und Portugiesisch. Ich lerne Deutsch im Goethe-Institut in Mexiko-Stadt. Deutschland ist für mich Technik und Fußball!

1. Wer? ....
2. Wie alt? ....
3. Welche Sprachen? ....

b) **What is different? Listen and mark.**
1.22

17 And you? **Write a text about yourself.**

1. Wie heißen Sie? ....
....

2. Woher kommen Sie? ....
....

3. Wo leben Sie? ....
....

4. Haben Sie Kinder? ....
....

5. Welche Sprachen sprechen Sie? ....
....

6. Welche Hobbys haben Sie? ....
....

7. Was sagen Sie über Deutschland? ....
....

18 What's correct? **Right or wrong? Listen and tick.**

1.23

		richtig	falsch
a)	1. Tran kommt aus Vietnam.	☐	☐
	2. Tran und Viet leben in Jena.	☐	☐
	3. Sie haben zwei Kinder.	☐	☐
	4. Tran spielt Gitarre.	☐	☐
b)	1. Jakub ist Student.	☐	☐
	2. Jakub kommt aus Prag.	☐	☐
	3. Er möchte in Deutschland studieren.	☐	☐
	4. Sein Hobby ist Sport.	☐	☐
c)	1. Amita arbeitet bei Siemens.	☐	☐
	2. Sie lernt Deutsch.	☐	☐
	3. Sie ist verheiratet und hat ein Kind.	☐	☐
	4. Sie liebt Musik.	☐	☐

19 Biographies. **Read the texts and collect information in the table.**

Sebastian Vettel kommt aus Heppenheim. Er lebt in der Schweiz und arbeitet international: heute ein Grand Prix in Singapur, Melbourne oder Barcelona und morgen in Manama, Montréal oder Monte Carlo. Er ist Formel 1-Weltmeister 2012. Seine Hobbys sind Mountainbiking, Snowboard und Fitness, aber er hat wenig Zeit.

Maite Kelly kommt aus Deutschland. Ihre Familie, die Kelly-Family-Band, kommt aus den USA und Irland. Maite lebt in Deutschland. Sie ist Sängerin und Musical-Star. Sie ist verheiratet und hat zwei Kinder. Sie spricht Deutsch, Englisch und Spanisch. Ihr Hobby ist Musik.

Fatmire Bajramaj kommt aus dem Kosovo und lebt in Deutschland. Sie hat zwei Brüder. Sie ist Fußball-spielerin. Sie spielt auch in der Nationalmannschaft. Sie schreibt gern. Ihr Buch heißt „Mein Tor ins Leben – vom Flüchtling zur Weltmeisterin".

Wer?	Woher?	Beruf?	Hobby?
Sebastian Vettel			

20 The verb *haben*

a) **Complete the sentences.**

Kinder – Arbeit – Zeit – Brüder

1. Ich komme aus Brasilien. Ich bin verheiratet und habe drei ....

2. ♡ Hast du auch .... ?   ♢ Nein, ich habe nur eine Schwester.

3. ♡ Haben Sie heute Abend .... ?   ♢ Ja, gern!

4. Er ist Lehrer, aber er hat im Moment keine ....

b) **Compete the forms of *haben*.**

ich ...., du ...., er/es/sie ...., wir haben, ihr habt, Sie/sie ....

Fit for Unit 3? Test yourself!

Active language use

Asking questions, asking for repetition

.... Sie das bitte buchstabieren? ...., wie bitte?

Ich .... das nicht. ....Sie das bitte wiederholen?

Was ist das auf ....? Wie .... das auf Deutsch? ▸ KB 1.2, 4.3

Word fields

Words in the classroom

lesen und ...., hören und ....,

das Heft und der ...., der Bleistift und der ...., ▸ KB 1.3, 4.2

Grammar

Articles and plural forms

der Stift – *die Stifte* .... Buch – .... Tasche – ....

.... Heft – .... Tisch – .... Brille – ....

.... Stuhl – .... Lampe – .... Becher – ....

▸ KB 2.1, 4.2

ein, eine > kein, keine

der Stuhl / *ein/kein* Stuhl das Buch / .... Buch

Ist das ein Stuhl? Ist das ein Buch?

...................Stuhl, das ist ein Tisch. ....Buch, das ist ein Heft.

die Brille / .... Brille

Ist das eine Brille? Sind das Brillen?

...................Brille, das ist eine Lampe. Nein, ...Brillen. Das sind Lampen.

▸ KB 3.1–3.5

The verb *haben*

ich ...., du ...., er/es/sie ...., wir ....,

ihr *habt*......., Sie/sie .... ▸ KB 4.1

Pronunciation

The umlauts *ä, ö, ü*

z...hlen, der L...we, die B...cher, f...nf, h...ren, die St...hle ▸ KB 2.5

3 Städte – Länder – Sprachen

In this unit you will learn ...

► to talk about cities and sights
► to talk about countries and languages
► to say where you have been
► to specify a geographical location

1 Sehenswürdigkeiten in Europa

die Akropolis, Athen

der Big Ben, London

der Eiffelturm, Paris

der Schiefe Turm, Pis

1 Sights and cities in German and in your language.
Read the picture captions and compare.

2 Which places do you know? **Use the map at the back of the book.**

der Eiffelturm   →   in Paris   →   in Frankreich
die Akropolis   →   in Athen   →   ...
der Big Ben   →   in ...
der Schiefe Turm   →   ...

3 What's that? **Listen. What are the people talking about?**
1.26 **Tick the right boxes.**

1. ☐ Eiffelturm   4. ☐ Athen   7. ☐ Österreich
2. ☐ Akropolis   5. ☐ Wien   8. ☐ Frankreich
3. ☐ Prater   6. ☐ Paris   9. ☐ Griechenland

achtundvierzig

die Stadt

der Park

der Dom

der Marktplatz

der Prater, Wien

das Brandenburger Tor, Berlin   der Rote Platz, Moskau

4 Sentence stress

1.27

a) Listen and mark the sentence stress.

1. 💬 Was ʼist das?   🗨 Das ist der Rote Platz.
2. 💬 Und wo ist das?   🗨 Der Rote Platz ist in Moskau.
3. 💬 Aha, und in welchem Land   🗨 Moskau ist in Russland.
   ist das?

b) Listen again and repeat.

---

5 Sights. **Show photos and talk about them.**

Ü1–2

Was ist das?   Das ist …

Und wo ist das?   Das ist in …

Mini memo	**Country names with an article**
	die Schweiz / in der Schweiz
	die USA / in den USA
	die Türkei / in der Türkei
	die Slowakei / in der Slowakei
	der Iran / im Iran

Useful phrases	**Asking questions**	**Answering questions**
	Was ist das?	Das ist …
	Wo ist denn das?	Das ist in …
	In welchem Land	… ist in …
	ist das?	Das weiß ich nicht./
		Keine Ahnung.

ABC

Museum

die Oper

das Theater

das Dorf

2 Menschen, Städte, Sprachen

1 Meeting in a café

))🎧 **a)** **Listen and read the dialogue. Mark the city and country names and find**
1.28   **them on the map at the back of the book.**
Ü3–5

   💬 Hallo, Silva!
   👤 Hallo, Carol-Ann! Wie geht's?
   💬 Danke, gut. Trinken Sie auch einen Kaffee?
   👤 Ja, gern. Und sag doch „du"!
   💬 O.k.! Und woher kommst du?
   👤 Ich komme aus Milano.
      Warst du schon mal in Milano?
   💬 Nein. Wo ist denn das?
   👤 Das ist in Italien.
   💬 Ach, Mailand!
   👤 Ja, genau, warst du schon mal in Italien?
   💬 Ja, ich war in Rom und in Neapel.

b) **Practise the dialogue: use other names, cities and countries.**

💬 Hallo, …   👤 Ich komme aus … Warst du schon mal in …?
👤 Hallo, … Wie geht's?   💬 Nein, wo ist denn das?
💬 Danke, … Trinken Sie auch …?   👤 Das ist in …
👤 Ja, gern. Und sag doch „du".   💬 Ach, so!
💬 O.k.! Und woher kommst du?

2 Sentence stress and intonation in questions

((**a)** **Can you hear the difference?**
1.29
Ü6   Woher 'kommen Sie? ➘

   Und woher kommen 'Sie? ➚

b) **Mark the intonation.**

   Woher 'kommen Sie?
   Woher 'kommst du?
   Waren Sie schon mal in 'Italien?
   Warst du schon in 'Innsbruck?

((**c)** **Listen and repeat.**
1.30

3 Have you ever been to …? Where is it?
Ü7 **Practise.**

   💬 Warst du schon mal in Bremen?
   👤 Nein, wo ist denn das? / Ja, da war ich schon.
   💬 In Deutschland.

   💬 Waren Sie schon mal in …?
   👤 …

Innsbruck in Tirol, Österreich

4 Finding places on the map.
Ü8–9 **Practise in class.**

Kennst du Graz?

Graz? Wo liegt denn das?

Das liegt im Süd-
osten von Österreich,
südlich von Wien.

Kennst du …?

nördlich von
im **Norden** von

nordwestlich von   nordöstlich von

westlich von   östlich von
im **Westen** von   im **Osten** von

südwestlich von   südöstlich von

im **Süden** von
südlich von

5 Guess the city. **Use the map. Practise with other cities.**

Die Stadt liegt im Süden
von Deutschland.

München?

Augsburg?

Nein, in der Nähe
von München.

Ja, genau!

ABC

3 *Warst du schon in ...?* Fragen und Antworten

1 The *Präteritum* of *sein.*

16.2 Ü10–11 **Read the dialogues on page 50 again and complete the table.**

Grammar				
	ich	....	wir	waren
	du	....	ihr	wart
	er/es/sie	*war*	sie/Sie	....

2 Asking questions. W-questions and 'yes/no' questions.

1–2 Ü12–13

a) **Read and compare the sentences and questions.**

	Ich	(komme)	aus Polen.
W-Frage	Woher	(kommst)	du?
Satzfrage	(Kommst)	du	aus der Türkei?

b) **Collect examples of W-questions and 'yes/no' questions.**

	Position 2	
....	....	.... ?
....	....	.... ?

c) **Complete the rules.**

> **Rule** In W-questions, the verb is in position ....
>
> In 'yes/no' questions, the verb is in position ....

3 Guess the person in the class. Who is it?

Ü14 **One person asks the questions; the others answer with *Ja/Nein.***

Kommt er/sie aus ...?

Spricht er/sie ...?

Ist das in ...?

Wohnt er/sie jetzt in ...?

Das ist ...!

4 Intonation and information. **Listen and mark the stress.**

1.31

Das ist Michael.
Michael kommt aus München.
Michael kommt aus der Hauptstadt München.
Michael kommt aus der bayrischen Hauptstadt München.

4 Die Lindenstraße – eine deutsche TV-Serie

1 Hypotheses before reading. **Read the headline and the words. What is it about?**

Sprachen und Kulturen in der TV-Serie Lindenstraße.
Heute: Familie Sarikakis

> Lindenstraße – seit 1985 – Film-Familie Sarikakis – aus Griechenland – Panaiotis und Elena – Restaurant – Griechisch und Deutsch – Vasily – Mary – verheiratet – Nikos (12)

2 Reading and checking hypotheses. **Read the newspaper article. Were your hypotheses correct?**

TV - sehen & hören

Sprachen und Kulturen in der TV-Serie Lindenstraße.
Heute: Familie Sarikakis

Die Lindenstraße ist eine deutsche TV-Serie. Es gibt sie seit 1985. Die Serie spielt in München. In der Lindenstraße wohnen Familien, Paare, Singles und Wohngemeinschaften mit und ohne Kinder. Die Film-Familie Sarikakis kommt aus Thessaloniki. Das liegt im Norden von Griechenland. Panaiotis und Elena haben ein Restaurant in der Lindenstraße, das „Akropolis". Sie sprechen Deutsch und Griechisch. Sie sind jetzt 30 Jahre in Deutschland. Panaiotis und Elena haben einen Sohn, er heißt Vasily. Er arbeitet auch im Restaurant. Er war mit Mary verheiratet. Mary kommt aus Nigeria. Sie spricht Yoruba, Englisch, Deutsch und ein bisschen Griechisch. Vasily und Mary haben einen Sohn, Panaiotis Nikos, kurz: Niko. Er ist 12. Mary und Niko leben jetzt in Köln.

3 Organising information after reading

Ü15–16

a) **Who is who? Write the names of the people in the photo in 1.**

b) **Collect information about the people and report back to the class.**

Name	Land	Wohnort	Sprachen

ABC

5 Über Länder und Sprachen sprechen

1 Campus Radio. An interview with international students. **Listen and tick the right boxes.**

1.32   Ü17

Laura (22), Pisa   Piet (24), Brüssel

Laura	Piet	Laura und Piet	
☐	☐	☐	studiert/studieren in Bologna.
☐	☐	☐	spricht/sprechen Niederländisch.
☐	☐	☐	braucht/brauchen Deutsch und Englisch im Studium.
☐	☐	☐	studiert/studieren Deutsch.

2 Languages in Europe. **Describe the graphic.**

Ü18–19

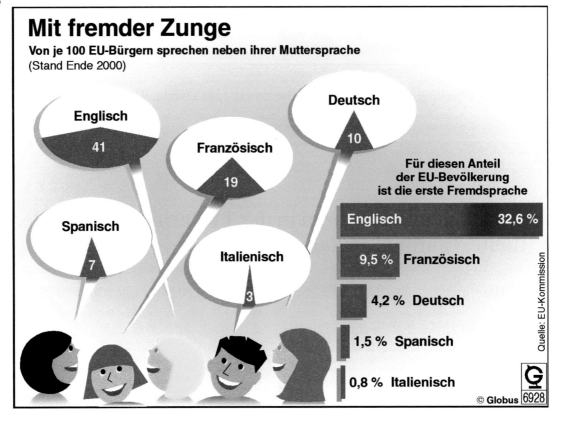

41 Prozent sprechen Englisch. 19 ...

3 Prozent sprechen ...

3 Countries and languages. **Listen and put the words into the right category. In which part of the word does the stress change?**

1.33

ˈDänemark – ˈDänisch	ˈFrankreich – Franˈzösisch
....	....
....	....

Tschechien – Tschechisch
Slowakei – Slowakisch
Polen – Polnisch
Italien – Italienisch

4 Languages in the class.
Ü20 **Make a table.**

> Ich heiße Laura. Ich komme aus Italien.
> Dort spricht man Italienisch und in Südtirol auch Deutsch.
> Ich spreche Italienisch, Englisch und Deutsch.

Name	Land / Region	Sprachen
....	....	....

5 Conversation. **Ask and answer questions.**

> Sprichst du Deutsch ?

> Und woher kommst du?

> Wo liegt das denn?

> Welche Sprache(n) sprichst du?

> Ja, ich spreche etwas Deutsch.

> Ich komme aus …

> Das liegt …

> Ich spreche Englisch und …

Useful phrases

Talking about languages

Sprechen Sie …? / Sprichst du …?	Ich spreche …
Was sprechen Sie? / Was sprichst du?	
Welche Sprache(n) sprechen Sie? / sprichst du?	
Welche Sprachen spricht man in …?	Bei uns spricht man …
Was spricht man in …?	

6 Multilingualism in everyday life

a) **What do you understand?**

Nicht öffnen, bevor der Zug hält
Do not open, before train stops
Ne pas ouvrir avant l'arrêt du train
Non aprire prima che il treno sia fermo

WC
frei libre
free libero

b) **Collect more examples.**

7 Name – city – region – country - languages. **Write about yourself.**

Ich heiße …   Ich komme aus …   Ich wohne jetzt in …   Bei uns in … spricht man …

ABC

1 Questions and answers. **Match.**

Was ist das?	1	a	Der Markusplatz ist in Venedig.
Wo ist das?	2	b	Das ist in Italien.
In welchem Land ist das?	3	c	Das ist der Markusplatz.

Venezia

2 Do you know it? **What? Where? In which country? Write sentences.**

1   das Bauhaus-Museum, Weimar (D)   3   die Elbphilharmonie, Hamburg (D)   5   die Hofburg, Wien (A)

2   das Kunsthaus, Graz (A)   4   die Kapellbrücke, Luzern (CH)   6   das Zentrum Paul Klee, Bern (CH)

1. Das ist das Bauhaus-Museum in Weimar.
    Weimar ist in Deutschland.

2. ....

3. ....

4. ....

5. ....

6. ....

3 Where do the people come from? Where is that? **Listen and match.**

1.24

A	Frank	1	kommt aus Interlaken.	a	Das ist in den USA.
B	Mike	2	kommt aus Prag.	b	Das ist in Deutschland.
C	Nilgün	3	kommt aus San Diego.	c	Das ist in der Schweiz.
D	Stefanie	4	kommt aus Koblenz.	d	Das ist in der Türkei.
E	Světlana	5	kommt aus Izmir.	e	Das ist in Tschechien.

4 *Ich bin Erkan.* **Read the text and fill in the prepositions.**

Ich heiße Erkan. Ich komme .... Berlin. Ich wohne .... Kreuzberg.

Meine Familie kommt .... Adana, das ist .... der Türkei.

5 *Warst du schon mal in ...?*

a) Complete the dialogue. Listen and check your answers.

1.25

| ist – ist – ist – komme – komme – kommst – kommst – war – Warst |

💬 Carlos, woher .... du?

👈 Ich .... aus Brasilia. Das .... in Brasilien. Und du, woher .... du?

💬 Ich .... aus Russe. .... du schon mal in Russe?

👈 Nein, wo .... denn das?

💬 Das .... in Bulgarien.

👈 Ah, ich .... schon mal in Sofia!

b) Write a dialogue as in a). The flowchart will help you.

Woher ...?

↘

... aus ... / Das ist in ... / Du?

↙

... aus ... / Warst du schon mal ...?

↘

Nein, ...

↙

... in ...

↘

Ah, ich war schon mal in ...

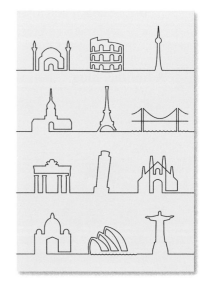

 6 Stress and intonation in questions

1.26

a) Listen and mark the intonation.

1. Wie ˈist dein Name?   Und wie ist ˈdein Name?
2. Wo liegt denn Bern?   Und wo liegt Zürich?
3. Warst du schon mal in Leipzig?   Und warst du schon mal in München?
4. In welchem Land ist das?   Und in welchem Land ist das?

b) Listen again and repeat.

7 Speaking fluently. **Listen and repeat.**

1.27

1. in Linz? – schon mal in Linz? – Warst du schon mal in Linz?
2. das? – ist denn das? – In welchem Land ist denn das?
3. Österreich. – in Österreich. – Das ist in Österreich.

8 Finding places on the map: Where is …? **Write sentences.**
Use the map at the front of the book.

1. Augsburg – München   *Augsburg liegt im Nordwesten von München.* ....
2. Wien – Linz   ....
3. Bern – Basel   ....
4. Erfurt – Weimar   ....
5. Klagenfurt – Wien   ....
6. Zürich – Bern   ....

9 Where is …? **Listen and tick. What is correct?**

1.28

1. Moldawien ist …
   a ☐ in Rumänien.
   b ☐ nördlich von Rumänien.
   c ☐ im Osten von Rumänien.

2. Cahul liegt …
   a ☐ südwestlich von Kischinau.
   b ☐ südlich von Kischinau.
   c ☐ westlich von Kischinau.

3. Duisburg liegt …
   a ☐ nördlich von Köln.
   b ☐ südöstlich von Köln.
   c ☐ im Süden von Köln.

4. Lüdenscheid ist …
   a ☐ nördlich von Köln.
   b ☐ nordöstlich von Köln.
   c ☐ östlich von Köln.

10 A holiday blog. **Fill in the** *Präteritum* **of** *sein.*

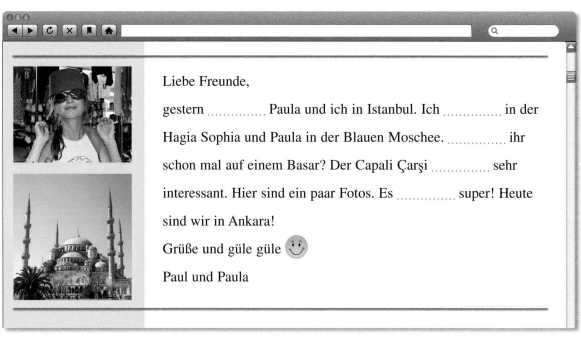

Liebe Freunde,

gestern .... Paula und ich in Istanbul. Ich .... in der

Hagia Sophia und Paula in der Blauen Moschee. .... ihr

schon mal auf einem Basar? Der Capali Çarşi .... sehr

interessant. Hier sind ein paar Fotos. Es .... super! Heute

sind wir in Ankara!

Grüße und güle güle 😊

Paul und Paula

11 Reading text messages. **Fill in *sein* in the *Präsens* or *Präteritum*.**

08.04.2013 15:16

Hi, Lena und Paul *sind* .... in München! Gestern .... wir im Olympiapark. Dann .... Lena und Paul im Dom. Jetzt .... wir in einem Café und trinken Latte macchiato – lecker! :-)

08.04.2013 15:20

Hallo, Anna und ich .... in Berlin. Gestern .... wir am Brandenburger Tor. .... du schon mal in Berlin? Berlin .... super!

08.04.2013 15:22

Ah, Berlin! Ja, ich .... schon mal da. Es .... genial! Wann .... ihr in Hamburg?

08.04.2013 15:29

Keine Ahnung … Anna .... morgen wieder in Köln, dann in Frankfurt …

12 'Yes/No' questions. **What goes together? Join.**

Ist das Hamburg? 1	a Nein, aus Norditalien.
Sprechen Sie auch Chinesisch? 2	b Ja, in Poznań.
Kommt Uri aus der Schweiz? 3	c Nein, nur Deutsch und Japanisch.
Liegt Köln südlich von Düsseldorf? 4	d Nein, wo ist denn das?
Wohnt Jarek in Polen? 5	e Ja, im Süden von Düsseldorf und Duisburg.
Warst du schon mal in Lüdenscheid? 6	f Ja, das ist der Hafen von Hamburg.

13 Asking questions

a) **Write questions.**

1. ○ Wo (ist) Poznań? .... ○ Poznań ist in Polen.
2. ○ .... ○ Polen liegt östlich von Deutschland.
3 ○ .... ○ Ja, Tschechien liegt auch im Osten.
4. ○ .... ○ Nein, ich war nicht in Polen.
5. ○ .... ○ Ja, Darek kommt aus Poznań.
6. ○ .... ○ Małgorzata kommt aus Warschau.

b) **Mark the verbs as in the example.**

14 Who is Fatih Akin? **Read. Correct the sentences with the right information.**

Fatih Akin (*25. 8. 1973 in Hamburg) kommt aus Deutschland und wohnt in Hamburg. Seine Eltern kommen aus der Türkei und wohnen auch in Hamburg. Er spricht Deutsch, Türkisch und Englisch. Er ist Regisseur, macht Filme und arbeitet manchmal auch als DJ.

1. Fatih Akin kommt aus der Türkei. ....

2. Seine Eltern leben in der Türkei. ....

3. Er spricht Deutsch und Türkisch. ....

4. Er macht Filmmusik. ....

15 Hypotheses before listening. **Collect information about the photos from Frau Baier's photo album.**

Familie: ....   Wohnort: ....

Land: ....   Sprachen: ....

16 Listening and checking hypotheses

1.29

a) **Were your hypotheses in 15 correct? Listen and compare.**

b) **What is correct? Listen again and tick.**

1. Frau Baier hat ...
   a ☐ ein Kind.
   b ☐ kein Kind.

2. Frau Baier kommt ...
   a ☐ aus Österreich.
   b ☐ aus Deutschland.

3. Innsbruck liegt ...
   a ☐ im Westen von Österreich.
   b ☐ im Westen von Tirol.

4. In Tirol spricht man ...
   a ☐ Deutsch.
   b ☐ Deutsch, Italienisch und Englisch.

17 From a student magazine: Who is who?

a) **Read and write questions.**

Hye Youn Park

Ihr Name ist Hye Youn Park. Sie studiert Chemie. Sie kommt aus Seoul. Das liegt im Norden von Südkorea. In Südkorea spricht man Koreanisch. Hye Youn spricht Koreanisch, Deutsch und Englisch.

Prof. Jüri Tamm

Das ist Professor Jüri Tamm. Er kommt aus Tartu in Estland. Estland liegt nördlich von Lettland. Herr Tamm spricht Estnisch, Russisch, Englisch und Deutsch.

27

1. *Woher* .... ?

2. *Wo* .... ?

3. *Welche* .... ?

b) **Answer the questions about Hye Youn Park and Jüri Tamm.**

Hye Youn Park	Jüri Tamm
1.	....
2.	....
3.	....

18 Languages from around the world. **Listen and number.**

1.30

Vážené dámy a pánové, dobrý večer!

女士们,先生们,晚上好!

a ☐ Tschechisch

c ☐ Chinesisch

مساء الخير سيداتي و سادتي

Good evening ladies and gentlemen!

b ☐ Arabisch

d ☐ Englisch

19 Neighbouring countries – neighbouring languages. **Read the text and collect information.**

Welche Sprache sprechen die Nachbarn von Deutschland?

Deutschland liegt im Zentrum von (West-)Europa. Es hat neun Nachbarländer. Im Osten liegt Polen, hier spricht man Polnisch. Südlich von Polen liegt Tschechien, dort spricht man Tschechisch. Südlich von Deutschland liegen Österreich und die Schweiz. In Österreich spricht man Deutsch und Slowenisch. Westlich von Österreich liegt die Schweiz. Hier spricht man vier Sprachen: Deutsch, Italienisch, Französisch und Rätoromanisch. Französisch spricht man in Frankreich. Das liegt südwestlich von Deutschland. Im Westen und Nordwesten sind Luxemburg, Belgien und die Niederlande. In Luxemburg spricht man drei Sprachen: Deutsch, Französisch und Luxemburgisch. Das ist die Nationalsprache in Luxemburg. In Belgien spricht man auch drei Sprachen: Niederländisch, Deutsch und Französisch. In den Niederlanden spricht man Niederländisch und Friesisch. Nördlich von Deutschland liegt Dänemark. In Dänemark spricht man Dänisch und Deutsch.

Land	Sprache(n)
Belgien	Französisch, Deutsch, Niederländisch
Dänemark	
Frankreich	
Luxemburg	
Niederlande	
Österreich	
Polen	
Schweiz	
Tschechien	

20 Text karaoke

a) **Where do you come from? Which languages do you speak? Complete.**

…

Ich komme aus ....

…

Bei uns spricht man ....

…

Ich spreche .... Und Sie?

…

1.31 b) **Listen and say the -parts of the dialogue.**

Fit for Unit 4? Test yourself!

Active language use

Talking about cities and sights

💬 Was ist das?   🗨 Die Akropolis .... Athen.

🗨 .... die Akropolis.   💬 In welchem .... ?

💬 Wo .... ?   🗨 Das .... Griechenland. ▶ KB 1.1–1.5

Talking about countries and languages

Sprichst du Polnisch? **1**   **a** Ich spreche Deutsch und Englisch.
Welche Sprache spricht man in Italien? **2**   **b** Italienisch und Deutsch.
Welche Sprachen sprechen Sie? **3**   **c** Nein, ich spreche Russisch. ▶ KB 5.1–5.7

Saying where you have been

🗨 Warst du schon mal in Athen?   ☺ ....

     ☹ ....
▶ KB 2.1–2.3

Specifying a geographical location

💬 .... München?

🗨 München .... Frankfurt. ▶ KB 2.4–2.5

Word fields

Directions

der Norden – nördlich, ... ▶ KB 2.4

Languages

Deutschland – .... ; Polen – .... ▶ KB 5.2–5.4

Grammar

W-questions and 'yes/no' questions

💬 .... Sie?   🗨 Ich komme aus der Türkei.

💬 .... Istanbul?   🗨 Ja, ich war schon in Istanbul. ▶ KB 3.2–3.3

The Präteritum of *sein*

ich .... ; du .... ; er/es/sie .... ; wir .... ; ihr .... ; sie/Sie .... ▶ KB 3.1

Pronunciation

Sentence stress and intonation, word stress

'Dänisch, Französisch   Woher kommen Sie? Und Sie, woher kommen Sie? ▶ KB 1.4, 2.2, 3.4

Station 1

1 Berufsbilder

1 Job: German teacher

a) **Which words do you know? Collect.**

Material	Tätigkeit	Orte	Kontakte/Partner
Lehrbuch	lesen	Universität	Studenten

b) **Read the text. Complete the table in a).**

Serie: Berufe an der Universität

Regina Werner, Deutschlehrerin

Regina Werner ist Deutschlehrerin. Sie hat in Jena Germanistik und Anglistik studiert. Seit 20 Jahren arbeitet sie als Deutschlehrerin. Sie hat Kurse an der Universität und in einem Sprachinstitut. Im Sprachinstitut hat sie vier Kolleginnen. „Viele Stunden Unterricht, abends korrigieren, und kein fester Job. Aber der Beruf macht Spaß", sagt sie. Sie arbeitet gern mit Menschen und mag fremde Kulturen. Ihre Studenten kommen aus China, Russland, aus der Türkei und Südamerika. Sie arbeitet mit Lehrbüchern, Wörterbüchern, mit Video, dem Whiteboard und dem Internet. Frau Werner und die Studenten machen oft Projekte. Sie besuchen den Bahnhof, ein Kaufhaus, das Theater – dort kann man Deutsch lernen. Die Studenten finden die Projekte gut.   *aus: Uni-Journal*

2 Information about Regina Werner. **Complete the questions and answers.**

1. .... Regina Werner.

2. Wo .... sie?   An der Universität.

3. Was sagt sie?   „Der Beruf macht .... "

4. .... Aus China, ...

5. Was macht sie?   Sie arbeitet mit ....

....

3 Job: Student. **Read the information about Andrick. What is correct?**
Tick and correct the wrong information.

Uni international

Andrick Razandry, Student

Das ist Andrick Razandry. Er kommt aus Madagaskar, aus Tamatave. Das ist im Osten von Madagaskar, am Indischen Ozean. Er hat dort an der Universität studiert. Seit zwei Jahren lebt er in Deutschland. Er studiert Deutsch als Fremdsprache an der Friedrich-Schiller-Universität in Jena. Andrick hat 18 Stunden Unterricht pro Woche. Er arbeitet gern in der Bibliothek. Er sagt: „In der Bibliothek kann ich meine E-Mails lesen und gut arbeiten. Abends ist es dort sehr ruhig." Er kennt viele Studenten und Studentinnen. Die Universität ist international. In den Seminaren sind Studenten und Studentinnen aus vielen Ländern, aus Indien, Brasilien und dem Iran. „Am Anfang war für mich alles sehr fremd hier. Jetzt ist es okay. Ich habe viele Freunde und wir lernen oft zusammen." Andrick spricht vier Sprachen: Madagassisch, Französisch, Deutsch und Englisch. *aus: Uni-Journal*

1. ☐ Andrick studiert in Tamatave.
2. ☐ Er lebt seit zwei Jahren in Deutschland.
3. ☐ Er hat 16 Stunden Unterricht in der Woche.
4. ☐ Er liest E-Mails in der Bibliothek.
5. ☐ Er findet in Jena keine Freunde.

4 *Lehrerin – Student*: important words. **Make a mind map.**

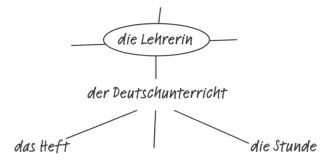

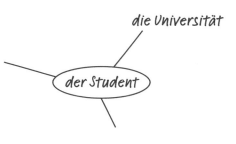

2 Themen und Texte

1 Greetings. **What do you say/do where?**

Begrüßung international

In Deutschland und in Österreich gibt man meistens die Hand. Aus Frankreich, Spanien und Italien kommt eine andere Tradition: Man küsst Bekannte einmal, zweimal oder dreimal. Und in Ihrem Land?

Du oder Sie?

Es gibt keine Regeln. „Sie" ist offiziell, formal und neutral. Freunde und gute Bekannte sagen „du". Aus England und aus den USA kommt eine andere Variante: „Sie" mit Vornamen. Das ist in Deutschland in internationalen Firmen und auch an Universitäten sehr populär.

GRÜß GOTT

Begrüßung und Verabschiedung regional

„Guten Morgen", „Guten Tag", „Guten Abend" (ab 18 Uhr) und „Auf Wiedersehen" sind neutral. „Hallo" und „Tschüss" hört man sehr oft. Das ist nicht so formal. In Österreich sagt man auch „Servus" und in der Schweiz „Grüezi" und „Auf Wiederluege". In Norddeutschland sagen viele Menschen nicht „Guten Tag", sie sagen „Moin, Moin". In Süddeutschland grüßt man mit „Grüß Gott".

| Begrüßung und Verabschiedung | |
in Deutschland / Österreich / der Schweiz	in Ihrem Land

2 Writing *Ich*-texts. **Introduce yourself.**

Liebe …
ich heiße … Ich komme aus … Das liegt (bei) …
Ich bin … Ich spreche …
Ich wohne … Und du? Bitte antworte schnell.

3 Wörter – Spiele – Training

1 Grammatical terms. **We used these terms in Units 1–3.**
Match the underlined words to the terms.

Einheit

<u>Waren</u> Sie schon einmal in Italien?　1　　　　　　a　Adjektiv　　　............

<u>Woher</u> kommen Sie?　2　　　　　　b　Fragewort, W-Wort　　............

<u>Wohnst</u> du in Hamburg?　3　　　　　　c　Präteritum von *sein*　............

Lenka findet Wien <u>fantastisch</u>.　4　　　　　　d　Satzfrage　　　............

Ich habe <u>kein</u> Auto.　5　　　　　　e　Personalpronomen　............

<u>Ich</u> lerne Englisch und Deutsch.　6　　　　　　f　Verneinung　　　............

2 A grammar test. **Complete the verbs.**

| sprechen (2x) – kommen – wohnen – möchten – trinken – kennen – liegen – sein |

1. 🗨 M......................... du Kaffee?　🗨 Nein danke, ich t......................... Tee.

2. 🗨 K......................... du aus Spanien?　🗨 Nein, aus Italien.

3. 🗨 Wo .... Sie?　🗨 In der Holzhausenstraße.

4. 🗨 .... du Französisch?　🗨 Nein, ich .... Polnisch und Deutsch.

5. 🗨 .... du Potsdam?　🗨 Nein, wo .... das?

6. 🗨 .... du schon mal in Bremerhaven?　🗨 Nein, wo ist das?

3 A quiz: 6 times 4 words in German. **Add words.**

4 Länder　......................... ....

4 Sprachen　......................... ....

4 Getränke　......................... ....

4 Dinge im Kurs　......................... ....

4 Städte　......................... ....

4 deutsche
Familiennamen　......................... ....

4 Today's radio schedule. **The umlauts *ä, ö, ü* and *ch*.**
1.34 **Listen and match.**

Schöne Grüße!　1　　　　　　a　Tschechisches Märchen

Küchenduell　2　　　　　　b　Dänisches Hörspiel

Stadtgespräch　3　　　　　　c　Französische Dokumentation

Das schöne Mädchen　4　　　　　　d　Österreichische Talkshow

4 Filmstation

1 Four young people in Berlin

3

a) **Janine, Lukas, Erkan and Aleksandra. Watch the scene and match the names. How old are they?**

Name: .... Alter: ....   Name: .... Alter: ....

Name: .... Alter: ....   Name: .... Alter: ....

b) **What is wrong here? Read and find eight mistakes.**

Erkan ist aus Berlin. Er wohnt in Kreuzberg. Seine Eltern kommen aus der Türkei und leben schon seit 20 Jahren hier. Sie haben einen Obst- und Gemüseladen. Erkan hat zwei Hobbys: Musik und Radfahren.
Lukas ist 24. Er studiert an der Humboldt-Universität in Berlin. Seine Eltern kommen aus Friedrichshain. Seine Freundin **Janine** ist 22. Sie wohnt in Jena und arbeitet im Fitness-Studio. Sie studiert Spanisch und Philosophie. Sie kommt aus Hamburg und lebt seit zwei Jahren in Berlin. Am Wochenende arbeitet sie nicht.
Aleksandra ist 21 und lebt noch nicht lange in Berlin. Sie sucht ein Praktikum in einem Verlag.

c) **Re-write the text.**

Erkan ist aus Berlin. Er wohnt ...

2 *Ist hier noch frei?*

⁴

a) **Watch the scenes and complete the dialogue.**

Erkan: Entschuldigung, ist hier noch ....?

Aleksandra: Entschuldigung. Ja klar, ...!

Erkan: .... du auch hier?

Aleksandra: Ja, ich .... Aleksandra. Und du?

Erkan: Freut mich, ich bin Erkan. Ich mache hier den Judo-...............................

Möchtest du was ....?

Aleksandra: .... weiß nicht, ein Wasser vielleicht.

Erkan: Ok! Zwei ...., bitte. Was macht ....?

Janine: 2,80 Euro.

Erkan: Hey, Lukas. Wie gehts?

Lukas: Danke, ... Sorry, ich habe keine Zeit.

Aleksandra: ....!

Erkan: .... du hier in Kreuzberg?

Aleksandra: Ja, gleich um die Ecke .... der Bergmannstraße.

Und ....?

Erkan: Ich .... in der Kochstraße. Ich .... oft hier.

So drei- bis viermal die Woche.

b) **Compare with your partner.**

5 Magazin

1.35

empfindungswörter

aha die deutschen
ei die deutschen
hurra die deutschen
pfui die deutschen
ach die deutschen
nanu die deutschen
oho die deutschen
hm die deutschen
nein die deutschen
ja ja die deutschen

Rudolf Otto Wiemer

1.36

Konjugation

Ich gehe

du gehst

er geht

sie geht

es geht

Geht es?

Danke – es geht.

rudolf steinmetz

4 Menschen und Häuser

In this unit you will learn ...

▶ to describe and comment on flats and houses
▶ to write addresses
▶ to talk about how people live in other countries
▶ how to memorise words related to the topic home and furniture

1 Wohnen in Deutschland, Österreich und der Schweiz

a   das Zimmer im Studentenwohnheim   b   das Bauernhaus

1 Who lives where? **Read the texts and match them to the photos.**

Ü1

1. ☐ Petra Galle (39) und ihr Mann Guido (41) wohnen in Olpe. Sie haben zwei Kinder: Mia (9) und Annika (5). Sie haben ein Haus mit Garten. Petra findet den Garten zu groß.

2. ☐ Uli Venitzelos (49) und seine Kinder David (22) und Lena (17) haben eine Altbauwohnung in der Goethestraße in Kassel. Sie leben gerne in der Stadt.

3. ☐ Hans-Jürgen und Eva Prohaska (beide 72) wohnen auf dem Land in der Nähe von Puchberg. Ihr Haus ist ziemlich alt, aber sehr groß. Sie sagen: „Unser Haus liegt sehr ruhig."

4. ☐ Anja Jungblut (24) studiert in Dresden. Sie hat ein Zimmer im Studentenwohnheim im Hochhaus in der Petersburger Straße. Ihr Zimmer ist 14 qm groß. Anja findet das Zimmer sehr klein und das Wohnheim zu laut.

5. ☐ Paolo Monetti (55) und Kateryna Guzieva (54) leben in Mainz. Sie haben ein Reihenhaus. Sie finden das Haus klein, aber gemütlich. Und die Nachbarn sind nett.

zweiundsiebzig

das Hochhaus

das Fachwerkhaus

der Altbau

auf dem Land

in der St

d das Reihenhaus

e das Einfamilienhaus

c Altbauwohnungen

2 Addresses

a) Which address is right? Listen and tick.

1.37
Ü2

1. ☐ Goethestraße 117
34119 Kassel

2. ☐ Goethestraße 17
34129 Kassel

3. ☐ Goethestraße 170
43119 Kassel

b) What is your address? Dictate.

3 And you? Where do you live? Ask around the class.

Ü3

Useful phrases

Talking about your home

Ich Wir	wohne wohnen	gern	auf dem Land / in der Stadt / auf dem Bauernhof. im Hochhaus. in der Goethestraße.
Wir	haben		eine Altbauwohnung / ein Einfamilienhaus / ...
Meine Wohnung / Unser Haus	ist		klein/groß. modern/alt. sehr gemütlich.

ABC

einem Dorf

der Garten

die Garage

der Balkon

die Terrasse

2 Wohnungen beschreiben

1 Showing someone around a flat

Ü4–6

a) **What are the rooms called? The word list will help you.**

1. wohnen: .....*das Wohnzimmer*.....
2. essen: ....
3. schlafen: ....
4. spielen: ....
5. arbeiten: ....
6. baden: ....
7. kochen: .....*die Küche*.....

b) **What is the estate agent showing the clients? Read and match the texts to the photos.**

♂ Die Wohnung hat zwei Kinderzimmer.
♃ Schön! Hat die Wohnung auch einen Balkon?
☐ ♂ Ja, hier ist der Balkon.
♃ Hm … ich finde den Balkon zu klein.
☐ ♂ Das Wohnzimmer ist gemütlich und hat zwei Fenster.
♃ Schön … aber auch ziemlich dunkel. Hat die Wohnung einen Keller?
☐ ♂ Ja, aber ich habe keinen Schlüssel.

1

3

c) **Practise: a different house, different rooms**

– zwei Badezimmer
– der/einen Garten

– das Schlafzimmer
– ein Arbeitszimmer

2 Uli Venitzelos describes his flat

1.38 Ü7

a) **Listen. Which plan is correct?**   links  rechts

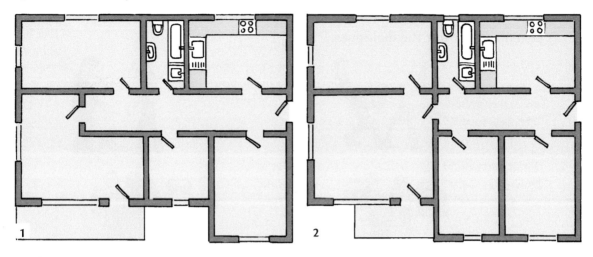

1

2

b) **Listen again and read. Write the names of the rooms on the plan.**

Unsere Wohnung hat vier Zimmer, eine Küche, ein Bad und einen Balkon. Hier links ist das Zimmer von David. Sein Zimmer ist groß, aber was für ein Chaos! Rechts ist die Küche. Unsere Küche ist wirklich schön – groß und hell. Das Bad hat kein Fenster und ist klein und dunkel. Unser Wohnzimmer hat nur 17 qm, aber es hat einen Balkon! Der Balkon ist groß. Hier rechts ist das Zimmer von Lena. Ihr Zimmer ist auch groß und hell! Mein Zimmer ist sehr klein. Der Flur ist lang und meine Bücherregale haben hier viel Platz! Unsere Wohnung kostet 750 Euro, das ist billig!

3 The accusative

9.4

a) **Fill in the articles in the accusative.**

groß

Grammar	nominative	accusative	
	Das ist	Ich habe	Ich finde
	der/ein Balkon.	(k) .... Balkon.	den Balkon zu klein.
	das/ein Haus.	(k) ein Haus.	das Haus zu groß.
	die/eine Küche.	(k) .... Küche.	die Küche zu klein.

hell   dunkel   lang   klein

b) **Write down the names of four rooms. Ask your partner.**

💬 Hast du einen Keller?   💬 Hast du eine Küche / einen Balkon / ...?
👄 Nein, ich habe keinen Keller.   👄 Ja, ich habe eine Küche / ...

ABC

3 Meine Wohnung – deine Wohnung

1 *Meine Bücher – deine Taschen*

9.5

1.39
Ü8

a) Listen and act out the dialogues.

Das ist meine Vase!

Deine Vase? Nein, das ist meine Vase!

Hier bitte, *deine* Vase!

Das ist unser Auto!

Nein, das ist unser Auto!

Aber nein, *das* ist unser Auto!

1.40

b) *Ist das dein ...?* Listen and pay attention to the intonation. Ask and answer questions.

💬 Ist das dein Auto?	🗨 Mein Auto? Ja, das ist mein Auto.
💬 Ist das deine Tasche?	🗨 Meine Tasche? Ja, das ist meine Tasche.
💬 Ist das dein Kuli?	🗨 Mein Kuli? Nein, das ist der Kuli von Hassan. Das ist sein Kuli.
💬 Ist das dein Wörterbuch?	🗨 Mein Wörterbuch? Nein, das ist das Wörterbuch von Jenny. Das ist ihr Wörterbuch.

c) Listen to the dialogues again. Mark the stress in b).

💬 Ist das 'dein Auto?   🗨 'Mein Auto? Ja, das ist 'mein Auto.

2 Kim's game. Whose is it? **Play in class.**

Nein, das ist nicht mein Handy.

Ja, das ist mein Handy. Vielen Dank.

Ist das Ihr/dein Handy?

3 Possessive adjectives. **Collect the possessive adjectives on pages 72–76.**

	der	das	die	die (plural)
ich	mein Kuli			meine Bücherregale
du				
...				

4 A dream flat. **Read and practise the dialogues.**
Ü9–12

5 Describing flats. **Draw a flat then swap drawings with a partner. Your partner describes your flat.**
Ü13

Useful phrases

Describing and commenting on flats and houses

Meine/Deine Wohnung Die Küche / Der Balkon Das Kinderzimmer	ist	zu teuer/dunkel/klein/laut. groß/hell/modern/alt. ein Traum.
Das Rechts (daneben) / Links Hier	ist	das Zimmer von David. der Balkon / das Bad / die Küche.
Unsere/Eure Wohnung Mein/Dein Haus Das Haus von Petra und Guido Galle	hat	drei Zimmer. (k)einen Garten. (k)ein Arbeitszimmer. (k)eine Küche.

Ich	finde	den Garten das Haus die Kinderzimmer	schön, aber zu klein. zu groß. chaotisch.

ABC

4 Zimmer und Möbel

1 Where does the furniture belong? **Complete the table.**
Ü14–15 **There is more than one correct answer.**

die Stehlampe

der Schreibtisch

der Sessel

der Schrank

der Küchenschrank

der Tisch

das Bücherregal

das Bett

der Teppich

der Spiegel

das Sofa

das Wohnzimmer	die Küche	das Arbeitszimmer	das Schlafzimmer
das Sofa			

2 Compound nouns
11 Ü16

a) *Der, das, die?* Fill in the blanks.

.... Küchentisch   .... Schreibtischlampe   .... Bücherregal

b) **Furniture at home. Find more examples.**

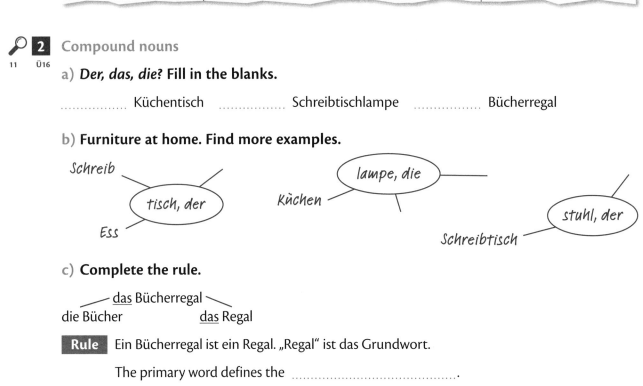

Schreib
tisch, der
Ess

Küchen
lampe, die

Schreibtisch
stuhl, der

c) **Complete the rule.**

die Bücher ⟶ <u>das</u> Bücherregal ⟵ <u>das</u> Regal

Rule Ein Bücherregal ist ein Regal. „Regal" ist das Grundwort.

The primary word defines the ....

3 Word stress. **Listen and mark the word stress. Complete the rule.**
1.41

1. der Schreibtisch   3. das Bücherregal   5. der Küchenschrank
2. der Esstisch   4. die Küchenlampe   6. der Bürostuhl

Rule The stress is always on ☐ the first / ☐ the second word.

5 Wörter lernen mit System

1 Study tips. **Read the tips and talk about them in class.**

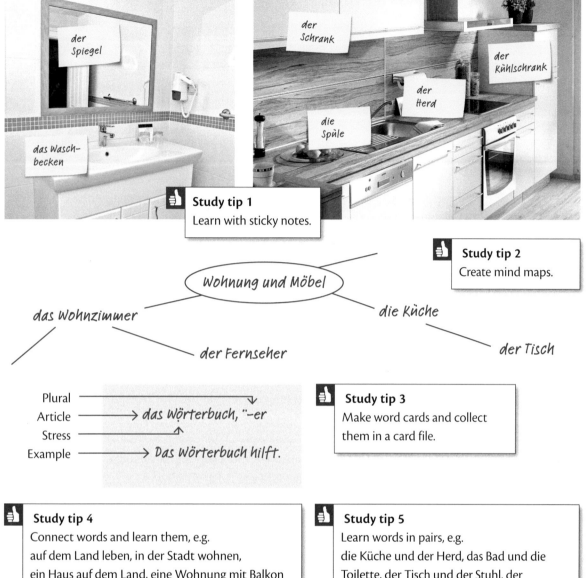

Study tip 1
Learn with sticky notes.

Study tip 2
Create mind maps.

Study tip 3
Make word cards and collect them in a card file.

Study tip 4
Connect words and learn them, e.g.
auf dem Land leben, in der Stadt wohnen,
ein Haus auf dem Land, eine Wohnung mit Balkon

Study tip 5
Learn words in pairs, e.g.
die Küche und der Herd, das Bad und die
Toilette, der Tisch und der Stuhl, der
Schreibtisch und das Bücherregal, das Bett
und der Schrank

2 *Kochen – Küche:* pronouncing *ch*

Ü17

a) Put the words in the right category.

~~acht~~ – ~~Österreich~~ – richtig – auch – das Buch –
das Mädchen – östlich – welcher – das Gespräch –
gleich – doch – machen – München – suchen –
nicht – sprechen – die Sprache – die Bücher – ich –
möchten – die Technik

ch wie kochen [x]	ch wie Küche [ç]
acht	Österreich

b) Listen to the words, check your table and complete the rule.

1.42

Rule *ch* as in *kochen* after the vowels ...., otherwise as in *Küche*.

ABC

6 Der Umzug

1 Moving chaos

Ü18–19

a) Who does what? Read the email.

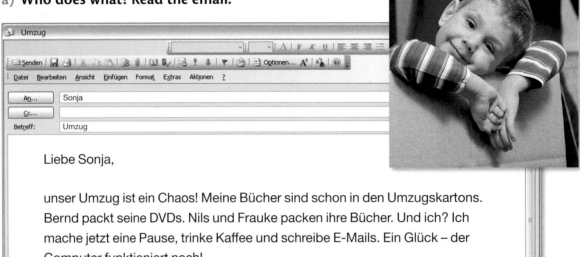

Umzug

Senden | Datei Bearbeiten Ansicht Einfügen Format Extras Aktionen ?

An... Sonja
Cc...
Betreff: Umzug

Liebe Sonja,

unser Umzug ist ein Chaos! Meine Bücher sind schon in den Umzugskartons.
Bernd packt seine DVDs. Nils und Frauke packen ihre Bücher. Und ich? Ich
mache jetzt eine Pause, trinke Kaffee und schreibe E-Mails. Ein Glück – der
Computer funktioniert noch!
Nils fragt 15-mal pro Tag: „Ist mein Zimmer groß?" „Ja, Nils, dein Zimmer ist
groß." „Und das Zimmer von Frauke?" „Jaaaa, ihr Zimmer ist auch ziemlich
groß." Zwei Kinder – ein Kinderzimmer, das war hier immer ein Problem.
Mein Schreibtisch, die Waschmaschine und der Herd sind schon in der neuen
Wohnung in der Schillerstraße 23. Die Postleitzahl ist: 50122. Die Wohnung ist
120 qm groß, Altbau, sehr zentral in der Südstadt, im 3. Stock, 5 Zimmer (!!!),
Küche, Bad, Balkon und ein Garten. Das Wohnzimmer hat vier Fenster, es ist
hell und ca. 35 qm groß, der Flur ist breit und lang. Wir hatten einfach Glück –
die Wohnung ist ein Traum und nicht teuer. Aber unser Esstisch steht jetzt im
Wohnzimmer – die Küche ist leider zu klein! Armer Bernd! Er arbeitet zu viel,
und sein Rücken macht Probleme, der Herd war doch zu schwer …
Du siehst, wir brauchen deine Hilfe!!!

Viele Grüße und bis morgen
deine Kirsten

b) What goes together? Match.

	a schreibt E-Mails.
	b hat Rückenschmerzen.
Bernd 1	c packt seine DVDs.
Kirsten 2	d packen ihre Bücher.
Nils und Frauke 3	e bekommt eine E-Mail.
Sonja 4	f kommt morgen und hilft.
	g macht eine Pause und trinkt Kaffee.
	h bekommen zwei Kinderzimmer.

7 Wohnen interkulturell

1 Different places to live. **Look at the photos and match them to the sentences.**

Ü 20

1. ☐ Wohnen auf einem Hausboot – cool!
2. ☐ Bitte keine Schuhe in der Wohnung!
3. ☐ Viele Familien haben ein Esszimmer.
4. ☐ Kein Bett, kein Stuhl – ich finde das schön!

2 And in your country? **Talk in class.**

Bei uns gibt es auch ein …

Wir haben ein …

Wir haben kein Esszimmer.

Hausboote finde ich …

ABC

1 Sound quiz

🔊 **a) Listen. Which photos match the sounds? Write down the number.**
1.32

☐ ....

1 ....

☐ ....

☐ ....

☐ *das Einfamilienhaus* ....

☐ ....

b) Match to the photos in a).

> ~~das Einfamilienhaus~~ – das Reihenhaus – auf dem Land –
> das Studentenwohnheim – die Altbauwohnung – in der Stadt

2 Addresses

🔊 **a) Who lives where? Listen and complete.**
1.33

1
Deniz Gülmaz

Wiesenstraße ......
.... *Berlin*

2
Hannah Schmidt

An der 19
.... Jena

3
Benno Heller

.... 98
51817 ....

b) Write down your own address.

3 Who lives where?

a) Who says what? Read the statements and listen.

1.34

Elisabeth (**E**)   Boris (**B**)

1. .... arbeitet in Berlin.
2. .... wohnt gern in der Stadt.
3. .... wohnt in einem Haus mit Garten.
4. .... findet Weimar klein und ruhig.
5. .... hat eine Altbauwohnung.
6. .... findet die Nachbarn nett.

b) Read the texts and check your answers in a).

1. Wir sind die Familie Lustig, das sind Paul und Laura, mein Mann Peter und ich, Elisabeth. Wir wohnen gerne in der Stadt. Wir wohnen in Weimar. Die Stadt ist klein und ruhig. Wir haben eine Altbauwohnung. Unsere Wohnung ist sehr alt, groß und gemütlich.

2. Ich bin Boris Lomonossov. Ich arbeite in Berlin und wohne auf dem Land. Ich wohne in Oranienburg. Das ist nördlich von Berlin. Ich habe dort ein Haus mit Garten. Der Garten ist groß und die Nachbarn sind nett.

4 What do you do where? **Match. What are the rooms called?**

arbeiten – schlafen – kochen – baden – s̶p̶i̶e̶l̶e̶n̶ – essen

spielen, das Kinderzimmer

....

....

....

....

....

5 Looking around a flat. **What is correct? Listen and tick.**

1.35

1. Die Wohnung hat
   a ☐ zwei Zimmer.
   b ☐ drei Zimmer.
   c ☐ vier Zimmer.

2. Die Wohnung hat
   a ☐ einen Garten.
   b ☐ einen Keller.
   c ☐ einen Balkon.

3. Die Wohnung kostet
   a ☐ 450 Euro.
   b ☐ 550 Euro.
   c ☐ 650 Euro.

6 Speak fluently. **Listen and repeat.**

1.36

1. leben. – auf dem Land leben. – Ich möchte auf dem Land leben.
2. auf dem Land. – ein Haus auf dem Land. – Ich möchte ein Haus auf dem Land.
3. Fenster. – keine Fenster. – Das Bad hat keine Fenster.
4. mit Balkon. – eine Wohnung mit Balkon. – Ich habe eine Wohnung mit Balkon.

7 *Wir haben ein Haus!* **Complete the email with the definite or indefinite article in the accusative.**

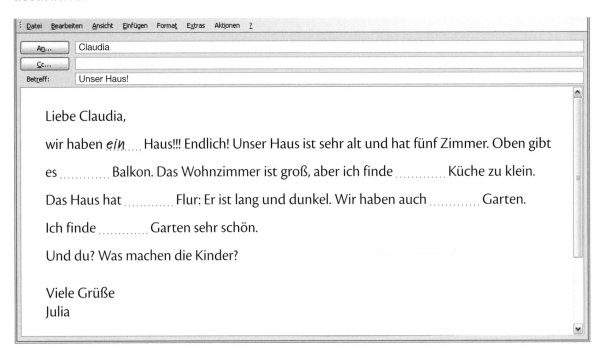

Datei Bearbeiten Ansicht Einfügen Format Extras Aktionen ?

An... Claudia

Cc...

Betreff: Unser Haus!

Liebe Claudia,

wir haben *ein* Haus!!! Endlich! Unser Haus ist sehr alt und hat fünf Zimmer. Oben gibt

es .... Balkon. Das Wohnzimmer ist groß, aber ich finde .... Küche zu klein.

Das Haus hat .... Flur: Er ist lang und dunkel. Wir haben auch .... Garten.

Ich finde .... Garten sehr schön.

Und du? Was machen die Kinder?

Viele Grüße
Julia

8 Possessive adjectives. **What doesn't fit? Cross out the incorrect options.**

1. 🗨 Ist das ~~dein~~/deine Tasche, Anna?   🗨 Ja, danke, das ist mein/meine Tasche.
2. 🗨 Ist das Ihr/Ihre Auto, Herr Schröder?   🗨 Ja, das ist mein/meine Auto. Ganz neu!
3. 🗨 Sind das euer/eure Kinder, Maria und Lukas?   🗨 Ja, das sind unser/unsere Kinder.
4. 🗨 Ist das dein/deine Buch, Tina?   🗨 Nein, das ist das Buch von Lena.
          Es ist ihr/sein Buch.

9 Viewing a flat. **Fill in the possessive adjectives.**

🗨 Hallo, Antje und Thomas. Vielen Dank für

   die Einladung!

🗨 Ja, kommt rein!

🗨 *Eure* Wohnung ist ja ganz neu!

   Thomas, ist das .... Zimmer?

🗨 Ja, das ist .... Arbeitszimmer.

   Und hier links ist .... Küche.

🗨 Oh, die ist aber groß. .... Küche ist sehr schön!

   Ist das das Zimmer von Antje?

🗨 Ja, das ist .... Zimmer.

🗨 Und wo ist .... Schlafzimmer?

🗨 Hier rechts. Und hier ist .... Wohnzimmer. Möchtet ihr etwas trinken?

((◦ 10 Text karaoke. **Listen and say the ◡◡-parts of the dialogue.**
1.37

◎ …

◡◡ Habt ihr ein Esszimmer?

◎ …

◡◡ Hat die Wohnung auch einen Balkon?

◎ …

◡◡ Wo ist denn euer Arbeitszimmer?

◎ …

◡◡ Ist eure Wohnung teuer?

◎ …

11 Opposites. **Complete.**

klein – billig – viel – laut – neu – kurz – hell – rechts

1. groß ....
2. dunkel ....
3. leise ....
4. links ....
5. teuer ....
6. alt ....
7. wenig ....
8. lang ....

12 Adjectives. **What fits? Tick.**

1. Die Wohnung kostet 900 Euro.
   Das finden Maria und Nils
   ☐ teuer.
   ☐ schön.
   ☐ klein.

2. Anja wohnt im Studentenwohnheim.
   Das Zimmer ist nur 14 qm
   ☐ ruhig.
   ☐ lang.
   ☐ groß.

3. Bruno und Heide wohnen in einem
   Bauernhaus. Es ist ziemlich
   ☐ modern.
   ☐ kurz.
   ☐ alt.

4. Familie Galle hat ein Haus mit Garten.
   Der Garten ist
   ☐ teuer.
   ☐ groß.
   ☐ leise.

5. Wir wohnen in der Stadt, im Zentrum.
   Es ist leider etwas
   ☐ laut.
   ☐ lang.
   ☐ alt.

6. Petra lebt in Köln. Ihre Wohnung ist klein,
   aber der Flur ist
   ☐ teuer.
   ☐ modern.
   ☐ lang.

13 *Das ist zu …* **Complete.**

laut – alt – lang – klein

1. Der Stuhl ist ....
2. Das Haus ist ....
3. Die Musik ist ....
4. Das Auto ist ....

14 A room in a hall of residence

a) **Write the names of the items of furniture and other things in the room.**

1. *das Bett* .... 5. .... 9. ....

2. .... 6. .... 10. ....

3. .... 7. .... 11. ....

4. .... 8. .... 12. ....

b) **What do you think of the room? Write two sentences.**

....

....

15 Word pairs. **Listen and repeat.**

1.38

16 Compound nouns

a) **Complete the articles.**

1. .... Arbeitszimmer   4. .... Bürostuhl   7. .... Schreibtischlampe

2. .... Küchentisch   5. .... Bücherregal   8. .... Esstisch

3. .... Kinderzimmer   6. .... Wohnzimmerschrank   9. .... Küchenstuhl

b) **Check your answers using the word list at the back of the book.**

17 Pronouncing *ch*

1.39

a) **What do you hear? Tick.**

1. ☐ die Küche   ☐ kochen
2. ☐ die Bücher   ☐ das Buch
3. ☐ die Nächte   ☐ die Nacht
4. ☐ die Töchter   ☐ die Tochter

b) **Listen again and repeat.**

18 The move. **Complete the sentences and solve the puzzle.**

1. Die .... ist schon in der neuen Wohnung.

2. Der Schreibtisch und der .... stehen im Arbeitszimmer.

3. Armer Bernd! Sein Rücken macht Probleme. Der .... war sehr schwer.

4. In der Küche steht der .... Wir können jetzt essen.

5. Der .... ist breit und lang.

6. Der *Fernseher*............... steht im Wohnzimmer.

7. Die Bücher von Sonja kommen in das ....

```
            1 | W | A |   |   |   | M | A |   |   |   |   |
          2 | C |   |   | P |   |   |   |
            3 |   |   |   | D |   |   |
      4 | K |   |   |   |   | T |   |   |   |
        5 |   | L |   |   |
      6 | F | E | R | N | S | E | H | E | R |
  7 | B |   |   |   |   |   |   |   |
```

Lösungswort: *die*...............................

19 After the move

a) **What is there? What is missing? Write sentences.**

1. einen Herd – keinen Kühlschrank: *Ich habe einen Herd, aber keinen Kühlschrank.*...............

2. ein Sofa – keine Lampe: ....

3. einen Schrank – keine Stühle: ....

4. einen Tisch – kein Bett: ....

5. einen Schreibtisch – keinen Fernseher: ....

6. einen Computer – keine Waschmaschine: ....

b) **What have you got? What haven't you got? Write two sentences.**

....

....

20 The flat share

Leben heute: Studenten

Wohnen in einer
Wohngemeinschaft

Paula (21), Julia (20), Viola (22) (von links nach rechts)

Das ist Julia. Sie lebt mit Paula und Viola zusammen in einer Wohnung. Sie sind Studentinnen und Freundinnen. Die Wohnung ist in der Nähe von der Universität. Sie ist 120 qm groß und hat vier Zimmer: die Zimmer von Julia, Paula und Viola, eine Küche, ein Wohnzimmer, ein Bad und eine extra Toilette. Die Küche ist groß – eine Wohnküche. Hier kochen Julia, Paula und Viola gerne. Sie essen sehr gerne zusammen.

In Deutschland leben Studenten oft in einer Wohngemeinschaft (WG). Eine Wohngemeinschaft hat zwei oder mehr Personen, man nennt sie Mitbewohner.

Die Wohnung kostet 850 Euro. Für eine Studentin ist das zu teuer. Für drei Studentinnen ist es o.k. Die drei Freundinnen finden die WG super!

a) **Read the text. Collect information about the flat.**

120 qm, ...

....

b) **What fits? Join.**

Studenten leben	1	a ein Bad und eine extra Toilette.
Julia, Paula und Viola	2	b 120 qm groß.
Die Wohnung hat	3	c die WG super.
Die Wohnung ist zentral:	4	d und essen sie oft zusammen.
Die Wohnung ist	5	e Sie ist in der Nähe von der Universität.
In der Küche kochen	6	f 850 Euro.
Die Wohnung kostet	7	g studieren und wohnen zusammen.
Die drei finden	8	h oft in Wohngemeinschaften.

Fit for Unit 5? Test yourself!

Active language use

Describing flats and houses

Wir haben eine ....

Ich finde die Wohnung ....

▸ KB 1.1, 1.3, 2.2, 3.5

Word fields

Flat   1. *das Wohnzimmer* ....   3. ....

2. ....   4. ....   ▸ KB 2.1

Furniture   *der Tisch* ⟍   ⟋ *das Bett*

Möbel

▸ KB 4.1

Adjectives   klein – *groß* ....; modern – ....; dunkel – ....;

leise – ....; billig – ....; alt – ....   ▸ KB 2.3

Grammar

Articles in the accusative

Unsere Wohnung hat .... Wohnzimmer, ... Arbeitszimmer,

.... Kinderzimmer, ... Küche, ... Bad und .... Garten.

Ich finde .... Garten schön.   ▸ KB 2.3

Possessive adjectives in the nominative

💬 Ist das *deine* ..... Tasche?

👄 .... Tasche? Nein, das ist die Tasche von Olga. Es ist .... Tasche.   ▸ KB 3.1

Adverb of degree with *zu*

Ich finde die Musik zu ....

Der Flur ist ....   ▸ KB 2.3

Compound nouns

der ..... Küchenschrank – .... Bürostuhl – .... Bücherregal   ▸ KB 4.2

Pronunciation

The consonant *ch*

 das Buch – die Küche – acht – sprechen – auch   ▸ KB 5.2

1.40

5 Termine

In this unit you will learn ...

▶ to tell the time and say the days of the week
▶ to make appointments and arrange to meet
▶ to apologise for being late
▶ to talk about daily routines

1 Uhrzeiten

a

Verspätung ca. 95 Min. Verspätung ca. 95 Min. Verspätung ca. 95
Ab 16:05 IC 1893
AIBICIDIEIFIGI Frankfurt(Main)Hbf
2

CTC Akupunktur

b

c

d

D 3

))🎧 **1** **The time. Listen and match the photos.**
1.43

2 Asking for the time. **Practise in class.**
Ü1

Useful phrases

Asking for the time

Wie spät ist es?	Es ist zwei.
Entschuldigung, wie spät ist es?	Es ist zwei Uhr.
Entschuldigung, wie viel Uhr ist es?	Punkt zwei.
	Es ist 14 Uhr.

neunzig

Kalender Einladungen (0) Tag   Kalender Einladungen (0) Tag   Kalender Einladungen (0) Tag

Oktober 2013   Oktober 2013   Oktober 2013

22 Montag 23 *das Jahr*   ↑ *der Monat*   ↓ *die Woche*   22 Montag ← *der Tag*   24 Mittwoch

14 Okt 15 - 21 Okt 22 - 28 Okt 29 - 4 Nov 5

22 Montag 23 Dienstag 24 Mittwoch

← *die Stunde*

Oktober 2013

🔊 **3** **A problem with an appointment. Listen and read the dialogue.**
1.44 **Which photo matches the dialogue?**

💬 Autohaus Kurz & Klein, Sie sprechen mit Herrn Becker.
🔊 Guten Morgen, Herr Becker.
💬 Ach, Frau Ahrenz! Wir hatten einen Termin um neun Uhr. Wo sind Sie?
🔊 Tut mir leid. Ich hatte eine Panne. Um 10 Uhr bin ich da.
💬 O. k., dann bis später. Gute Fahrt!

einundneunzig

der Termin

der Kalender

die Uhr

der Wecker

2 Wochentage und Zeiten

1 Days of the week. **Listen and repeat.**

1.45

2 Times – formal and informal

Ü2–3

a) **Read and compare.**

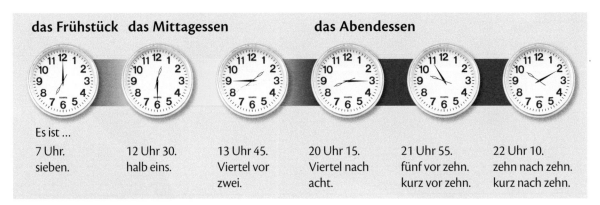

das Frühstück	das Mittagessen		das Abendessen		

Es ist ...

7 Uhr.	12 Uhr 30.	13 Uhr 45.	20 Uhr 15.	21 Uhr 55.	22 Uhr 10.
sieben.	halb eins.	Viertel vor zwei.	Viertel nach acht.	fünf vor zehn. kurz vor zehn.	zehn nach zehn. kurz nach zehn.

b) **Listen and mark the times in a).**

1.46

3 Talking about daily routines. **Work with a partner. Ask and answer questions.**

Ü4–6

aufstehen

frühstücken

arbeiten

Sport machen

ausgehen

ins Bett gehen

1. Wann stehst du am Sonntag auf?
2. Und wann stehst du am Montag auf?
3. Um wie viel Uhr frühstückst du?
4. Wann machst du Mittagspause?
5. Von wann bis wann arbeitest du?
6. Wann gehst du am Freitag aus?
7. Wann machst du Sport?
8. Wann gehst du ins Bett?

Von Viertel nach zwölf bis Viertel vor zwei.

Am Sonntag um neun.

Um 23 Uhr.

Zwischen eins und zwei.

Mini memo

am + Tag
um + Zeit
von ... bis ...
zwischen ... und ...

4 Intonation. **Listen to the questions. Mark the intonation and repeat.**

1.47

1. Wann stehst du am Sonntag auf?
2. Von wann bis wann hattest du Urlaub?
3. Wann machst du Mittagspause?
4. Wann gehst du ins Bett?

 5 Talking shadows

a) **Your partner speaks. Echo him/her.**

🗨 Morgens stehe ich um sechs Uhr dreißig auf.　🗨 Aha, du stehst um sechs Uhr dreißig auf.
🗨 Ich arbeite von neun bis fünf.　🗨 Ach so, du arbeitest von neun bis fünf.
🗨 Am Samstag arbeite ich auch.　🗨 Oh, du arbeitest auch am Samstag.

b) **Report back to the class.**

> Sie steht um sechs Uhr dreißig auf.
> Sie arbeitet von neun bis ...

6 Words ending in *k* and *g*

1.48　Ü7

a) **Listen and read. Compare.**

Gladbeck – Luxemburg – Nürnberg – Glück – Sonntag – Lübeck

b) **Listen again and repeat.**

7 At the *Bürgerbüro.* **What are the opening times of the *Bürgerbüro* in Kassel?**

Ü8

Opening times in Germany

Supermarkets are usually open from 9 am until 8 pm. Banks are closed on Saturdays. On Sundays, all shops are closed and it is only possible to buy things at train stations or petrol stations. Restaurants usually only serve food until 10 or 11pm. Most doctors' surgeries are closed on Wednesday afternoons.

8 International mealtimes. **Who eats when? Compare and add other examples.**

Mittagessen
In Deutschland: zwischen 12 und 13 Uhr
In Frankreich: zwischen 13 und 15 Uhr
In ...

Abendessen
In Deutschland: 18 –20 Uhr
In Frankreich: 20 –22 Uhr
In ...

> Abendessen gibt es bei uns zwischen ... und ...

3 Termine und Verabredungen

1 Times of the day and greetings in different cultures.

Ü9 **When do you say what? What about where you come from?**

6 bis 10	10 bis 12	12 bis 14	14 bis 18	18 bis 22	22 bis 6
der Morgen	der Vormittag	der Mittag	der Nachmittag	der Abend	die Nacht

Guten Morgen! ⟵——————— Guten Tag! ———————⟶ Guten ....! Gute ....!

....

2 At the doctor's

🔊 **a) Listen. When is the appointment? Write it down.**
1.49

Dr. Irina Kittelbach
Hausärztin
Telefon 03641/69 9999
Sprechzeiten: Di – Do 8.00 – 12.00 Uhr
Mo, Di, Do 13.00 – 18.00 Uhr

Datum		Uhrzeit

b) Read the dialogue and act it out.

💬 Praxis Dr. Kittelbach. Guten Morgen.
🗣 Guten Morgen, Albertini. Ich hätte gern einen Termin.
💬 Waren Sie schon einmal hier?
🗣 Äh, nein.
💬 Hm, Moment ... nächste Woche
   Montag um 9.30 Uhr?
🗣 Nein, da kann ich leider nicht,
   da arbeite ich. Geht es auch um 15 Uhr?
💬 Ja, das geht auch. Also, am Montagnachmittag
   um drei. Auf Wiederhören!
🗣 Auf Wiederhören!

c) Practise the dialogue with different names and appointments.

3 At work

🔊 **a) Listen and practise with a partner.**
1.50
Ü10
💬 Bergmann & Co, mein Name ist Gomez.
   Was kann ich für Sie tun?
🗣 Morgen Frau Gomez, hier ist Andreas Kowalski.
   Ich komme etwas später, ich stehe im Stau.
💬 Wo sind Sie denn?
🗣 Auf der Autobahn bei Leipzig. Ich bin in einer
   Stunde in Dresden, um zehn.
💬 Gut, Herr Kowalski. Danke für den Anruf und gute Fahrt.

b) Practise the dialogue with different names and appointments.

4 *p* or *b*? **Listen and repeat. Find other examples.**

1.51

Papier – Büro   Beruf – Praxis   ab Bochum – ab Paris

5 In your free time. **Look at the photos and**
Ü11 **read the questions. What is (not) possible?**

Ja, das geht.

1. Gehen wir am Dienstag um sechs schwimmen / ins Schwimmbad?
2. Gehen wir morgen Nachmittag zum Oktoberfest? Es gibt ein bayrisches Buffet.
3. Gehen wir am Samstagabend in die Oper? Ich möchte die Oper von Prokofjew sehen.
4. Gehen wir am Sonntag um drei ins Museum?
5. Gehen wir am Montag ins Fitness-Studio? Um halb sieben gibt es einen Yoga-Kurs.

Nein, das geht leider nicht.

6 Anja rings Hannah
Ü12

a) **Read the dialogue aloud.**

♡ Hallo, Anja! Gehen wir zusammen ins Kino?
♤ Ja gern, wann denn?
♡ Morgen Abend? Der Film fängt um 20 Uhr an.

♤ Ja, das geht.   ♤ Nein, das geht nicht. Morgen kann ich nicht.
                    ♡ Und am Freitag?
                    ♤ Freitag ist gut.

♡ Um wie viel Uhr treffen wir uns?
♤ Um sieben?
♡ O.k., tschüss, bis dann!

b) **Practise with a partner: use other days, places and times.**

Mini memo
in die Disko · in den Zoo
ins Fitness-Studio · ins Café
in die Stadt · ins Stadion

ABC

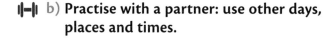

4 Keine Zeit!

1 Too late ... **Practise apologising.**

Ich hatte eine Panne ...
Nein, der Zug hatte Verspätung ...
Äh. Ich war beim Arzt!

Wo warst du?
Wir warten seit sieben!

Entschuldigung,
ich war beim Zahnarzt.

2 *Ich hatte keine Zeit.* The *Präteritum* of *haben*.
16.2 Ü13–14 **Listen to the poem and read it aloud.**

1.52

Ich hatte keine Zeit.
Du hattest viel Zeit.
Er hatte ein Auto.
Es hatte eine Panne.
Sie hatte kein Telefon.
Wir hatten ein Problem.
Ihr hattet keine Probleme.
Sie hatten kein Glück.

3 Separable verbs. **Write questions and answers.**
4 Ü15–17

   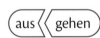

1. ♀ Wann **rufst** du **an**?
   ♂ Ich rufe morgen an.
   ♀ Rufst du morgen an?

2. ♀ Wann **fängt** das Kino **an**?
   ♂ ...

4 Turning down appointments
17 Ü18

a) Where is the word *nicht*? Mark it.

1. Am Sonntag kann ich nicht.
2. Am Freitag? Nein, das geht nicht.
3. Um fünf kann ich nicht.
4. Ich gehe am Sonntag nicht aus.

Kommst du am Freitag?

Nein, ich komme
am Freitag nicht!

Kommst du nicht mit?

Nein, ich komme nicht mit.

b) Turn down the appointments. Use sentences from part a).

1. Gehen wir am Freitag schwimmen?
2. Kannst du am Sonntag?
3. Treffen wir uns um fünf Uhr?
4. Gehen wir am Sonntag ins Café?
5. Kommst du um fünf nach Hause?
6. Wir gehen am Freitag ins Theater. Kommst du mit?

5 A role-play: making appointments and arranging to meet

 a) **Listen to the questions and answers. Repeat.**

1.53

b) **Choose a card and practise the dialogue in pairs.**

> **Machen Sie einen Termin beim Zahnarzt.**
> Sie können am Montagmorgen und am Dienstagabend.

> **Ein Kinobesuch. Machen Sie einen Termin.**
> Der Film beginnt um 19.45 Uhr.

> **Machen Sie einen Termin beim Friseur.**

Useful phrases

Asking for an appointment
Haben Sie einen Termin frei?
Kann ich einen Termin bekommen?
Ich hätte gern einen Termin.
Gehen wir am Freitag ins Kino?

Suggesting an appointment
Geht es am Freitag um 9.30 Uhr?
Geht es in einer Stunde?
Können Sie am Freitag um halb zehn?
Treffen wir uns am … um …?

Declining ☹
Tut mir leid,   das geht nicht. Da haben wir keine Termine frei.
   das passt mir nicht.

Da muss ich arbeiten.
Am Freitagabend kann ich leider nicht,
Um neun geht es leider nicht,

Accepting ☺
Ja, das passt gut.
Ja, das geht.

aber am Samstag.
aber um zehn.

6 Punctuality in different cultures

a) **What is "punctual" to you?**

> *Das ist (noch) pünktlich / sehr unpünktlich.*
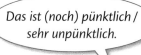

1. Die Party beginnt um acht. Sie kommen um halb neun.
2. Der Zug hat acht Minuten Verspätung.
3. Der Kurs beginnt um acht. Sie kommen um fünf nach acht.
4. Ihre Freunde kochen. Das Essen fängt um 19 Uhr an. Sie kommen 20 Minuten später.

b) **Read the text. What do you think?**

Marie Dupont studiert in Tübingen. Sie schreibt über die Deutschen und die Pünktlichkeit.

Sind die Deutschen wirklich so pünktlich?

Alle sagen, die Deutschen sind sehr pünktlich. Aber ich glaube das nicht. Ich fahre oft Bahn. Die Züge sind modern und meistens pünktlich, aber manchmal haben sie auch zwanzig Minuten Verspätung. In Frankreich sind die Züge nicht so modern, aber sie sind pünktlich. In Deutschland hast du um zwei einen Termin beim Zahnarzt und du wartest bis drei. Viele Partys beginnen um acht, aber die Leute kommen erst um halb neun oder neun. Ich glaube, die Deutschen sind genauso pünktlich oder unpünktlich wie die anderen Europäer auch.

 ABC

1 Asking for the time. **What are the people saying? Write.**

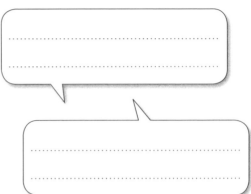

2 Appointments

a) What are the days of the week called? Write.

Mo ....

Di ....

Mi ....

Do ....

Fr ....

Sa ....

So *Sonntag* ....

b) Listen and write down the appointments.

1.41

16 Montag	**17** Dienstag	**18** Mittwoch	**19** Donnerstag	**20** Freitag
228-137	229-136	230-135	231-134	232-133
Termine	7	7	7	7	7
8 8⁰⁰ Zahnarzt	8	8	8	8
9	9	9	9	9
10	10	10	10	10
11	11	11	11	11
12	12	12	12	12
13	13	13	13	13
14	14	14	14	14
15	15	15	15	15
16	16	16	16	16
17	17	17	17	17
18	18	18	18	18
19	19	19	19	19
20	20	20	20	20

3 *Wie spät ist es?*

a) Draw in the times.

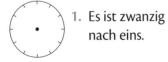
1. Es ist zwanzig nach eins.

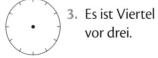
3. Es ist Viertel vor drei.

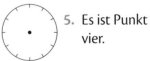
5. Es ist Punkt vier.

2. Es ist halb sieben.

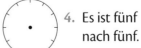
4. Es ist fünf nach fünf.

6. Es ist zehn vor acht.

b) **Write. There is more than one correct answer.**

1	2	3	4	5	6	7	8

1. *Es ist 8.30 Uhr / halb neun.* ....

2. ....

3. ....

4. ....

5. ....

6. ....

7. ....

8. ....

c) **Listen and write down the times.**

1.42

1. ....

3. ....

5. ....

2. ....

4. ....

6. ....

4 A daily routine. **Match and write the answers.**

a *Um Viertel nach sechs.* ....

Wann arbeitet Sascha? 1

Wann steht sie auf? 2

b ....

Wann geht sie ins Bett? 3

Wann frühstückt sie? 4

c ....

d ....

5 Daily routines around the world. **Read and write questions and answers.**

José lebt in Malaga. Das ist in Spanien. Er steht jeden Tag um 8 Uhr auf, dann frühstückt er. Von 9.30 bis 19.30 Uhr arbeitet er. Zwischen 12 und 14 Uhr macht er eine Pause. Am Dienstag macht er Sport, er spielt Tennis. Um 21 Uhr geht er mit Freunden aus. Er geht um 24 Uhr ins Bett.

My kommt aus China. Sie steht jeden Tag um 5 Uhr auf. Von 5.15 bis 6 Uhr macht sie Yoga. Um 6.15 Uhr frühstückt sie. Von 7.30 bis 16 Uhr arbeitet My. Um 18 Uhr liest sie Zeitung. Sie geht um 22 Uhr ins Bett.

1. Wann steht José auf?   *Um 8 Uhr.* ....

2. Von wann bis wann arbeitet er?   ....

3. Wann macht er eine Pause?   ....

4. ....   My macht von 5.15 bis 6 Uhr Yoga.

5. ....   Sie arbeitet von 7.30 bis 18 Uhr.

6. ....   Sie geht um 22 Uhr ins Bett.

6 Speaking fluently

a) **What do you do when? Complete.**

1. Am .... frühstücke ich um .... Uhr.

2. Am .... arbeite ich von .... bis .... Uhr.

3. Um .... Uhr habe ich Mittagspause.

4. Am .... mache ich von .... bis .... Uhr Sport.

5. Ich gehe um .... Uhr ins Bett.

((•¶ b) **Listen and repeat.**
1.43

c) **And on Sundays? Write.**

7 *ck* or *g*?

a) **What do you write at the end? Complete.**

1. der Vormitta......... – das Frühstü.........

2. der Monta......... – Lübe.........

3. das Glü......... – der Sonnta.........

((•¶ b) **Listen and repeat.**
1.44

Oktober 2013   Oktober 2013

8 An appointment at the tax office (*Finanzamt*)

a) **Fill in the prepositions.**

| am – am – Am – um – um – von … bis … |

💬 Finanzamt München, mein Name ist Brauer.
Was kann ich für Sie tun?

👂 Guten Tag, mein Name ist Prager. Ich hätte gern einen

Termine. Haben Sie .... Dienstag Sprechzeiten?

💬 .... Dienstag? Ja, da sind unsere Sprechzeiten .... 7.30 .... 12 Uhr.

👂 Gut, geht es .... 10 Uhr?

💬 Ja, 10 Uhr geht.

👂 Schön, dann komme ich .... Dienstag .... 10 Uhr.

🎧 b) **Listen and check.**

1.45

9 Times of the day

a) **What do you say when? Join.**

6 bis 10 Uhr

10 bis 12 Uhr   Guten Abend!

12 bis 14 Uhr   Guten Morgen!

14 bis 18 Uhr   Gute Nacht!

18 bis 22 Uhr   Guten Tag!

22 bis 6 Uhr

b) **Complete the times of the day.**

der Morgen ....

....

....

....

....

....

🎧 **10** Text karaoke

1.46

a) **Listen and say the 👄-parts of the dialogue.**

🎧 …

👄 Guten Tag. Mein Name ist … Ich hätte gern einen Termin.

🎧 …

👄 Nein.

🎧 …

👄 Um acht Uhr kann ich leider nicht. Geht es auch um 14 Uhr?

🎧 …

👄 Danke und auf Wiederhören!

🎧 …

b) **Listen and read the dialogue again. What is correct? Tick.**

Der Termin ist   ☐ am Mittwochmorgen.
                    ☐ am Mittwochnachmittag.

11 Asking for the time. **Write.**

1. 💬 *Um wie viel Uhr* ....?

   👂 Das Kulturfest fängt um eins an.

2. 💬 *Wann* ....?

   👂 Das Wasserfest ist am Freitagnachmittag von 12 bis 19 Uhr.

3. 💬 ....?

   👂 Die Sprechzeiten sind am Mittwoch zwischen 8 und 15 Uhr.

4. 💬 ....?

   👂 Der Yoga-Kurs für Männer ist am Mittwochabend um acht.

1. EMIL CAUER KULTURFEST
AM 12. MAI 2012
13–19 UHR AUF DEM
RÜDESHEIMER PLATZ

WASSERFES
25. August
12.00–19.00 Uhr
Livemusik & Show
Wasserspaß für Kinc

Dr. med. Eberhard Stein
Facharzt für innere Medizin

Südwestkorso 32   Mo   8–15 Uhr
12161 Berlin   Di + Do 8–13 Uhr und 14–18 Uhr
Tel.: +49 (30)/812 06 08 Mi   8–15 Uhr
Fax: +49 (30)/812 06 09 Fr   8–13 Uhr

Mi 10:00 – 11:30 Yoga – Offene Stunde
   18:00 – 19:30 Yoga – Offene Stunde
   20:00 – 21:30 Yoga für Männer – Offene Stunde

Do 17:30 – 18:30 Yoga für Jugendliche ab 11 Jahre
   19:30 – 21:00 Yoga – Offene Stunde

12 *Gehen wir aus?*

a) **Read and complete the dialogue.**

> von 15 bis 17 Uhr – Gehen – bis Sonntag – Ja, gern – das geht

💬 Hallo, Thomas! .... wir zusammen ins Konzert?

👂 .... Wann denn?

💬 Am Sonntag. Das Konzert ist ....

👂 Ja, ... Um wie viel Uhr treffen wir uns?

💬 Um halb drei?

👂 Okay. Dann ....!

b) **Read the dialogue again and complete the note.**

Konzert

am .... (von .... bis .... Uhr)

mit .... , treffen um .... Uhr

c) **Write a dialogue as in a).**

Hallo, ... Gehen wir ...?   →

← Ja ... / Wann?

Am ... / ... von ... bis ...   →

← Ja ... / Um wie viel Uhr?

Um ...?   →

← Okay. Dann ...

Bis ...

+ Hallo, Julia. Gehen wir
  zusammen in die Disko?

– ...

Oktober 2013   Oktober 2013

13 Yesterday and today. **Complete with *haben* or *hatten*.**

1. Gestern *hatte* ich keine Zeit,

   aber heute *habe* ich viel Zeit.

3. Gestern .... du kein Glück,

   aber heute .... du viel Glück.

2. Gestern .... wir eine Panne,

   aber heute .... wir keine Panne.

4. Gestern .... er kein Geld,

   aber heute .... er viel Geld.

14 *Wir hatten eine Panne.* **Complete with the *Präteritum* of *haben* and *sein*.**

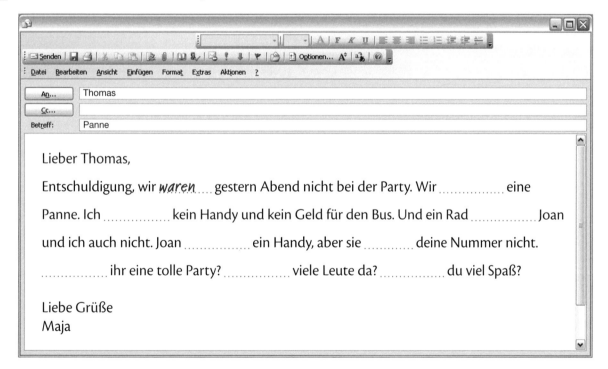

Lieber Thomas,

Entschuldigung, wir *waren* gestern Abend nicht bei der Party. Wir .... eine

Panne. Ich .... kein Handy und kein Geld für den Bus. Und ein Rad .... Joan

und ich auch nicht. Joan .... ein Handy, aber sie .... deine Nummer nicht.

.... ihr eine tolle Party? .... viele Leute da? .... du viel Spaß?

Liebe Grüße
Maja

15 Text karaoke. **Listen and say the 👄-parts of the dialogue.**

1.47

👂 ...
👄 Ich stehe um sieben Uhr auf.
👂 ...
👄 Ich fange zwischen acht und neun Uhr an.

👂 ...
👄 Ich gehe um neun aus.

16 Robert's day. **Write sentences.**

1. um 7.30 Uhr aufstehen _Robert_ ⟨ _steht_ ⟨ _um 7.30 Uhr_ ⟨ _auf_ ⟩ .

2. um 9 Uhr im Büro anfangen .... ⟨　　　⟨ .... ⟨　　　⟩ .

3. am Nachmittag einkaufen .... ⟨　　　⟨ .... ⟨　　　⟩ .

4. dann eine Freundin anrufen .... ⟨　　　⟨ .... ⟨　　　⟩ .

5. mit Freunden ausgehen .... ⟨　　　⟨ .... ⟨　　　⟩ .

17 A date. **Complete.**

> kaufe ... ein – fängt ... an – Sehen ... an –
> rufe ... an – ~~gehen ... aus~~

💬 Hi, Robert! Hier ist Gitte.

👤 Hallo, Gitte.

💬 Robert, wann _gehen_ wir wieder zusammen _aus_ ? Hast du heute Zeit?

👤 Ja, heute geht es. .... wir uns den Film von Woody Allen .... ?

💬 Ja, gern. Ich .... auch noch Sabine .... Wann .... der Film .... ?

👤 Um 20.45 Uhr. Ich .... schnell .... und wir kochen Spaghetti. Dann gehen wir ins Kino.

💬 Super, dann treffen wir uns um sechs?

👤 Ja. Bis dann!

18 Two days in Ulrike's life. **Write the sentences with *nicht*.**

Ich stehe um 5.45 Uhr auf und jogge um 6 Uhr.
Ich frühstücke um 6.45 Uhr.
Ich arbeite von 9 bis 18 Uhr. Von 12.30 bis
13.15 Uhr mache ich Mittagspause.
Ich habe viele Termine. Ich telefoniere oft.
Ich gehe um 23 Uhr ins Bett.
Ich lebe gesund.

Aber im Urlaub stehe ich nicht um 5.45 Uhr auf und jogge nicht
um 6 Uhr. Ich ....
....
....
....

Oktober 2013 | Oktober 2013 | 14 | Okt 15 - 21 | Okt 22 - 28 | Okt 29 - 4 | Nov 5

Fit for Unit 6? Test yourself!

Active language use

Asking for and saying the time.

💬 ....? ☞ .... ▸ KB 1.2, 2.2–2.3

Making appointments and meeting up

💬 Gehen wir zusammen ins Kino?
☞ Ja, gern. Am Dienstagabend?

☺ 💬 ....   ☹ 💬 .... ▸ KB 3.2–3.6, 4.5

Apologising for being late

💬 Wo warst du?   ☞ Entschuldigung, ... ▸ KB 4.1

Word fields

Days of the week, times of the day and times

Mo, 8.30 Uhr *Montagvormittag, halb neun* .... Mi, 16.45 Uhr ....

Do, 19 Uhr .... So, 10.30 Uhr ....

▸ KB 1.2, 2.1, 2.2, 3.1

Grammar

Prepositions of time

am .... Dienstag .... 20 Uhr, ... Sonntag .... 20.15 .... 21.45 Uhr ▸ KB 2.3

The *Präteritum* of *haben*

ich *hatte* ; du .... ; er/es/sie .... ; wir .... ; ihr .... ; sie/Sie .... ▸ KB 4.2

Separable verbs

Wann stehst du morgen auf? *aufstehen* ....   Ich rufe dich am Dienstag an. ....

Der Film fängt um acht Uhr an. ....   Gehen wir heute Abend aus? .... ▸ KB 4.3

Negation with *nicht*

Am Freitag arbeite ich. ....   Ich gehe oft aus. .... ▸ KB 4.4

Pronunciation

The consonants *k, g* and *p, b*

1.48

das Frühstück – der Nachmittag   die Pause – der Beruf ▸ KB 2.6, 3.4

6 Orientierung

In this unit you will learn ...

▶ to say where people live and work
▶ to talk about how people get to work
▶ to ask the way / ask for someone in a building
▶ to describe a working space
▶ to make appointments

1 Arbeiten in Leipzig

1 Ich bin Birgit Schäfer und wohne in Schkeuditz. Ich arbeite bei ALDI am Leipziger Hauptbahnhof. Ich fahre eine halbe Stunde mit dem Zug.

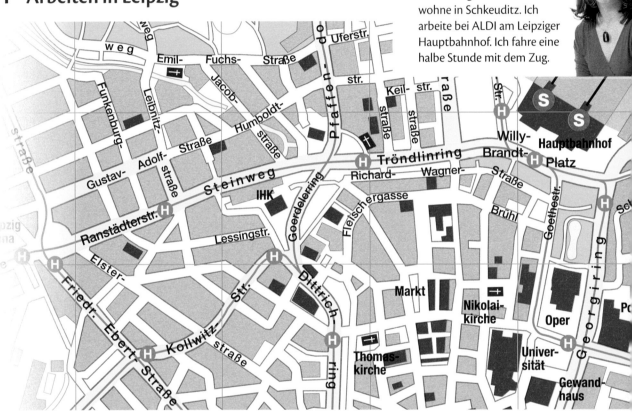

1 Word field: city. **Collect words with their articles. Use the city map to help you.**

die Bibliothek, das Hotel, die Oper, ...

2 Collecting information. **Read the texts and complete the table.**

Ü1

Name	wohnt	arbeitet	braucht	fährt
Marco Sommer	in Markkleeberg	bei der	20 Minuten	mit der

 3 Listen and compare the information. **Which information is new?**

1.54

einhundertsechs

mit der U-Bahn

mit dem Bus

mit dem Moped

mit der Straßenbahn

mit dem F...

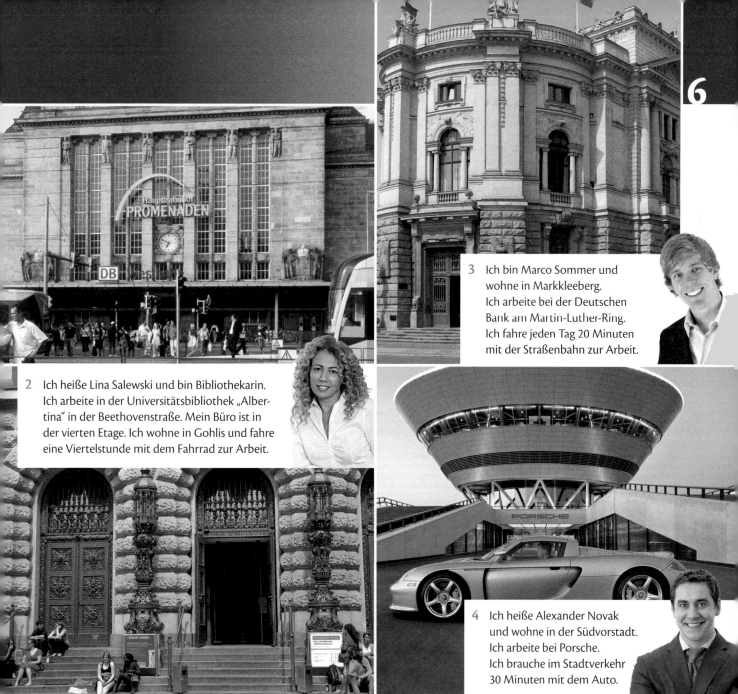

3 Ich bin Marco Sommer und wohne in Markkleeberg. Ich arbeite bei der Deutschen Bank am Martin-Luther-Ring. Ich fahre jeden Tag 20 Minuten mit der Straßenbahn zur Arbeit.

2 Ich heiße Lina Salewski und bin Bibliothekarin. Ich arbeite in der Universitätsbibliothek „Albertina" in der Beethovenstraße. Mein Büro ist in der vierten Etage. Ich wohne in Gohlis und fahre eine Viertelstunde mit dem Fahrrad zur Arbeit.

4 Ich heiße Alexander Novak und wohne in der Südvorstadt. Ich arbeite bei Porsche. Ich brauche im Stadtverkehr 30 Minuten mit dem Auto.

4 Where people work. How people get to work. **Ask and answer questions.**
Ü2–4

Wo wohnen Sie und wo arbeiten Sie?

Ich wohne in ... und arbeite bei ...

Wie kommen Sie zum Deutschkurs?

Ich komme mit der Straßenbahn. Und Sie?

Useful phrases

Saying where someone lives and how he/she gets to work

Pavel	wohnt in ...		
Maria	arbeitet bei/in ...		
Er/Sie	kommt/fährt	mit dem Bus mit der U-Bahn mit dem Zug	zur Arbeit. zum Sprachkurs.

ABC

n Zug

mit der Fähre

mit dem Motorrad

mit dem Auto

zu Fuß

2 In der Unibibliothek

1 Bibliotheca Albertina. **Read the text and complete the questions and answers.**
Ü5

Die „Albertina" ist die Bibliothek der Universität Leipzig. Das Haus in der Beethovenstraße 6 ist alt, aber die Bibliothek ist sehr modern. Viele Studentinnen und Studenten arbeiten in den Lesesälen in der ersten Etage.

Die Bibliothek hat auch eine Internetseite. Der Katalog ist online. Unten in der „Cafébar" im Erdgeschoss kann man Kaffee trinken und Sandwiches oder Suppe essen.

Dort sind auch die Garderobe und der Ausgang. In der zweiten Etage findet man die Wörterbücher und die Zeitungen. In der dritten Etage gibt es Gruppenarbeitsräume. Oben in der vierten Etage ist die Verwaltung. Hier ist auch das Büro von Frau Salewski. Sie arbeitet von 7.30 bis 16.00 Uhr.

1. Entschuldigung, wo ist die Unibibliothek?   Die „Albertina" ist ...
2. Entschuldigung, wo sind hier die Wörterbücher?   In der ... Etage.
3. ... ist hier die Cafébar?   In ...
4. Entschuldigung, wo finde ich Frau Salewski?   Das Büro von ...
5. ... ist der Lesesaal?   ...
6. ... der Gruppenarbeitsraum A?   ...

2 *[f]* and *[v]*

a) **Listen to the words and highlight** *[f]* **as in** *fahren* **and** *[v]* **as in** *wohnen.*

1.55
Ü6 die Werbung – die Wohnung – zu Fuß – viele – die Verwaltung – vier – Dr. Weber – westlich – das Fahrrad – das Wörterbuch – die vierte Etage – der Füller – die Viertelstunde

b) **Find other examples.**

3 Finding your way around the library

1.56
Ü7–8

a) **Listen and practise reading the dialogue in pairs.**

Guten Morgen, wo finde ich Frau Salewski?

Entschuldigung, wo ist der Lesesaal?

Entschuldigung, wo sind hier die Toiletten?

Wo ist bitte die Garderobe?

Moment, das Büro von Frau Salewski ist in der vierten Etage, Zimmer 405.

In der zweiten Etage, links und rechts.

Im Erdgeschoss und in der zweiten Etage.

Hier im Erdgeschoss rechts.

b) **Now practise using other questions and answers.**

Useful phrases	**Asking the way/asking for a person**		**Possible answers**
	Wo ist/sind bitte ... In welcher Etage ist/sind ... Entschuldigung, wo finde ich ...	der/den Ausgang? die Verwaltung? die Gruppenräume? die Toiletten? der/den Lesesaal?	Im Erdgeschoss. In der ersten Etage. In der zweiten Etage links. In der dritten Etage rechts. In der vierten Etage. Vor/Hinter dem Haus.

4 A partner game: at the library

der Lesesaal, die Information, die Verwaltung, das Café, der Ausgang, ...

a) **Write down the names of different rooms in a library.**

b) **Draw two libraries (A and B). Write words from a) in your plan.**

A

Lesesaal	Zeitungen
Toiletten	Verwaltung
Information	Gruppenräume
Café	Ausgang

B

	Information

c) **What is where? Ask your partner.**

💬 Sind die Gruppenräume B in der zweiten Etage?   🗨 Nein.
💬 Ist das Café im Erdgeschoss?   🗨 Ja, das Café ist ...
💬 Ist der Lesesaal in der dritten Etage links?   🗨 ...

5 Finding your way around the language school. **Ask and answer questions.**

Entschuldigung, wo ist das Sekretariat?

Das Sekretariat ist im Erdgeschoss links.

Wo sind bitte ...?

ABC

3 Wo ist mein Terminkalender?

1 In the office
Ü9

a) **What is what? Match the words to the photo.**

1. der Monitor	5. die Maus	9. das Bild
2. der Drucker	6. der Notizblock	10. die Zeitung
3. die Kaffeetasse	7. der Ordner	11. das Fenster
4. die Tastatur	8. die Pflanze	12. der Papierkorb

b) **Listen and repeat the words.**
1.57

> **Study tip**
> Learn words in pairs:
> die Tastatur und die Maus.

2 What is where?

Ü10

a) **Look at the photos and match.**

auf dem Notizblock – unter der Zeitung – in der Tasche – neben der Tastatur –
an der Wand – vor den Wörterbüchern – hinter dem Schrank – über dem Schrank –
~~zwischen den Fenstern~~

1   3   5   7

zwischen den ....

Fenstern ....

2   4   6   8

....

....

b) **Describe the photo in 1. Use the table to help you.**

13

> *Das Bild hängt zwischen den Fenstern.*

> *Der Schlüssel liegt unter der Zeitung.*

Grammar

Prepositions + dative: *Wo ...?*

...	ist	auf/unter	der Zeitung.
	liegt	in/neben	dem Regal.
	steht	vor/hinter/an	der Tür.
	hängt	über	dem Tisch.
		zwischen	den Fenstern.

Mini memo

im	=	in dem
am	=	an dem
beim	=	bei dem

3 Where is the book? **Play in class.**

One person asks:

> *Ist das Buch unter dem Tisch?*

> *... in der Tasche?*

> *... neben ...*

The group answers:

> *Kalt!*   *Nein!*

> *Warm!*   *Heiß!*

 ABC

4 Termine machen

1 Understanding appointment times

Ü11–12

a) **Read Marco Sommer's appointments diary. What is he doing when?**

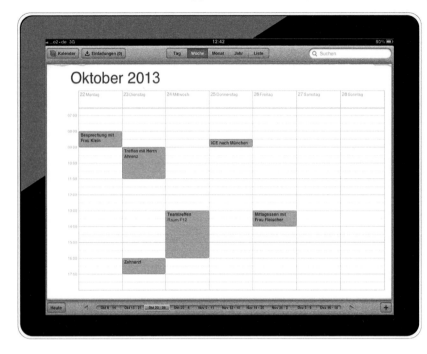

»))🎧 b) **Listen and note down the appointment.**
1.58

»))👂 c) **Listen and correct the doctor's appointment.**
1.59

2 Ordinal numbers. **Complete the ordinal numbers.**

1.	der **erste** Fünfte	am **ersten** Fünften
2.	der zweite	am zweiten
3.	der **dritte**	am **dritten**
6.	der sechste	....
7.	der **siebte**	....
8.	der achte	....
10.	der zehnte	....
17.	der **siebzehnte**	....
20.	der zwanzigste	....
21.	der einundzwanzigste	....

Mini memo

Nominative:
Number + -(s)te
Heute **ist** der zwei**te** Fünfte.
Dative:
Number + -(s)ten
Ich **habe am** zwei**ten**
Fünften Geburtstag.

3 Birthdays. **When were you born? Make a birthday calendar.**

Ü13

Name	Geburtstag
Roberto Fabiani	22.8.1973

Ich bin am zweiundzwanzigsten Achten neunzehnhundertdreiundsiebzig geboren.

Ich habe am elften Elften Geburtstag.

5 Die Stadt Leipzig – zwischen Bach und Porsche

1 Information about Leipzig. **Collect words to do with music and the economy.**

Ü14–15

1 Leipzig ist eine Großstadt mit Tradition. Seit 1497 finden hier Messen statt und seit 1409 gibt es die Leipziger Universität. Viele berühmte Leute waren in Leipzig:
5 Johann Wolfgang von Goethe war hier Student. Der Komponist Richard Wagner war Schüler in der Nikolaischule. Johann Sebastian Bach war Kantor an der Thomaskirche und war Leiter vom
10 Thomanerchor. Der Chor existiert auch heute noch und gibt international Konzerte.

Der Thomanerchor

Leipzig ist auch eine Industriestadt. Porsche und BMW produzieren hier
15 Autos. An der Universität studieren Studenten aus der ganzen Welt. Das Stadtzentrum mit Einkaufspassagen, alten Häusern und vielen Restaurants ist für Touristen attraktiv.

20 Musikfans besuchen die Oper und das Gewandhaus oder ein Konzert von den Prinzen.

Konzert mit den Prinzen

Bücherfreunde kommen jedes Jahr im März zur Leipziger Buchmesse.

Eintrittskarte Leipziger Buchmesse, 2011

25 Und noch ein Tipp: Kommen Sie nach Leipzig mit der Bahn. Der Hauptbahnhof ist ein Shopping-Paradies!

Einkaufen im Hauptbahnhof

Musik	Wirtschaft
der Komponist	

2 My day in Leipzig. **What are you interested in? Make a plan.**

9 – 11 Uhr: ...
12 Uhr: Mittagessen im Restaurant

ABC

1 Means of transport

a) **Which means of transport can you hear? Tick.**

1.49

1

☐ ....

3

☐ ....

5

☐ ....

2

☐ ....

4

☑ *das Motorrad* ....

6

☐ ....

b) **Match the means of transport.**

> das Auto – der Zug – die U-Bahn – ~~das Motorrad~~ – das Fahrrad – die Straßenbahn

2 Interviews on the street: *Wie kommen Sie zur Arbeit?* **Listen and complete.**

1.50

1

Ich arbeite .... in Münster. Münster ist klein. Ich stehe .... auf. Ich fahre .... zur Arbeit.

3

Ich lebe in Hamburg und arbeite am Hamburger Hafen. Ich stehe jeden Morgen .... auf und fahre .... zur Arbeit.

2

Ich arbeite am Max-Planck-Institut in Jena und wohne in Weimar. Ich stehe .... auf. Ich fahre eine Viertelstunde .... und .... zum Institut am Beutenberg.

4

Ich arbeite in Berlin und lebe in Potsdam. Von Montag bis Freitag stehe ich .... auf. Potsdam ist südwestlich von Berlin. Ich fahre .... bis zum Hauptbahnhof und .... bis zur Arbeit.

3 In the city. What do you know? Write eight words with their articles.

1. .... 5. ....
2. .... 6. ....
3. .... 7. ....
4. .... 8. ....

4 *Wo wohnen Sie? Wie kommen Sie zur Arbeit?*

a) **Fill in the question words.**

.... wohnen Sie? 1
.... fährt morgens Ihr Bus? 2
.... fahren Sie nach Hause? 3
Wie fahren Sie zur Arbeit? 4
.... arbeiten Sie? 5
.... kommen Sie zum Deutschkurs? 6

a Ich fahre mit dem Fahrrad zum Deutschkurs.
b Ich arbeite im Krankenhaus in Freiburg.
c Ich wohne in Freiburg.
d Ich fahre um 17 Uhr nach Hause.
e Der Bus fährt um 6.55 Uhr.
f Ich fahre mit dem Bus zur Arbeit.

b) **What goes together? Join.**

c) **And you? Where do you live and work? How do you get to the German course?**

....

5 In the library

🔊 **a)** **What is where? Listen and write.**
1.51

Wo?   **Was?**

.... die Verwaltung ....

das Erdgeschoss

b) **What do you do where? Match the verbs.**

lesen – trinken – schreiben – telefonieren – fragen – essen – arbeiten

1   am Empfang

2   in der Caféteria

3   im Lesesaal

((•   **6**   *[f] and [v]*
1.52

a) **Listen to the dialogues. Mark [f] and [v] .**

1. 💬 Hallo, entschuldigen Sie. Wo finde ich Frau Vierstein?
   ⌚ Sie finden Frau Vierstein in der vierten Etage. Sie arbeitet in der Verwaltung im Zimmer 44.

2. 💬 Frau Freud, wann ist Herr Fürstenfeld in Verden?
   ⌚ Herr Fürstenfeld ist vom 5. bis 15. 05. in Verden.

3. 💬 Hey, Friederike. Um wie viel Uhr fährt der Zug nach Freiburg?
   ⌚ Der Zug fährt um Viertel nach vier.

b) **Listen again and repeat.**

))🎧 **7**   Text karaoke. **Listen and say the 👄-parts of the dialogue.**
1.53
   👂 ...
   👄 Ja, wo ist denn bitte die Caféteria?
   👂 ...
   👄 In welcher Etage sind die Lesesäle?
   👂 ...
   👄 Und die Gruppenarbeitsräume? Wo finde ich die Gruppenarbeitsräume?
   👂 ...
   👄 Und ... Entschuldigung, wo sind die Toiletten bitte?
   👂 ...
   👄 Vielen Dank!

8   *Entschuldigung, wo finde ich ...?* **Here are the answers. Write the questions.**

1. ....?

   Das Sekretariat ist in der ersten Etage links, Zimmer 103.

2. ....?

   Die Garderobe ist hier im Erdgeschoss links.

3. ....?

   Die Toiletten? Gleich hier rechts, neben dem Lesesaal.

4. ....?

   Der Ausgang ist hier vorne rechts und dann geradeaus.

5. ....?

   Die Verwaltung finden Sie in der vierten Etage.

6. ....?

   Das Büro von Frau Müller ist in der zweiten Etage, Zimmer 247.

9 At the office. **Collect words.**

10 In the hall of residence: before and after the party. **What is where?**

Vor der Party

Die Gitarre hängt an der Wand.

Nach der Party

11 Appointments at the doctor's. **Listen and fill in the appointments. It's Monday today.**

1.54

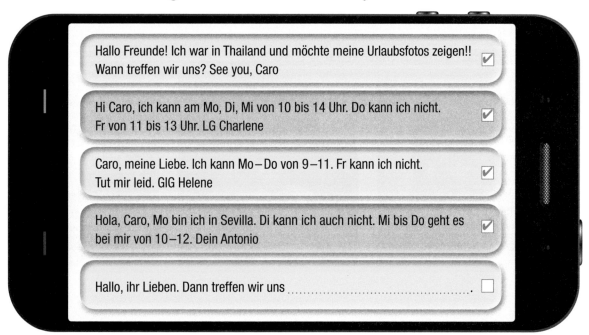

Montag, 9. 8.		Dienstag, 10. 8.		Mittwoch, 11. 8.		Donnerstag, 12. 8.	
8		8 00		8 00		8 00	Schulze
8 15		8 15		8 15	Köhler	8 15	
8 30		8 30	Beckmann	8 30		8 30	Franz
8 45	Fröhlich	8 45		8 45		8 45	
9 00		9 00		9 00	Yildirim	9 00	Bauer
9 15	Hermann	9 15		9 15		9 15	
9 30		9 30	Friedrich	9 30		9 30	
9 45	Wozniak	9 45		9 45		9 45	
10 00		10 00		10 00		10 00	Steiner
10 15		10 15		10 15	Müller	10 15	
10 30		10 30	Lopez	10 30		10 30	
10 45	Finster	10 45		10 45		10 45	Ziegler
11 00		11 00		11 00	Schmidt	11 00	
11 15		11 15		11 15		11 15	
11 30		11 30		11 30		11 30	
11 45		11 45		11 45		11 45	

10 00	
10 15	
10 30	
10 45	
11 00	
11 15	Schumann
11 30	
11 45	

12 When is Caroline meeting her friends? **Listen and complete.**

Hallo Freunde! Ich war in Thailand und möchte meine Urlaubsfotos zeigen!! Wann treffen wir uns? See you, Caro ☑

Hi Caro, ich kann am Mo, Di, Mi von 10 bis 14 Uhr. Do kann ich nicht. Fr von 11 bis 13 Uhr. LG Charlene ☑

Caro, meine Liebe. Ich kann Mo–Do von 9–11. Fr kann ich nicht. Tut mir leid. GIG Helene ☑

Hola, Caro, Mo bin ich in Sevilla. Di kann ich auch nicht. Mi bis Do geht es bei mir von 10–12. Dein Antonio ☑

Hallo, ihr Lieben. Dann treffen wir uns .... ☐

 13 Celebrity birthdays. **Listen and write the date.**

1.55

Queen Elizabeth

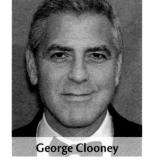

George Clooney

Heidi Klum

Vitali Klitschko

1. .... 2. .... 3. .... 4. ....

14 Leipzig. **Re-read the text on page 113. What is correct? Tick.**

1. Seit wann finden in Leipzig Messen statt?
   - a ☐ 1444
   - b ☐ 1497
   - c ☐ 1494
   - d ☐ 1947

2. Was war Richard Wagner in Leipzig?
   - a ☐ Er war Schüler in der Nikolaischule.
   - b ☐ Er war Sänger in der Nikolaischule.
   - c ☐ Er war Komponist in der Nikolaischule.
   - d ☐ Er war Student in der Nikolaischule.

3. Was machen BMW und Porsche in Leipzig?
   - a ☐ BWM und Porsche informieren über Autos.
   - b ☐ BMW und Porsche produzieren Autos.
   - c ☐ BMW und Porsche sammeln Autos.
   - d ☐ BMW und Porsche kaufen Autos.

4. Was besuchen Musikfans in Leipzig?
   - a ☐ Sie besuchen die Oper und das Kino.
   - b ☐ Sie besuchen das Theater und die Universität.
   - c ☐ Sie besuchen die Oper und Konzerte.
   - d ☐ Sie besuchen das Museum und den Bahnhof.

5. Wann ist die Leipziger Buchmesse?
   - a ☐ Die Buchmesse ist jedes Jahr im Mai.
   - b ☐ Die Buchmesse ist jedes Jahr im August.
   - c ☐ Die Buchmesse ist jedes Jahr im März.
   - d ☐ Die Buchmesse ist jeden Montag.

15 Online quiz: finding information about Leipzig

a) **Who is that? When is that? What is that?**

> die Leipziger Buchmesse –
> das Gewandhaus –
> Johann Sebastian Bach

....

b) **Search online for three ...**

1. **(cinema) films:**

   ....

   ....

2. **sights:**

   ....

   ....

3. **museums:**

   ....

   ....

Fit for Unit 7? Test yourself!

Active language use

Saying where people work and live

Frau Petersen .... *†* in einem Büro in Berlin und .... *†* in Potsdam. ▸ KB 1.2

Saying how people get to work

mit dem Bus, mit der .... ▸ KB 1.2, 1.4

Asking the way / Asking for someone in a building

💬 *Wo* .... *, bitte*? 👄 Die Toiletten sind im Erdgeschoss.

💬 *Entschuldigung* .... ? 👄 Das Sekretariat ist in der 2. Etage rechts.

▸ KB 2.1, 2.3, 2.5

Making appointments and understanding times

1.56

☐ 10 und 14 Uhr   ☐ 7 und 2 Uhr   ☐ 10 und 12 Uhr   ▸ KB 4.1

Word fields

Means of transport

die U-Bahn, das Auto, zu Fuß, ... ▸ KB 1.4

The office

der Schreibtisch, das Regal, der Monitor, ... ▸ KB 3.1

Grammar

Prepositions with the dative

Das Bild hängt .... Wand.

Das Bild hängt .... Schrank.

Die Pflanze steht .... Schrank.

Der Drucker steht .... Schrank.

Die Ordner liegen .... Wörterbüchern.   ▸ KB 3.2

Ordinal numbers

Das Büro ist in der 3. (.............) Etage. Heute ist der vierundzwanzigste Zwölfte (.............).

▸ KB 4.2, 4.3

Pronunciation

1.57

[ʃ] or [v]?

vier - wir - waren - fahren   ▸ KB 2.2

Station 2

1 Berufsbilder

1 Job: secretary

a) Where does Frau Herbst work? Do you know the company? Talk in class.

....

b) Read the text and mark the international words.

Ich bin Sarah Herbst. Ich arbeite als Sekretärin bei der Firma Steiff in Giengen. Steiff produziert Teddybären und Stofftiere. Meine Arbeit ist sehr interessant und ich habe immer viel zu tun. Ich mache alle typischen Büroarbeiten: Texte am Computer schreiben, Telefonate führen, E-Mails schreiben und beantworten, Faxe senden, für meinen Chef Termine machen und viel organisieren. Unsere Firma kooperiert mit vielen nationalen und internationalen Partnern. Für die Geschäftsreisen muss ich Termine koordinieren und Flüge und Hotelzimmer buchen. Oft kommen die Geschäftspartner auch in unsere Firma. Ich organisiere dann die Besprechungen mit meinem Chef, begrüße und betreue die Gäste und schreibe die Protokolle. Kommunikation, Organisation und Fremdsprachenkenntnisse sind wichtig für die Karriere.

c) What do secretaries do? Read the text again and write about the photos.

....

....

2 Frau Herbst on the phone. **Make an appointment. Use the words to help you.**

Herr Schneider – Termin mit dem Chef – Freitag, neun Uhr? – geht nicht – 13 Uhr? – o.k.

3 Job: motor vehicle mechatronics technician

a) **Which words in the text match the photos? Read and mark.**

Mein Name ist Klaus Stephan. Ich arbeite als Mechatroniker in einer Autowerkstatt in Emden. Wir sind fünf Kollegen: ein Meister, drei Azubis und ich. Unsere Arbeitszeit ist von 7.30 bis 17 Uhr. Mittagspause machen wir von 12 bis 13 Uhr. Oft arbeiten wir bis 18 Uhr. Am Samstag müssen drei Kollegen bis zum Mittag arbeiten. Wir können wechseln.
Wir machen den Service für alle Audi-Modelle. Meine Aufgaben sind: Diagnose, Termine machen, reparieren und Kunden beraten. Der Service ist wichtig! Die Kunden bringen am Morgen ihre Autos und am Abend können sie sie oft schon abholen. Aber: Guter Service ist nicht billig. Manchmal gibt es Diskussionen mit den Kunden über die Kosten.

b) **Which information is different here? Compare the texts. Mark.**

Ich bin Klaus Stephan und arbeite als Mechatroniker bei Audi. Wir sind fünf Kollegen: zwei Meister und drei Azubis. Wir arbeiten von Montag bis Freitag von 7.30 bis 17 Uhr mit einer Pause von 12 bis 13 Uhr. Der Samstag ist frei.
Wir machen den Service für alle Audi-Modelle. Meine Aufgaben sind: Diagnose, Termine machen, reparieren und Kunden beraten. Der Service ist wichtig! Die Kunden bringen am Morgen ihre Autos und am Abend können sie sie oft schon abholen. Aber: Guter Service ist teuer. Doch es gibt keine Diskussionen mit den Kunden über die Kosten.

4 In the car repair shop. **What do customers ask? Write the questions.**

1. Nein, die Reparatur ist nicht <u>teuer</u>, vielleicht 50 Euro.
2. Leider ist <u>der Motor</u> kaputt.
3. Ihr Auto ist <u>am Dienstagabend</u> fertig.
4. Das kostet <u>220 Euro</u>.
5. Nein, <u>am Samstag</u> geht es nicht.

> 1. Ist die Reparatur teuer?
> 2. Was ...

2 Wörter – Spiele – Training

1 Going to the office by car

a) **Ask and answer.**

Ich fahre	mit dem Auto	ins Büro.
	mit dem Bus	zur Schule.
	mit der Straßenbahn	zur Arbeit.
	mit dem Fahrrad	in die Stadt.
	mit dem Zug	zum Einkaufen.
	mit der U-Bahn	zum Sport.
		ins Kino.

Wie kommst du ins Büro?

Ich fahre mit ... ins Büro. Und du?

b) **Report back to the class.**

Carina fährt mit ...

2 Make your own vocabulary exercise

a) **Write down three rows of words; one word in each row doesn't fit.**

1. die Tafel – der Computer – das Wörterbuch – die Wohnung
2. fragen – baden – antworten – schreiben
3. hell – alt – zwei – modern

b) **Give the exercise to your neighbour. Which word doesn't fit? He/She crosses it out.**

3 Partner words

a) **Which words go together? Complete.**

jung – Nacht – antworten – dunkel – Tastatur –
Toilette – Sonntag – lesen – Notizblock – Garage

1. fragen und ....
2. schreiben und ....
3. das Bad und die ....
4. der Samstag und der ....
5. die Maus und die ....

6. der Stift und der ....
7. der Tag und die ....
8. alt und ....
9. hell und ....
10. das Auto und die ....

b) **Nouns and verbs. Complete.**

1. einen Termin ....
2. eine E-Mail ....
3. im Stau ....
4. ins Bett ....
5. an der Universität ....

6. auf dem Land ....
7. in die Oper ....
8. mit dem Bus ....
9. zur Arbeit ....
10. bei Audi ....

4 Revising systematically – test yourself. **Do these exercises again.**
What do you think: ☺ or ☹?

Ich kann auf Deutsch ...	Einheit	Aufgabe	☺ gut	☹ noch nicht so gut
1. eine Wohnung beschreiben	4	3.5	☐	☐
2. acht Möbel nennen	4	4.1	☐	☐
3. Uhrzeiten sagen	5	2.2	☐	☐
4. meinen Tagesablauf beschreiben	5	2.3	☐	☐
5. einen Termin machen	5	3.6	☐	☐
6. sagen, wo etwas ist	6	3.2	☐	☐

1.60

5 Consonant training. **Listen and repeat.**

1. *p* and *b*

die Bahn und die Post – Passau und Bremen – Briefe beantworten und Post prüfen –
Paris besuchen – den Preis bezahlen – Probleme bearbeiten

halb acht – Gib Peter auch etwas. – gelb – Ich hab' dich lieb.

2. *d* und *t*

dreihundertdreiunddreißig – Dativ testen – Tee trinken – der Tisch und die Tür –
Deutsches Theater – tolle Türkei – Touristen dirigieren – danach telefonieren

3. *k* and *g*

im Garten Karten spielen – Kalender kontrollieren – kalte Getränke kaufen –
Grammatik korrigieren – großer Kurs – kommen und gehen

4. *[f]* and *[v]*

Wie viel? – Wohin fahren wir? – nach Wien fahren – in Frankfurt wohnen – viel Wein trinken –
vier Flaschen Wasser

5. *[f], [v]* and *[b]*

viele Fernseher funktionieren nicht – wir wollen vier Bier – viele Berliner frühstücken Frankfurter –
Freunde in Warschau besuchen – viele Flüge finden

A tongue twister:
Wenn Fliegen hinter Fliegen fliegen,
fliegen Fliegen Fliegen nach.

6 A word game with nouns

a) Add nouns. Then swap with a partner and put the articles next to his/her nouns.

```
    B
    U L
    S A M S T A G
      N A
      D U
        S
```

b) Choose a word. Your partner adds more nouns.

3 Filmstation

1 *Endlich zu Hause!*

6

a) **Which rooms are in the flat? Watch the scene and write.**

1. .... 3. .... 5. ....

2. .... 4. ....

b) **Which furniture is in the flat? Watch the scene again and write.**

1. *das Arbeitszimmer: der Schreibtisch,*
   ...

3.

2.

4.

c) **Watch the scene again. Which compounds can you find? Write them down.**

das Schlafzimmer, die Nachttischlampe, ...

2 Making an appointment at the fitness centre. **Watch the scene and complete.**

7

◯ Hallo, Janine. Eine Frage: Kann ich am

.... den neuen Computer-

Fitnesstest machen?

◌ ....? Moment ... Nein,

.... geht nicht. ....

auch am Mittwoch? Sagen wir ....?

◯ Ich habe .... einen Termin. Geht

das auch ....?

◌ Ja, ... geht auch. Kein Problem.

◯ Danke, dann ....

3 Appointments at work: writing a memo

9

a) **Watch the scene and take notes.**

Wer?   *Herr Henning*

Was?

Wann?

Wo?

b) **Compare notes in class.**

c) **Act out the dialogue with a partner.**

4 Finding your way around the publishing house. **Watch the scene. Read the text. What is different here? Re-write the text.**

10

Aleksandra Kortmann hat einen Termin bei Frau Dr. Garve. Sie geht in den Verlag und fragt am Empfang: „Wo finde ich Frau Dr. Garve?" Die Dame am Empfang telefoniert mit Frau Kraft, der Sekretärin, und sagt dann zu Frau Kortmann: „Das Büro von Frau Dr. Garve ist im vierten Stock links, Nummer 414."

Alexandra Kortmann hat ...

4 Magazin

Ich denke

Ich bleibe in der Früh immer gern
noch ein paar Minuten liegen.
Du nicht?
Dann denke ich ein bisschen nach.
Ich denke:
Ich bin ein Mensch.
Ich bin im Bett,
und das Bett ist im Zimmer,
und das Zimmer ist im Haus,
und das Haus ist am Weg,
und der Weg ist in der Stadt,
und die Stadt ist im Land,
und das Land ist auf der Erde.
Und auf der Erde ist ein anderes Land,
und im anderen Land ist eine andere Stadt,
und in der Stadt ist ein anderer Weg,
und am Weg ist ein anderes Haus,
und im Haus ist ein anderes Zimmer,
und im Zimmer ist ein anderes Bett,
und im anderen Bett
ist auch ein Mensch.

Hans Manz

Wie leben die Deutschen?

An einem Tag ...

arbeiten sie
5 Stunden und 18 Minuten

schlafen und entspannen sie
10 Stunden und 24 Minuten

arbeiten sie
2 Stunden und 13 Minuten
im Haushalt

treffen sie
1 Stunde und 36 Minuten
Freunde

machen sie
29 Minuten
Sport

konsumieren sie
5 Stunden und 18 Minuten
Medien (fernsehen, Radio hören,
im Internet surfen, lesen)

spielen sie
14 Minuten
mit den Kindern

gehen sie
15 Minuten
ins Kino, Theater, Konzert,
Museum ...

(Quelle: Statistisches Bundesamt, Forum der Bundesstatistik, Bd. 43/2004)

... und Sie?

7 Berufe

In this unit you will learn ...

- ▶ to talk about jobs
- ▶ to describe daily routines and tasks
- ▶ to introduce someone
- ▶ to describe statistics

1 Was machen Sie beruflich?

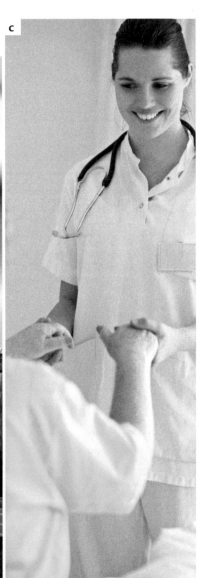

a b c d

1 **Jobs. Match the photos to the jobs.**

Ü1

1. ☐ der Ingenieur
2. ☐ der Programmierer
3. ☐ die Sekretärin
4. ☐ der Taxifahrer

5. ☐ die Krankenschwester
6. ☐ der Koch
7. ☐ die Friseurin
8. ☐ die Floristin

einhundertdreißig

die Werkstatt

der Friseursalon

das Krankenhaus

das Restaurant

f

g

h

e

 2 Five interviews. **Which jobs do the people have?**

2.02 Ü2 **Listen and match the names to the photos.**

1. ☐ Sascha Romanov ist ...
2. ☐ Dr. Michael Götte arbeitet als ...
3. ☐ Sabine Reimann ist ... von Beruf.
4. ☐ Stefan Jankowski ...
5. ☐ Jan Hartmann ...

> Sascha Romanov ist Koch.

3 And you? **Ask and answer questions in class.**

Ü3

Useful phrases

Asking about jobs
Was sind Sie von Beruf?
Was machen Sie beruflich?
Was machst du beruflich?
Was ist dein/Ihr Beruf?
Und was machst du?

Stating your job
Ich bin Student/Köchin/...
Ich bin ... von Beruf.
Ich arbeite als ...

das Blumengeschäft

die Baustelle

das Büro

die Firma

2 Berufe und Tätigkeiten

1 Jobs, tasks, places of work. **Match, add the feminine forms and make sentences.**

☑ d — repariert Autos — an einer Schule
☐ — unterrichtet Schüler/innen — im Krankenhaus
☐ — verkauft Schuhe — in einer Werkstatt
☐ — schneidet Haare — im Schuhgeschäft
☐ — schreibt Computerprogramme — im Büro
☐ — untersucht Patienten — im Friseursalon

Plural

jemand

a **Lehrer** *der;* -s, -; j-d, der an einer Schule Schüler/innen unterrichtet

b **Verkäufer** *der;* -s, -; j-d, der beruflich Dinge verkauft / **Auto-, Möbel-, Schuh-**

c **Arzt** *der;* -es, Ärzte; j-d, der Patienten untersucht / **-praxis**

d **KFZ-Mechatroniker** *der;* -s, -; j-d, der beruflich Maschinen repariert / **Auto-**

e **Friseur** *der;* -s, -e; j-d, der Haare schneidet / **-salon**

f **Programmierer** *der;* -s, -; j-d, der beruflich Programme für Computer schreibt

> *Ein Kfz-Mechatroniker / Eine Kfz-Mechatronikerin repariert Autos in einer Werkstatt.*

2 Job titles. **Complete the job titles. What is the rule?**

26 Ü4

der *Lehrer* .... die ....

der .... die *Taxifahrerin* ....

der .... die *Studentin* ....

> **Rule** Feminine job titles usually end in
> ....

Mini memo
der Krankenpfleger – die Krankenschwester
der Hausmann – die Hausfrau
der Arzt – die Ärztin

3 Guess the job. **Read aloud and find the jobs.**
Ü5–8 **Pay attention to the *ng* and *nk* sounds.**

In die Theo-Brinkmann-Straße 43, bitte.

Die Heizung im Auto ist kaputt.

Möchten Sie die Haare lang oder kurz?

Machen Sie die Projektleitung?

Bringen Sie den Eistee in den Kühlschrank?

Das Programm funktioniert nicht!

Welche Krankenkasse haben Sie?

4 Business cards. Read the business cards. What can you find out?

Ü9

Cornelsen

Dagmar Garve
Redakteurin Deutsch als Fremdsprache

Cornelsen Verlag
Mecklenburgische Straße 53
14197 Berlin
www.cornelsen.de/daf

Telefon +49 (0) 30 897 85 85 11
Telefax +49 (0) 30 897 85 86 05

dagmar.garve@cornelsen.de

**Wolfgang Grumme
Tischlerei**

Werkstatt

Goethestraße 138
13086 Berlin-Weissensee
tel 030/44 55 66
mobil 0179/765 43 21
wolfgang@grumme.de

Privat

Bautzener Straße 11
10437 Berlin
tel/fax 030/87 43 65

5 Exchanging business cards

a) **You don't have a business card?
Then write one.**

b) **Exchange business cards
with your partner.
Introduce yourselves
(name, job)
and exchange cards.**

Efes-Soft
Software und Systeme

Muhammad Al Thani
Programmierer
Herrenstr. 67
76133 Karlsruhe
Tel.: 0721/913 77 86
E-Mail: info@efes.de

> *Guten Tag, mein Name
> ist Fatma Al Thani.
> Ich bin Programmiererin bei Efes-Soft
> in Karlsruhe. Hier ist meine Karte.*

6 Business cards in different cultures. Compare.

ABC

3 Neue Berufe

1 Hypotheses before reading: photos help. **Choose a photo from 2 or 3. Which verbs fit?**

> im Büro arbeiten – trainieren – einen Kurs leiten – Kunden am Telefon beraten – Kurse planen – im Fitness-Studio arbeiten – am Wochenende arbeiten – Tickets reservieren

2 Reading and checking hypotheses. Job: call-centre agent

a) **Read the text. Were your hypotheses from 1 correct?**

Vera Klapilová,
31 Jahre, Call-Center-
Agentin

Beruf: Call-Center-Agentin

Ich arbeite im Lufthansa-Call-Center in Brünn (Brno) in der Tschechischen Republik. Ich muss beruflich viel telefonieren. Ich kann Tschechisch, Deutsch und Englisch sprechen, also bekomme ich die Anrufe aus Großbritannien, den USA und Deutschland. Meine Kolleginnen und ich sitzen zusammen in einem Büro. Wir beraten unsere Kunden am Telefon, informieren sie über Flugzeiten und reservieren Flugtickets. Wir müssen am Telefon immer freundlich sein, das ist nicht leicht. Unsere Arbeitszeit ist flexibel und wir müssen manchmal auch am Wochenende arbeiten. Ich habe dann wenig Zeit für meine Familie. Meine Tochter ist leider keine Hilfe im Haushalt, sie kann stundenlang telefonieren, aber sie kann nicht kochen!

b) **Which statements are correct? Tick the boxes.**

1. ☐ Vera Klapilová spricht zwei Fremdsprachen.
2. ☐ Sie arbeitet allein im Büro.
3. ☐ Sie informiert die Kunden über Flugzeiten.

4. ☐ Die Arbeitszeit ist flexibel.
5. ☐ Sie arbeitet am Wochenende nicht.
6. ☐ Ihre Tochter telefoniert lange.

3 Reading and checking hypotheses. Job: fitness instructor

Ü10–11

a) **Read the text. Were your hypotheses from 1 correct?**

Beruf: Sport- und Fitnesskaufmann

Ich arbeite in einem Fitness-Studio in Berlin. Mein Beruf ist interessant. Ich bin Trainer und leite Aerobic-Kurse. Ich muss die Sportgeräte kontrollieren und unsere Mitglieder beraten. Ich plane die Sportkurse und organisiere Partys. Meine Arbeitszeit ist von 10 bis 20 Uhr mit zwei Stunden Mittagspause. Ich arbeite oft am Samstag, aber am Sonntag muss ich nicht arbeiten. Leider kann ich meine Freundin nicht oft treffen. Sie ist auch Aerobic-Trainerin. Im nächsten Jahr können wir zusammen als Animateure in einem Sportclub in Spanien arbeiten.

Martin Sacher,
26 Jahre, Sport- und
Fitnesskaufmann

b) **Collect information from both texts in the table.**

	Vera Klapilová	Martin Sacher
Was? (Beruf und Tätigkeiten)	....	einen Aerobic-Kurs leiten,
Wo? (Arbeitsort)	....	....
Wann? (Arbeitszeit)	....	....

c) Vera (V) or Martin (M)? Fill in the correct letter.

1. ☐ hat viel Arbeit im Haushalt.
2. ☐ organisiert Kurse.
3. ☐ informiert Kunden.

4. ☐ arbeitet manchmal auch am Sonntag.
5. ☐ arbeitet im nächsten Jahr im Ausland.
6. ☐ arbeitet am Computer.

4 Who does what? **Collect.**

eine Party organisieren

viel sprechen

Termine machen

Animateur

Lehrerin

Sekretärin

das Sportprogramm planen

korrigieren

5 My dream job. **What's important to you? Write three statements and read them aloud.**
Ü12 **Here are some ideas.**

im Büro / in der Fabrik / zu Hause arbeiten.
mit Kindern / mit Tieren arbeiten.
viele Leute treffen.
spät/früh anfangen.
Menschen helfen.
am Computer arbeiten.
mit den Händen arbeiten.

Ich kann (oft)
Ich muss nie

telefonieren.
E-Mails schreiben.
viel Geld verdienen.
in andere Länder fahren.
um sechs Uhr aufstehen.
mit Kolleginnen und Kollegen zusammenarbeiten.
allein arbeiten.
bis 22 Uhr arbeiten.

> Ich kann viele Leute treffen.
> Ich kann oft mit den Händen arbeiten.
> Ich muss nie allein arbeiten.

Mein Traumberuf ist
Verkäufer!

Life and culture

Unemployment is a worldwide problem.
You are officially unemployed (*arbeitslos*) in Germany
if you don't have a job, are looking for a job and
register as unemployed at an employment agency
(*Arbeitsagentur*). Unemployed people get money from
the employment agency for several months. The
agency helps them to look for work. Information about
jobs and training can be found on
www.arbeitsagentur.de, www.planet-beruf.de or in a
Berufsinformationszentrum (BIZ).

▲ Bundesagentur für Arbeit

ABC

4 Ich muss um sieben Uhr aufstehen. Und du?

1 "Autograph hunt". **Collect signatures.**

Musst du um 7 Uhr aufstehen?	
Musst du um 8 Uhr zur Arbeit fahren?	
Kannst du am Sonntag lange schlafen?	
Hast du zwischen eins und zwei Mittagspause?	
Musst du vor 9 Uhr arbeiten?	
Musst du beruflich viel telefonieren?	
Kannst du zu Hause am Computer arbeiten?	

2 *können* and *müssen.*

20.2, 31   Ü13   **Read the sentences and collect examples from page 134.**

		Modalverb		Verb (Infinitiv)	
können	Sie	(kann)	stundenlang	(telefonieren)	.
müssen	Am Sonntag	(muss)	ich nicht	(arbeiten)	.

3 Paula and Frank Rausch's daily routine.

Ü14–16   **Was does Paula do? What does Frank do? Write sentences.**

> *Um 6.15 Uhr muss Paula aufstehen.*
> *Um 7.15 Uhr muss sie ...*

Paula Rausch (35), Programmiererin	**Frank Rausch (36), Lehrer, hat Ferien**
um 6.15 Uhr / aufstehen / müssen	bis 7 Uhr / schlafen / können
um 7.15 Uhr / mit dem Bus zur Arbeit / fahren / müssen	um 8.30 Uhr / die Tochter / in den Kindergarten / bringen / müssen
von 7.30 bis 15 Uhr / arbeiten	um 12.30 Uhr / das Auto in die Werkstatt / bringen
um 16.30 Uhr / ihre Tochter / vom Kindergarten / abholen / müssen	von 17 bis 18.30 Uhr / zum Fußballtraining / gehen
um 18.30 Uhr / das Abendessen / machen	um 19 Uhr / die Tochter / ins Bett / bringen
Paula und Frank / von 20 bis 22 Uhr / fernsehen / können	

4 And your daily routine?
Ask and answer questions in class.

> Wann musst du zur Arbeit fahren?

> Was machst du am Abend?

5 At the weekend.
What do you do on Sundays? Write an *Ich*-text.

> *Am Sonntag stehe ich um ... Uhr auf.*
> *Ich muss (nicht) ...*

5 Ich habe keinen Chef

1 Articles and possessive adjectives

23 Ü17–18

> *Ich mag meinen Chef!*

a) **Read the table. Mark the articles and possessive adjectives in the accusative in the texts on page 134.**

Grammar

Accusative					
der	den	(k)einen	meinen	unseren	Brief
das	das	(k)ein	mein	unser	Büro
die	die	(k)eine	meine	unsere	Arbeit
(Pl.) die	die	keine/–	meine	unsere	Computer

... interessant. Ich bin Trainer und leite Aerobic-Kurse. Ich muss die Sportgeräte kontrollieren und unsere Mitglieder beraten. Ich plane die Sportkurse und organisiere Partys. Meine Arbeitszeit ist von 10 bis ...

b) **Complete the rule.**

Rule The accusative ending in the masculine singular is always ....

2 Statements about yourself and others. **Practise possessive adjectives in the accusative.**

Ich	lesen/	mein/e/en	Buch/E-Mail(s).
Wir	brauchen/	unser/e/en	Tee/Kaffee.
Mein Bruder	kennen/suchen	sein/e/en	Chef.
Meine Freundin	haben/trinken	ihr/e/en	Auto/Brille/Computer.

> *Ich suche meine Brille.*

3 Game: I pack my suitcase ... . **Play in class.**

💬 Ich packe meinen Koffer. Ich packe mein Buch ein.

🔄 Ich packe meinen Koffer. Ich packe mein Buch und meine Brille ein.

🔄 Ich packe meinen Koffer. Ich packe mein Buch, meine Brille und meinen ...

4 Are you happy with your job? **Talk about the statistics in class.**

	USA	Kanada	Israel	Australien	Großbritannien	Deutschland	Japan
Ich liebe meine Arbeit.	30	24	20	18	17	12	9
Es ist nur ein Job.	54	60	65	63	63	70	72
Ich hasse meine Arbeit.	16	16	15	19	20	18	19

Angaben in Prozent

> *30 von 100 Berufstätigen in den USA sagen: „Ich liebe meine Arbeit."*

> *Zwölf von 100 Berufstätigen in Deutschland lieben ihre Arbeit, 70 von 100 sagen: „Es ist nur ein Job."*

ABC

1 Jobs

a) Which job is it? Match.

> die Krankenschwester – der Taxifahrer – der Koch –
> die Sekretärin – die Floristin – der Ingenieur

1. .... 3. .... 5. ....

2. .... 4. .... 6. ....

b) Which other jobs do you know? Write. Work with a dictionary.

1. .... 3. ....

2. .... 4. ....

2 Interviews about jobs. What is correct? Listen and tick.

2.02

1. Abbas Samet ist …
   - ☐ Taxifahrer in Düsseldorf und Bochum.
   - ☐ Taxifahrer in Dortmund und Düsseldorf.
   - ☐ Taxifahrer in Bochum und Dortmund.

2. Anna Zimmermann arbeitet als …
   - ☐ Floristin in Leonberg.
   - ☐ Floristin in Stuttgart.
   - ☐ Friseurin in Stuttgart.

3. Simon Winter ist …
   - ☐ Ingenieur in Freiburg.
   - ☐ Ingenieur in Freiburg und Bern.
   - ☐ Ingenieur in Bern.

4. Frieda Neumann arbeitet in …
   - ☐ Graz als Ärztin.
   - ☐ Gießen als Floristin.
   - ☐ Graz als Krankenschwester.

3 Asking about someone's job. Write the questions. There is more than one possibility.

1. ....? Ich bin Ärztin von Beruf.

2. ....? Sebastian arbeitet als Verkäufer in Leipzig.

3. ....? Ulrike und ich arbeiten als Lehrer in Erfurt.

4. ....? Beruflich? Ich bin Zahnarzt in Zürich.

4 What do the people do?

a) What are the female versions of these jobs called? Complete.

1. der Florist   ....
2. der Sekretär   ....
3. der Lehrer   ....
4. der Koch   ....
5. der Ingenieur   ....

6. der Friseur   ....
7. der Mechatroniker ....
8. der Arzt   ....
9. der Verkäufer   ....
10. der Hausmann   ....

b) Fill in the jobs.

1. Dunja Osman ist .... von Beruf. Sie plant und baut Straßen.

2. Katrin Brill hat vier Kinder und arbeitet gerade nicht. Sie ist ....

3. Angelina Brown kocht sehr gern. Sie arbeitet als ....

4. Hoa Minh arbeitet als .... Sie verkauft Schuhe.

5. Barbara Kube arbeitet als .... Sie repariert Autos.

6. Christiane Rauch untersucht Patienten. Sie ist .... von Beruf.

7. Ella Groß ist .... Sie schneidet Haare.

8. Marta Helbig verkauft Blumen. Sie arbeitet als .... in Göttingen.

9. Anne Miller ist .... Sie unterrichtet Deutsch.

10. Maja Heller telefoniert viel und schreibt E-Mails. Sie ist ....

c) Where do the people in b) work? Complete.

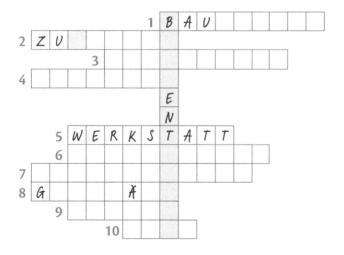

Preisknaller!

d) What is the solution?

Lösungswort:

Was ist er von Beruf? Er ist ....

5 Jobs on the Internet

a) **What is Benjamin's job? Read the text *Über mich* and fill in the job.**

b) **Benjamin introduces himself. Listen and add more information.**

2.03

6 Job words. **Collect words related to the jobs.**

der Friseur: ....

die Sekretärin: ....

7 Guessing jobs

2.04

a) **Which jobs are they? Listen and put the jobs in the right order.**

a ☐ die Taxifahrerin   d ☐ der Friseur
b ☐1 der Kfz-Mechatroniker   e ☐ der Verkäufer
c ☐ die Sekretärin   f ☐ die Ärztin

b) **Listen again and write one sentence for each job.**

> *Die Taxifahrerin fährt in die Zillestraße 9.*

8 *ng* or *nk*?

2.05

a) **Listen and complete.**

1. Kra.....enpfleger   3. la.....   5. Wohnu.....

2. Süde.....land   4. de.....en   6. Ba.....

b) **Listen again and repeat.**

9 Talking about business cards

a) **What information can you find? Match.**

die Adresse – der Arbeitsplatz – die E-Mail-Adresse – der Name –
der Beruf – die Telefonnummer – ~~der Titel~~ – die Handynummer

Städtische Kliniken Jena
Allgemeinmedizin

der Titel ——— **Dr. med. Matthias Roth**
——— **Chefarzt**

Eichplatz 32–34
07743 Jena
Tel.   036 41/123-65 44-0
Mobil   0178/123 654 45

E-Mail   roth@klinikenjena.de

b) **Which business card fits? Listen and tick.**

2.06

Martina Kaiser
Programmiererin
Brüder & Hansen Otto-Brenner Straße 78 30159 Hannover Tel.: 0511/906423 E-Mail: M.Kaiser@Programmiererin.de

Maren Kaiser
Programmiererin
Brüder & Hansen Jacobstraße 35 06110 Halle 0345/64381 Kaiser@bruederhansen.de

Maren Kaiser
Computerexpertin
Breitung & Heller Kieler Straße 145 22769 Hamburg 040/437621 maren-kaiser@b-h.de

c) **Listen again. True or false?**
   Tick and correct the false statements.

	richtig	falsch
1. Frau Kaiser kommt aus Halle.	☐	☐
2. Sie hat drei Kinder.	☐	☐
3. Ihr Mann ist Programmierer.	☐	☐
4. Sie arbeitet seit sechs Jahren bei einer Firma.	☐	☐

10 Vera or Martin? **Read the texts on page 134 and write sentences with the verbs.**

1. telefonieren ....

2. informieren ....

3. reservieren ....

4. reparieren ....

5. kontrollieren ....

6. organisieren ....

11 Practising vocabulary. **What doesn't fit? Cross it out.**

1. im Büro   sitzen – arbeiten – ~~reparieren~~
2. eine Party   organisieren – kochen – machen
3. Kunden am Telefon   schreiben – beraten – informieren
4. einen Kurs   planen – treffen – leiten
5. ein Flugticket   reservieren – haben – hören
6. Freunde   treffen – sehen – korrigieren

12 Dream job: kindergarten teacher. An interview

a) Listen and say the ◠-parts of the dialogue.

2.07

)) ...

◠ Ja, sehr. Es ist mein Traumberuf.

)) ...

◠ Ich kann jeden Tag mit Kindern arbeiten. Ich muss nicht im Büro am Computer sitzen. Das ist super!

)) ...

◠ Ich kann gut Gitarre spielen und singen. Also singe ich oft mit den Kindern.

)) ...

◠ Ich muss sehr früh aufstehen. Und ich kann nicht viel Geld verdienen.

)) ...

b) Read the answers again and collect advantages and disadvantages.

Vorteile: ....
....
....

Nachteile: ....
....
....

c) What do the verbs mean? Add the sentences with *können* **and** *müssen* **from a).**

(nicht) können ich mache etwas gut	(nicht) können es ist (nicht) möglich	(nicht) müssen es ist (nicht) meine Pflicht
	Ich kann jeden Tag mit	

13 Dream job: trainer in a fitness studio. **Complete with *können* or *müssen*.**

Ich bin Trainer in einem Fitness-Studio. Das ist mein Traumberuf. Da .... ich morgens lange schlafen, denn meine Arbeit beginnt erst um zehn Uhr. Ich .... die Sportgeräte kontrollieren und den Plan für die Sportkurse schreiben. Am Samstag .... ich auch arbeiten, aber am Sonntag und Montag habe ich frei. Am Sonntag .... ich meine Freundin treffen. Leider .... sie am Montag arbeiten. Wir .... uns nicht oft sehen. Nächstes Jahr arbeiten wir zusammen in Spanien. Wir .... dort auch viel privat zusammen machen.

14 Questions to a call centre worker. **Write the answers.**

1. Kannst du viele Sprachen sprechen? (ja, drei Sprachen)

   Ja, ich .... (kann ....) drei Sprachen .... (sprechen. ....)

2. Musst du als Call-Center-Agentin am Wochenende arbeiten? (ja, am Samstag)

   .... (..............) .... (..............)

3. Müsst ihr immer freundlich sein? (ja, am Telefon)

   .... (..............) .... (..............)

4. Kann deine Tochter dir helfen? (nein, nicht kochen)

   .... (..............) .... (..............)

5. Musst du früh aufstehen? (ja, um 6.30 Uhr)

   .... (..............) .... (..............)

6. Müsst ihr viel mit dem Computer arbeiten? (nein, viel telefonieren)

   .... (..............) .... (..............)

15 What does a kindergarten teacher have to do and what can he or she do?
Write sentences.

1. nicht viel am Computer arbeiten müssen   *Sie muss nicht viel am Computer arbeiten.*
2. mit Kindern arbeiten können   ....
3. nicht viel Geld verdienen können   ....
4. gern spielen und singen müssen   ....
5. viel draußen sein können   ....
6. nicht am Wochenende arbeiten müssen   ....

((• 16 Speaking fluently. **Listen and repeat.**

2.08
1. Kristina muss aufstehen. – Kristina muss um 7.30 Uhr aufstehen. – Kristina muss jeden Morgen um 7.30 Uhr aufstehen.
2. Sie kann gehen. – Sie kann zur Arbeit gehen. – Sie kann zu Fuß zur Arbeit gehen.
3. Sie muss arbeiten. – Sie muss bis 17 Uhr arbeiten. – Sie muss jeden Tag bis 17 Uhr arbeiten.
4. Sie kann lesen. – Sie kann ein Buch lesen. – Sie kann am Abend ein Buch lesen.

17 Opinions about jobs

a) **Read the text and mark the articles and possessive adjectives in the accusative.**

Ich mag meinen Job und unsere Chefin. Ich bin Köchin in einem Restaurant in Düsseldorf. Mein Bruder Max arbeitet hier als Kellner. Ich finde unser Team super, die Atmosphäre ist gut. Nur meine Arbeitszeiten mag ich nicht. Ich muss in der Nacht arbeiten und habe keine Pausen. Aber am Wochenende habe ich frei. Dann räume ich meine Wohnung auf, lese ein Buch oder meine E-Mails.

Ute Heinze

b) **Complete the possessive adjectives in the accusative.**

☐ 1. Ich mag .... Chefin.

☐ 2. Am Wochenende räume ich .... Wohnung auf.

☐ 3. Ute braucht .... Brille.

☐ 4. Ute mag .... Arbeitszeiten nicht.

☐ 5. Max findet .... Chefin gut.

☐ 6. In der Pause liest Max .... E-Mails.

c) **What doesn't Ute say? Read again and tick the sentences in b).**

18 What is his/her job? **Complete in the nominative or the accusative.**

1. Das ist Petra May. Bei ihrer Arbeit braucht sie einen Computer und ein........ großen Schreibtisch. Sie schreibt Computerprogramme. D........ Telefon ist wichtig für sie. Sie muss ihr........ Kunden oft anrufen. Sie arbeitet allein im Büro.

   Welchen Beruf hat sie? ....

Petra May

Olaf Weinberg

2. Mein Freund begrüßt sein........ Kunden in einem Geschäft. Er arbeitet von Dienstag bis Samstag, am Montag hat er frei. Bei der Arbeit braucht er kein........ Computer, aber ein........ Schere. Er berät sein........ Kunden. Dann schneidet er Haare.

   Welchen Beruf hat er? ....

Fit for Unit 8? Test yourself!

Talking about jobs

Ich bin ....

(Florist/in – mit Händen arbeiten – viele Leute treffen – früh aufstehen)   ▸ KB 1.3, 2.1, 3.2–3.5

Describing daily routines and tasks

um 6.30 Uhr aufstehen   *Ich muss* ....

bis 17 Uhr arbeiten   ....

von 19 bis 20 Uhr Sport machen   ....   ▸ KB 4.1, 4.3

Introducing yourself or someone else

> *Guten Tag, mein Name ist* ....
>
> *Ich bin* ....
>
> *Hier ist meine Karte.*

▸ KB 2.4, 2.5

Word fields

Jobs

die Köchin und der ....   die .... und der Arzt

die Ingenieurin und der ....   die .... und der Friseur   ▸ KB 1.1, 2.1, 2.2

Grammar

The modal verbs *können* and *müssen*

mit Kindern arbeiten können   *Ich kann* ....

früh aufstehen müssen   ....   ▸ KB 3.5, 4.2

The indefinite article and possessive adjectives in the accusative

Ich habe ein..... Computer und ein..... Büro. Ich liebe mein..... Arbeit.

Meine Kollegin muss unser..... Kunden anrufen. Mein Kollege liest sein..... E-Mails.   ▸ KB 5.1

Pronunciation

2.09

***ng* or *nk*?**

das Kra.....enhaus – die Projektleitu..... – die Fu.....tion – die Bezeichnu.....   ▸ KB 2.3

8 Berlin sehen

In this unit you will learn ...

▶ about sights in Berlin
▶ how to ask for and give directions
▶ to talk about a trip
▶ to write a postcard

1 Mit der Linie 100 durch Berlin

5 die Staatsoper

1 die Humboldt-Universität

2 das Brandenburger Tor

3 der Reichstag   4 das Bundeskanzleramt

6 der Alexanderplatz

1 Berlin. **Which sights do you know?**

2 The Berlin excursion

Ü1–3

a) **Read the text. What do the students want to do?**

Dr. Bettermann,
Exkursionsleiter

„Die Berlin-Exkursion hat Tradition. Jedes Jahr fahren wir mit Studenten aus Jena nach Berlin. Im Programm ist immer ein Spaziergang durch das Regierungsviertel. Die Studenten wollen den Reichstag besichtigen, über einen Flohmarkt bummeln und am Abend wollen sie ins Theater gehen. Ein Hit ist die Fahrt mit dem Bus Linie 100. Man kann mit dem Bus vom Bahnhof Zoo bis zum Alexanderplatz fahren. Viele Sehenswürdigkeiten liegen an der Linie 100. Eine Stadtrundfahrt mit der Linie 100 ist billig. Aber der Bus ist oft sehr voll. Besonders beliebt ist die erste Reihe oben. Hier kann man gut fotografieren."

b) **Read the route map. Which of the places in the photos have got a stop? Mark them.**

einhundertsechsundvierzig

BUS **100**   Hertzallee   S + U Zoologischer Garten   Breitscheidplatz   Bayreuther Str.   Schillerstr.   Lützowplatz   Nord. Botschaften/Adenauer-Stiftg.   Großer Stern   Schloss Bellevue   Haus der Kulturen

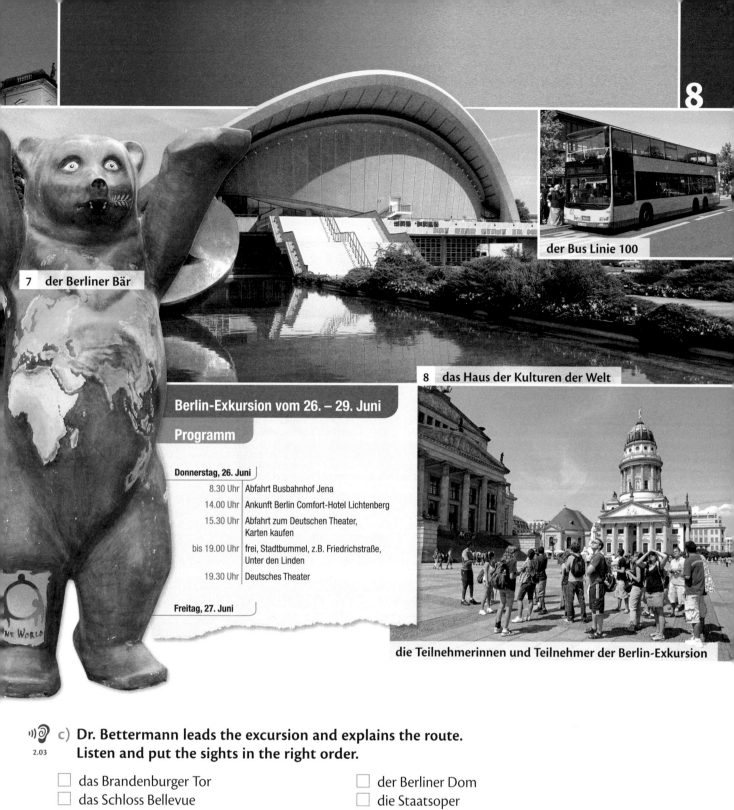

8

7 der Berliner Bär

der Bus Linie 100

8 das Haus der Kulturen der Welt

Berlin-Exkursion vom 26. – 29. Juni

Programm

Donnerstag, 26. Juni

8.30 Uhr	Abfahrt Busbahnhof Jena
14.00 Uhr	Ankunft Berlin Comfort-Hotel Lichtenberg
15.30 Uhr	Abfahrt zum Deutschen Theater, Karten kaufen
bis 19.00 Uhr	frei, Stadtbummel, z.B. Friedrichstraße, Unter den Linden
19.30 Uhr	Deutsches Theater

Freitag, 27. Juni

die Teilnehmerinnen und Teilnehmer der Berlin-Exkursion

))◉ c) **Dr. Bettermann leads the excursion and explains the route.**
2.03   **Listen and put the sights in the right order.**

☐ das Brandenburger Tor
☐ das Schloss Bellevue
☐ das Bundeskanzleramt
☐ der Reichstag
☐ die Friedrichstraße
☐ die Humboldt-Universität

☐ der Berliner Dom
☐ die Staatsoper
☐ die Alte Nationalgalerie
☐ der Potsdamer Platz
☐ der Fernsehturm
☐ das Sony Center

3 Word field: city. **Collect.**
Ü4

die Großstadt ——————————————— das Hotel

ABC▤

einhundertsiebenundvierzig

Platz der Republik   Reichstag/Bundestag   S + U Brandenburger Tor   Unter den Linden/Friedrichstr.   Staatsoper   Lustgarten   Spandauer Str./Marienkirche   S + U Alexanderplatz   S + U Alexanderplatz/Memhardstr.

147

2 Wie komme ich zur Friedrichstraße?

1
Ü5

Nadine and Steffi want to go shopping and are looking for *Friedrichstraße*.
They are at the *Brandenburger Tor* (Brandenburg Gate).

a) Read the dialogues and find the way on the map.

1
▢ Entschuldigung, wo geht's denn hier zur Friedrich-straße?
▢ Ich weiß nicht. Ich glaube, das ist ziemlich weit. Nehmen Sie doch den Bus.
▢ Hm. Vielen Dank.

2
▢ Entschuldigung, wir wollen zur Friedrichstraße. Können Sie uns helfen?
▢ Oh, keine Ahnung, ich bin auch Tourist.

3
▢ Entschuldigung, wo ist bitte die Friedrichstraße?
▢ Die Friedrichstraße? Das ist ganz einfach. Gehen Sie hier geradeaus durch das Brandenburger Tor, Unter den Linden entlang und dann die dritte Querstraße – das ist die Friedrichstraße.
▢ Vielen Dank!
▢ Gern!

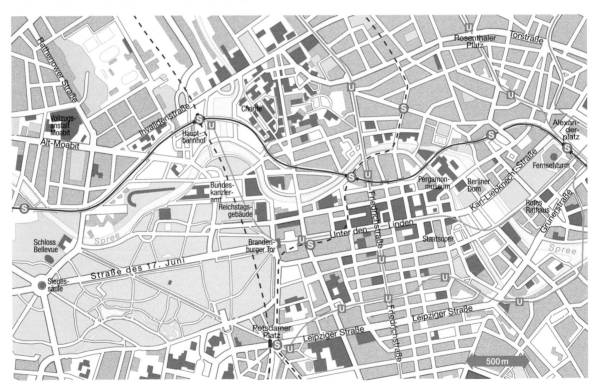

b) Practise the dialogues with your partner.

🔊 **2** From A to B. **Where are the tourists? Where are they going?**
2.04 Ü6 **Listen and draw the way on the map.**

3 Pronunciation: *r*

2.05
Ü7

a) *r* as in *Reichstag* or *r* as in *Fernsehturm*? Listen to the words and complete the table.

man hört das r	man hört das r nicht
Reichstag	Fernsehturm

2.06

b) *r* at the end of a syllable. Listen and repeat.

zur Friedrichstraße – Wo geht's hier zur Friedrichstraße?
hier geradeaus – Gehen Sie hier geradeaus.
das Brandenburger Tor – durch das Brandenburger Tor
die Querstraße – die zweite Querstraße – und dann die zweite Querstraße links

4 Giving directions

Ü8–10

a) Make a poster of places in your town.

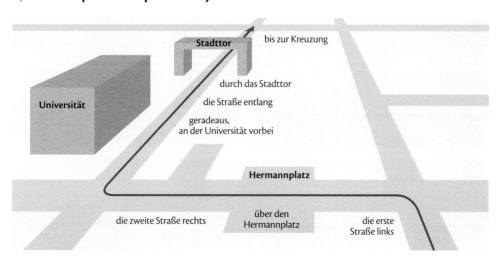

b) Choose starting points and destinations. Ask for and give directions.

Useful phrases

Ways of asking

Entschuldigung,	wir suchen einen Flohmarkt / ein Café / eine Bank. wo ist die Friedrichstraße / der Reichstag? wie komme ich zum Alexanderplatz, bitte? wo geht es zur Schlossbrücke?

Ways of answering

Zuerst	gehen Sie hier	rechts/links / bis zur Kreuzung / zur Ampel. geradeaus die ... straße entlang.
Dann	die erste/zweite/... Straße links/rechts.	
Danach	links, an der/dem ... vorbei. Dann sehen Sie den/das/die ...	

Saying thank you and answering

Danke! / Danke schön! / Vielen Dank! Bitte! / Gern! / Gern geschehen!

ABC

3 Wohin gehen die Touristen?

1 Giving directions

 a) Listen and practise the dialogue.

2.07
Ü11
- ♀ Entschuldigung, wie komme ich zum Bahnhof?
- ♂ Zum Bahnhof? Das ist ganz einfach. Gehen Sie hier geradeaus, die Kaiserstraße entlang und …
- ♀ Moment, geradeaus, die Kaiserstraße entlang. Ja?
- ♂ Ja, und dann an der vierten Kreuzung rechts …
- ♀ Also, an der vierten Kreuzung rechts?
- ♂ Genau, und dann bis zur Ampel geradeaus.
- ♀ Bis zur Ampel?
- ♂ Ja, bis zur Ampel. Links sehen Sie die Bahnhofstraße und den Bahnhof.
- ♀ Also, Moment … ich gehe hier die Kaiserstraße entlang und dann an der vierten Kreuzung rechts bis zur Ampel. Dann komme ich zum Bahnhof.
- ♂ Ja, genau.
- ♀ Vielen Dank!
- ♂ Gerne!

> **Study tip**
> Memorise things by repeating them.

b) Mark the repetitions.

c) Practise: use other places and directions.

- ♀ Entschuldigung, wie komme ich zum Stadtmuseum?
- ♂ Gehen Sie die Kastanienallee entlang und an der zweiten Kreuzung links.
- ♀ Aha, also die Kastanienallee entlang …

2 Pronunciation: *l* and *r*. **Listen and repeat.**

2.08   Ü12

rechts und links	an der Kreuzung links
nach links fahren	die Straße entlang
an der Ampel rechts	über die Schlossbrücke
an der Ampel geradeaus	die Nationalgalerie

> *LICHTUNG*
>
> manche meinen,
> lechts und rinks
> kann man nicht velwechsern,
> werch ein illtum
>
> *ernst jandl*

3 Word field: tourism. **Collect.**

Ü13

was Touristen sehen	was Touristen tun	was Touristen brauchen
die Kirche	etw. besichtigen	eine Kamera
die Oper	etw. suchen	den Bus
	Geschenke einkaufen	eine Bank

4 Tourists in your town.
What do they visit? What do they ask?
What do they do?

 Tourist-Information
Rathausplatz 3 · Neues Rathaus
Mo–Fr 8:30–18 Uhr, Okt bis 17 Uhr
Sa, So, Feiertage 9–16 Uhr

5 Where are the tourists going? **Complete the sentence.**

29 Ü14–15
30

Die Touristen gehen ...

....

Grammar

in, durch, über + accusative

Die Touristen   gehen   in den Park. / ins Museum. / in die Galerie.
                 fahren   durch den Park. / durch das Stadttor. /
                 laufen   durch die Fußgängerzone.
                             über den Marktplatz. / über das Messegelände. /
                             über die Schlossbrücke.

zu, an ... vorbei + dative

Die Touristen   gehen   zum Stadion. / zum Zoo. / zum Bahnhof.
                 fahren   zur Touristeninformation. / zur Schlossbrücke.
                 laufen   an der Universität vorbei. / am Bahnhof vorbei.

Mini memo
in das = ins
zu dem = zum
zu der = zur
an dem = am

 6 Plans for Berlin. **What do the students want to do? Collect examples from the text on page 146.**

20 Ü16

         Modalverb   Verb (Infinitiv)

Die Studenten (wollen) Sehenswürdigkeiten (besichtigen) .

7 Game: Finding your way. **Play in class.**

Wie komme ich zur Sprachschule?

Die erste rechts, am Museum vorbei und dann wieder rechts.

8 Practising with a city map. **Mark the starting point and destination. Make dialogues.**

Entschuldigung, wie komme ich zum Bahnhof?

Gehen Sie an der Ampel rechts und ...

 ABC

4 Die Exkursion

1 Berlin tips. **Who says what? Read and match.**

Flohmarkt am Mauerpark

Tanja Cherbatova

Tanja findet Berlin super. Die Exkursion hat ihr Spaß gemacht: der Flohmarkt, die Disko, der Potsdamer Platz. „Berlin ist sehr modern", sagt sie. Das gefällt ihr. In der Gruppe war eine tolle Atmosphäre. Das ist auch gut für das Studium, man lernt die anderen Studenten gut kennen. Tanja sagt, sie kennt leider keine Berliner. Sie möchte bald wieder nach Berlin fahren.

Marcel Schreiber

Marcel findet die Berlin-Exkursion auch toll, aber zu kurz. Man braucht mehr Zeit für die Stadt. Er will wieder nach Berlin fahren. Er interessiert sich für Architektur. Modern, klassisch, alt, neu – hier gibt es alles. Er hat ein Fahrrad gemietet und war abends unterwegs. Marcel hat 200 Fotos gemacht.

Nordische Botschaften

M besichtigt gern Häuser.	☐ mag das moderne Berlin.
☐ findet die Gruppe gut.	☐ ist sportlich und gern unterwegs.
☐ hat viel fotografiert.	☐ mag Musik und Diskos.

2 A postcard from Berlin

Ü17–19

a) Read the postcard and compare it with the programme on the right. Which day is it?

Hallo Carla,
Berlin ist cool! Heute wollen wir eine Stadtrundfahrt machen. Dann besuchen wir den Reichstag und besichtigen das Brandenburger Tor. Zum Schluss wollen wir bummeln, und abends im Club 21 feiern.

Liebe Grüße
dein Marcel

Carla Schmidt
Neugasse 22
07740 Jena

b) **Read the strategies and write a postcard. You will find the information in the programme.**

1. Planen
   – Informationen sammeln und ordnen
   – Redemittel sammeln

Beispiel

> Stadtrundfahrt, Theater, ...
> Heute wollen wir ... / Es war ... /
> Wir besuchen auch ...

2. Schreiben
   – Sätze schreiben und verbinden

3. Überarbeiten
   – kontrollieren, korrigieren, neu formulieren

> Gestern ... / Heute ... / Zuerst / ...

> Liebe/r ...,
>
> schöne Grüße aus Berlin. Heute
>
> wollen wir ...

Berlin-Exkursion vom 26. – 29. Juni — Programm

Donnerstag, 26. Juni

8.30 Uhr	Abfahrt Busbahnhof Jena
14.00 Uhr	Ankunft Berlin Comfort-Hotel Lichtenberg
15.30 Uhr	Abfahrt zum Deutschen Theater, Karten kaufen
bis 19.00 Uhr	frei, Stadtbummel, z.B. Friedrichstraße, Unter den Linden
19.30 Uhr	Deutsches Theater

Freitag, 27. Juni

8.30 Uhr	Frühstück im Hotel
9.30 Uhr	Stadtrundfahrt: Mitte, Unter den Linden, Brandenburger Tor, Bundeskanzleramt, Museumsinsel, Schloss Bellevue, Reichstag
14.30 – 16.00 Uhr	Besuch im Reichstag
16.00 – 18.00 Uhr	Bummeln im Regierungsviertel
Abends	Freizeit

Samstag, 28. Juni

8.30 Uhr	Frühstück im Hotel
9.30 Uhr	Thematische Stadtführung in Gruppen
	a) Bertolt Brecht in Berlin
	b) Jüdische Kultur in Berlin
	c) Die Berliner Mauer
14.30 – 18.00 Uhr	Christopher Street Day, Besuch der Parade
Abends	Freizeit

Sonntag, 29. Juni

8.30 Uhr	Frühstück im Hotel
9.30 Uhr	Museumsbesuch: Museumsinsel
14.00 Uhr	Rückfahrt

3 Project: Internet rally "See Berlin". **Go for a virtual walk.**

Wählen Sie drei Stadtviertel: Mitte, ...
– Was kommt heute im Kino?
– Finden Sie drei Theater. Vergleichen Sie das Programm. Was gefällt Ihnen heute?
– Was kosten die Karten?
– Gibt es diese Woche ein interessantes Konzert?

ABC

1 Puzzle. **Find the words. The text on page 146 will help you. What is the solution?**

1. Durch die Stadt laufen und Eis essen: der ...
2. mit viel Zeit zu Fuß gehen: der ...
3. Hier machen Menschen Politik: das ...
4. Hier verkauft man alte Sachen: der ...
5. Das gibt es schon lange, zum Beispiel die Berlin-Exkursion: die ...
6. Hier kommt man mit dem Zug an: der ...

1	S	T	A	D	T	B	U	M	M	E	L		
2	S						G						
3			G					V					
4						H							
5							N						
6				H			F						

Lösungswort: ....

2 Bus route 100. **Which statements can you find in the text on page 146?**
Tick and add the line number.

1. ☐ Die Linie 100 fährt an vielen Sehenswürdigkeiten vorbei.   Zeile ....
2. ☐ Das Ticket kostet nicht viel.   Zeile ....
3. ☐ Der Bus fährt zur Humboldt-Universität.   Zeile ....
4. ☐ Der Bus fährt täglich.   Zeile ....
5. ☐ In dem Bus sind oft viele Personen.   Zeile ....

3 Dr. Bettermann and the excursion

a) Which places does Dr. Bettermann mention? Listen again and tick.

2.10

1. ☐ das Schloss Bellevue
2. ☐ das Haus der Kulturen der Welt
3. ☐ das Bundeskanzleramt
4. ☐ die Friedrichstraße
5. ☐ der Bahnhof Zoo
6. ☐ das Deutsche Theater
7. ☐ Unter den Linden
8. ☐ der Kurfürstendamm

das Schloss Bellevue

b) What does Dr. Bettermann say? Tick.

1. ☐ Der Bundespräsident sitzt im Schloss Bellevue.
2. ☐ Das Bundeskanzleramt nennen die Berliner auch „Waschmaschine".
3. ☐ Entlang der Straße „Unter den Linden" gibt es viele Sehenswürdigkeiten.
4. ☐ Der Fernsehturm ist auf dem Alexanderplatz.

4 Getting to know Berlin

a) **Read the text and match the photos.**

Berlin in zwei Tagen

☐ Das Bundeskanzleramt – hier wird Politik
gemacht! Seit 2001 arbeitet dort der
Bundeskanzler bzw. die Bundeskanzlerin.
Das Gebäude ist sehr groß und hat eine
besondere Architektur.

☐ Bummeln in der Friedrichstraße. Die bekannte Straße liegt im Zentrum von Berlin.
In den Geschäften kann man gut einkaufen!

☐ Musik im „Watergate". Der Club an der
Spree ist beliebt. Es gibt internationale
DJs und Musiker. Der Musikstil ist Techno
und Elektro.

☐ Ein Spaziergang „Unter den Linden" –
hier gibt es viele Sehenswürdigkeiten und
Botschaften. Bekannt sind die Staats-
bibliothek oder die Kaiserhöfe.

b) **Read again. True or false? Tick.**

	richtig	falsch
1. Der Bundespräsident arbeitet im Bundeskanzleramt.	☐	☐
2. Der Club „Watergate" ist am Wasser.	☐	☐
3. In der Friedrichstraße kaufen nur Touristen ein.	☐	☐
4. In der Straße „Unter den Linden" findet man viele Botschaften.	☐	☐

c) **Which is your favourite? Write.**

....

5 Finding your way around the city. **Match the pictures.**

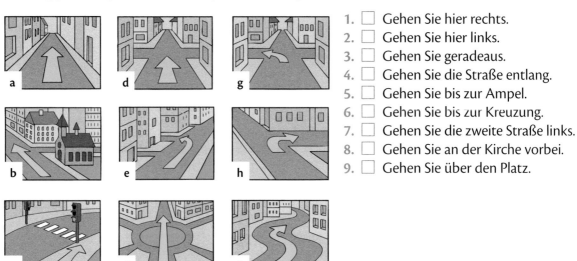

1. ☐ Gehen Sie hier rechts.
2. ☐ Gehen Sie hier links.
3. ☐ Gehen Sie geradeaus.
4. ☐ Gehen Sie die Straße entlang.
5. ☐ Gehen Sie bis zur Ampel.
6. ☐ Gehen Sie bis zur Kreuzung.
7. ☐ Gehen Sie die zweite Straße links.
8. ☐ Gehen Sie an der Kirche vorbei.
9. ☐ Gehen Sie über den Platz.

6 A route description
2.11

a) **Merle Schramm from Jena wants to go from the museum to the palace. Which dialogue is marked? Listen and tick.**

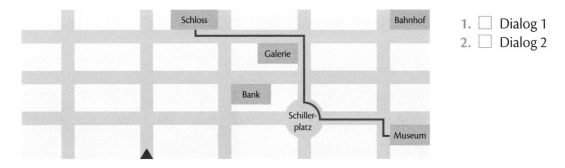

1. ☐ Dialog 1
2. ☐ Dialog 2

b) **Complete the sentences. Listen to dialogue 2 again and check.**

> zur dritten Kreuzung – rechten Seite – einfach – geradeaus

Ja, das ist ....! Gehen Sie geradeaus bis .... Dann gehen

Sie links und immer weiter .... Das Schloss ist das große Gebäude auf der

....

c) **Listen again. Mark the second route.**

7 Pronouncing r
2.12

a) r as in *Reichstag* or r as in *Fernsehturm*? **Listen and mark.**

1. eine Route planen – vom Stadttor erzählen – Tourist auf dem Reuter-Platz
2. hier auf dem Alexanderplatz – die Regierung verstehen – eine Reihe rechts
3. eine Reise in die Großstadt machen – Kultur und Tradition erleben

b) **Listen again and repeat.**

8 Text karaoke. **Listen and say the 👄-parts of the dialogue.**

2.13

👂 ...

👄 Ja, gehen Sie geradeaus und an der nächsten Kreuzung rechts.
Dann die nächste Straße links.

👂 ...

👄 Nein, an der nächsten Kreuzung rechts.

👂 ...

👄 Die Bank ist das große moderne Haus auf der rechten Seite.

👂 ...

👄 Na ja, etwa fünf Minuten.

👂 ...

9 Finding your way with a map

a) **Write the dialogue.**

👄 Entschuldigung – Ernst-Reuter-Platz? ....

👄 Zuerst – zur Ampel. ....

Dann – geradeaus – Uhlandstraße entlang ....

Danach links – Dann sehen ....

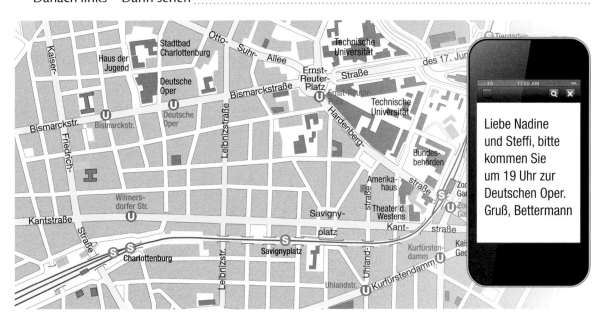

b) **Nadine and Steffi are in a café on** *Savignyplatz*. **Herr Dr. Bettermann wants to meet them at the** *Deutsche Oper*. **Which route should they take? Write.**

 10 Speaking fluently. *r* **at the beginning of a syllable. Listen and repeat.**

2.14

1. das Rote Rathaus. – wir suchen das Rote Rathaus. – Entschuldigung, wir suchen das Rote Rathaus.
2. Oranienburgerstraße. – rechts in die Oranienburgerstraße. – Fahren Sie rechts in die Oranienburgerstraße.
3. Botschaft. – geradeaus zur Russischen Botschaft. – Dann gehen Sie geradeaus zur Russischen Botschaft.

11 Tourists ask the way

a) Read the dialogue and complete the repetitions.

💬 Können Sie mir helfen? Wie komme ich zur Humboldt-Universität?

👄 *Zur Humboldt-Universität* ? Zuerst gehen Sie hier links.

💬 Also ?

👄 Genau, und dann gehen Sie bis zur dritten Kreuzung geradeaus.

💬 Ok, .

👄 Ja, genau. Auf der linken Seite sehen Sie dann die Humboldt-Universität.

💬 Dann sehe ich ?

👄 Genau!

🔊 **b) Listen and check.**
2.15

🔊 **12** Pronouncing *l* and *r*. **Listen and speak quickly.**
2.16

1. Franzi läuft in den Park.
2. über den Marktplatz
3. rechts zur Schlossbrücke
4. an der Ampel vorbei
5. links durch den Garten

13 Tourists in Berlin. **Read the newspaper article and ask three questions about the text.**

Touristen lieben Berlin

Berlin ist beliebt bei Jung und Alt, bei Deutschen und Ausländern. Die Touristen kommen aus Großbritannien, Spanien, Italien oder den USA. Berlin hat 20 Millionen Übernach- tungen im Jahr. Rom hat 18,6 und Madrid 13,7. Nach Berlin kommen mehr Touristen als nach Rom und Madrid. Viele Touristen besuchen das Bran- denburger Tor.

1. Woher ?

   Die Touristen kommen aus Großbritannien, Spanien, Italien und den USA.

2. Wie viele ?

   Im Jahr hat Berlin 20 Millionen Übernachtungen.

3. Was ?

   Viele Touristen besuchen das Brandenburger Tor.

14 Erkan the tour guide. **Read the text and fill in the words.**

Erkan, 23, Student und Reiseführer

> Alexanderplatz – Museen – Regierungsviertel –
> Einkaufsstraßen

Ich arbeite seit drei Jahren als Touristenführer in Berlin.

Die Touristen gehen gern in ....,
sie lieben zum Beispiel das Pergamonmuseum und die
Alte Nationalgalerie. Viele wollen in Berlin einkaufen.

Sie laufen durch ....,
beliebt ist die Friedrichstraße. Die Touristen wollen auch die Sehenswürdigkeiten sehen. Mit dem Bus
fahren Sie zum .... Dort gehen Sie in den Reichstag oder ins Bundeskanzleramt.

Am Abend laufen sie oft über den .... Dort gibt es viele Bars und Diskos.

15 Visiting Berlin

a) **Fill in the prepositions.**

> in die – am – in den – über die – zum

Paula und Alejandro kommen aus Madrid.
Sie besuchen Freunde in Berlin. Sie gehen

.... Brandenburger Tor und machen

viele Fotos. Sie fahren mit dem Bus .... Bundeskanzleramt vorbei und laufen ....

Schlossbrücke. Am Nachmittag gehen sie .... Berliner Dom und hören ein Konzert.

Am Abend essen sie Pizza und gehen danach .... Disko „Wilde Renate".

 b) **Listen and check.**

2.17

 c) **What do Paula and Alejandro do the next day?**
2.18   **Listen and number.**

- ☐ Freunde treffen
- ☐ durch den Park laufen
- ☐ über den Flohmarkt bummeln
- ☐ lange schlafen
- ☐ zur Museumsinsel fahren
- ☐ in den Zoo gehen
- ☐ ins Museum gehen
- ☐ in einem Restaurant essen

16 *Berlin ist super!* **Read the text message. Mark the modal verb** *wollen* **and the verbs in the infinitive.**

> Hi Julia! Berlin ist super! Die Stadt ist echt klasse. Wir wollen gleich noch eine Stadtrundfahrt machen. Danach will ich in die Nationalgalerie gehen. Anschließend wollen Maria und ich auf der Friedrichstraße bummeln.
> Und heute Abend wollen wir noch ein Musical sehen! Ich muss los ...
> LG Carla

17 *How was Berlin?* **Collect the positive and negative aspects of the tour from the text on page 152.**

	Vorteile	Nachteile
Tanja	....	....
Marcel	....	....

18 The Berlin excursion

a) **What do the students want to do in Berlin? Read the programme on page 153 again. Then read the statements. True or false? Tick.**

		richtig	falsch
1.	die Museumsinsel besuchen	☐	☐
2.	zur Christopher Street Day Parade gehen	☐	☐
3.	einen Stadtbummel in Kreuzberg machen	☐	☐
4.	das Regierungsviertel besuchen	☐	☐
5.	den Berliner Dom besichtigen	☐	☐
6.	in den Botanischen Garten gehen	☐	☐

b) **Write sentences with** *wollen*. **Correct the false statements.**

> 1. Die Studenten wollen die Museumsinsel besuchen.
> 2. Sie wollen ...

19 And you? What do you want to do in Berlin?

a) **Read and tick.**

☐ Ich will im Regierungsviertel bummeln.   ☐ Ich will den Reichstag besuchen.
☐ Ich will ins Deutsche Theater gehen.   ☐ Ich will ins Jüdische Museum gehen.

b) **Write two more sentences.**

....

....

Fit for Unit 9? Test yourself!

Asking the way, describing the way

💬 Entschuldigung, ... der Flohmarkt?

👄 Zuerst gehen Sie ...., dann gehen Sie bis zur Kreuzung und

danach sehen Sie den Flohmarkt .... ▸ KB 2.1, 2.4

Talking about a trip/writing a postcard

.... wollen wir eine Stadtrundfahrt .... Dann .... wir

in das Bodemuseum .... und am Abend ins Theater .... ▸ KB 4.2

Remembering through repetition

💬 Wie komme ich zum Alexanderplatz?

👄 .... ? Das ist ganz einfach! ▸ KB 3.1

Word fields

Word field city

das Hotel, die Sehenswürdigkeit, das Museum, ... ▸ KB 1.3

Learning tourism words systematically

eine Kirche ...., nach dem Weg ...., ins Museum .... ▸ KB 3.3

Grammar

Prepositions

in, durch, über + accusative

Die Studenten gehen .... die Disko.

Sie laufen .... die Brücke.

Sie fahren .... das Stadttor.

zu, an ... vorbei + dative

Die Touristen gehen .... Touristeninformation.

Sie fahren .... Regierungsviertel ....

▸ KB 3.5

Pronunciation

The consonant *r* at the beginning or the end of the syllable?

hier – Tor – Rathaus – erklären – rechts – Kreuzung ▸ KB 2.3

r* and *l

....inks – Unte....den ....inden – das Bundeskanz....e....amt ▸ KB 3.2

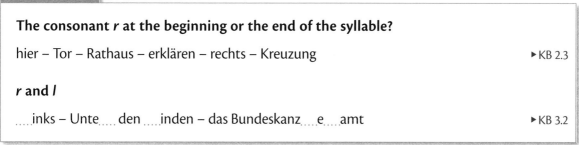

9 Ab in den Urlaub

In this unit you will learn ...

▶ to talk about holidays
▶ to describe holiday experiences
▶ to describe an accident
▶ to make notes

1 Willkommen im Reiseland Deutschland

a

1. ☐ Für Stadturlauber ist Heidelberg immer ein Reiseziel. Viele Touristen kommen aus dem Ausland. Sie können die romantische Altstadt am Neckar und das Schloss besichtigen.

b

c

1 **Top holiday destinations in Germany**

Ü1

a) **Look at the photos. Which places do you know?**

b) **Read the texts and match the photos.**

c) **Read again and collect words.**

Reiseziele	was man sehen/ machen kann
die Ostsee: Rügen	....
....	....

im Wald

in den Bergen · in der Altstadt

am Fluss

2. ☐
Sommer, Sonne, Strand und Meer – viele Urlauber machen im Juli und August Ferien an der Ostsee, zum Beispiel auf der Insel Rügen. Eine typisch deutsche Tradition: der Strandkorb.

3. ☐
Die Insel Sylt liegt in der Nordsee. Sie ist lang und schmal. Man kann mit dem Zug auf die Insel fahren. Die Autos müssen auch mit dem Zug fahren. Die Architektur ist interessant: Viele Häuser haben Dächer aus Stroh, die „Reetdach-Häuser".

4. ☐
Viele Urlauber fahren in die Alpen. In den Bergen kann man wandern. Das Schloss Neuschwanstein im Allgäu ist eine Touristenattraktion. Aber eine Besichtigung kostet viel Zeit. Es gibt fast immer Warteschlangen vor dem Schloss.

---

2 Talking about holidays

🔊 **a) Where have the people been?**
2.09   **Listen and note down the places.**
Ü2–5

im Allgäu,

b) Ask and answer.

	Ways of asking	Ways of answering questions about holidays	
Useful phrases	Wo waren Sie / warst du / wart ihr im Urlaub / in den Ferien?	Ich war / Wir waren	an der Nordsee / am Bodensee / in den Bergen / in Heidelberg / auf (der Insel) Rügen / im Allgäu.
	Und wie war es?	Es war	toll / super / sehr schön / langweilig / nicht so schön.
	Wie war das Wetter / Essen / Hotel?	Das Wetter / Essen / Hotel war	prima / gut / nicht so gut / schlecht.

Wo waren Sie im Urlaub?

Ich war auf Sylt. Es war super!

ABC

m See

am Strand

auf der Insel

im Hafen

2 Familie Mertens im Urlaub

b | **1. Tag: 29. Juni**
Vormittags Ankunft in Passau. Unsere Radtour beginnt.
Die erste Etappe ist kurz, 27 km.

☐ **2. Tag: 30. Juni**
Heute haben wir 71,5 km geschafft – von Engelhartszell
nach Linz. Mittags haben wir eingekauft und dann an
der Donau ein Picknick gemacht. In Linz haben wir in einer
Pension übernachtet. Meine Eltern waren sehr müde!

☐ **3. Tag: 1. Juli**
Vormittags haben wir einen Bummel durch Linz
gemacht. Ich habe Linzer Torte probiert, sehr gut!
Mittags Weiterfahrt Richtung Melk. Dort haben
wir das Kloster besucht.

c

☐ **7. Tag: 5. Juli**
Nach 326 km: Wien! Das Riesenrad im Prater haben
wir schon angeschaut und fotografiert. Morgen
machen wir einen Tag Pause und besichtigen
die Stadt.

d

☐ **20. Tag: 18. Juli**
660 km: Wir haben Budapest erreicht und die Stadt
besichtigt. Die Tour war toll! Budapest ist super!

b

a

e

Meine Eltern und meine
Schwester beim Picknick.

1 *Der Donau-Radweg* (The Danube bike path). **Which countries does it go through? Work with a map of Europe.**

2 From Silvia Mertens' (12) diary. **Read and match the photos to the days.**
Ü6

3 Holiday words. **Find twelve combinations.**
Ü7

eine Pause		1. *eine Pause machen* .... 7. ....
eine Radtour		2. .... 8. ....
ein Picknick	besichtigen	3. .... 9. ....
ein Schloss	kaufen	
einen Reiseführer	machen	4. .... 10. ....
Fotos	planen	5. .... 11. ....
Ferien		6. .... 12. ....
eine Stadt		

4 *Haben Sie schon mal ...?* **Ask and answer questions.**

Haben Sie schon mal   eine Radtour gemacht?
                           in der Ostsee gebadet?   *Ja, das habe ich schon gemacht.*
Haben Sie schon   am Meer gezeltet?
mal Urlaub in Deutsch-   Budapest besucht?   *Ja, na klar!*
land gemacht?   eine Städtereise geplant?   *Nein, noch nie.*
                           eine Wanderung in den Bergen gemacht?

5 The *Perfekt* with *haben*
20.1, Ü8–10
33.1

a) **Read the examples. Mark the *Partizip-II* forms in the diary and make a table.**

ge...(e)t	...ge...(e)t	...(e)t
geschafft	*eingekauft*	*übernachtet*

Mini memo
Verbs with the ending *-ieren* (e.g. *probieren*) form the *Partizip II* without *ge-*. *Bei Verben mit -ieren kann nichts passieren.*

b) **Complete the rule.**

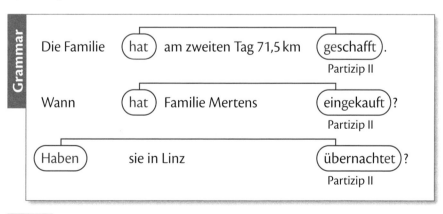

Grammar

Die Familie (hat) am zweiten Tag 71,5 km (geschafft).
                                          Partizip II

Wann (hat) Familie Mertens (eingekauft)?
                                Partizip II

(Haben) sie in Linz (übernachtet)?
                        Partizip II

Rule In the *Perfekt* with *haben*, the form of .... is in position 2 in the sentence.

The .... is at the end of the sentence.

ABC

3   Was ist passiert?

1   An accident. **Put the drawings in the right order.**

2   A diary entry from Silvia Mertens.
Ü11–12   **Read and check the order in 1.**

> 6. Tag: 4. Juli
> Was für ein Tag! Heute ist meine Mutter vom Rad gefallen.
> Kurz vor Wien haben Kinder auf der Straße Ball gespielt.
> Plötzlich ist der Ball in ihr Rad geflogen, aber es ist nicht viel
> passiert und sie ist gleich wieder aufgestanden. Mein Vater
> hat die Polizei angerufen. Sie ist schnell gekommen, wir haben
> also nicht viel Zeit verloren. Sie haben ein Protokoll geschrie-
> ben und uns geholfen. Dann haben wir eine Pause gemacht.
> Nach einer Stunde sind wir weitergefahren.

3   Long and short vowels. **Collect the *Partizip-II* forms from 2 and mark the word stress.**
2.10   **Listen and repeat.**

4   Silvia rings her friend Britta in the evening. **How does she answer Britta's questions?**
Complete the dialogue and practise with your partner.

◇ Hallo Britta, hier ist Silvia.
⌂ Hallo, Silvia, wie geht's auf eurer Radtour?
◇ Ganz gut, aber heute …
⌂ Oh je, ist dir etwas passiert?
◇ …
⌂ Wie ist es denn passiert?
◇ …

⌂ Habt ihr die Polizei angerufen?
◇ …
⌂ Und was habt ihr dann gemacht?
◇ …
⌂ Wann seid ihr denn weitergefahren?
◇ …
⌂ Na, dann viel Spaß noch!
◇ Danke, tschüss, bis bald!

5 The *Perfekt* with irregular verbs

20.1, Ü13–14
33.2

a) Mark the *Perfekt* forms in 2. What's new?

> 6. Tag: 4. Juli
> Was für ein Tag! Heute ist meine Mutter vom Rad gefallen.
> Kurz vor Wien haben Kinder auf der Straße Ball gespielt.

b) Complete the *Partizip-II* forms.

ge...en	...ge...en	...en
fallen –	aufstehen – aufgestanden	verlieren –
fliegen –	anrufen –	
kommen –	weiterfahren –	
schreiben –		
helfen –		

 Mini memo
Most verbs form the *Perfekt* with *haben*.
Learn the *Perfekt* with *sein*:
fahren – ist gefahren, laufen – ist gelaufen,
fliegen – ist geflogen, bleiben – ist geblieben,
passieren – ist passiert, sein – ist gewesen

6 A survey: What did you do on holiday?

 a) Listen and collect information.

2.11
Ü15

Frau Biechele (53)

Herr Demme (41)

Manja (23)

	Frau Biechele	Herr Demme	Manja
Orte (wo?)			
Aktivitäten (was?)			

b) Do a survey in class and report back.   *Erkan war in ... und hat ...*

7 My holiday. Write a short text about your experiences.

Ü16

Wann? – Wo? – Wie war das Wetter / Hotel / Essen? – Was haben Sie gemacht?

Ich war vom ... bis zum ... im Urlaub.   Ich war ...
Das Wetter war ...   Ich habe viel ... und ich bin oft ...

 ABC

4 Urlaubsplanung und Ferientermine

1 The months. **Complete the text with the names of the months. Use the information in the calendar.**

Ü17–18

Januar	Februar	März	April	Mai	Juni	Juli	August	September	Oktober	November	Dezember
1 Neujahr	1 Di	1 Di	1 Fr	1 Ges. Feiertag	1 Mi	1 Fr	1 Mo 31	1 Do	1 Sa	1 Allerheiligen*	1 Do
2 Sonntag	2 Mi	2 Mi	2 Sa	2 Mo 18	2 Do	2 Sa	2 Di	2 Fr	2 Sonntag	2 Mi 44	2 Fr
3 Mo 1	3 Do	3 Do	3 Sonntag	3 Di	3 Fr	3 Sonntag	3 Mi	3 Sa	3 Ges. Feiertag	3 Do	3 Sa
4 Di	4 Fr	4 Fr	4 Mo 14	4 Mi	4 Sa	4 Mo	4 Do	4 Sonntag	4 Di 40	4 Fr	4 Sonntag
5 Mi	5 Sa	5 Sa	5 Di	5 Himmelfahrt	5 Sonntag	5 Di	5 Fr	5 Mo 36	5 Mi	5 Sa	5 Mo 49
6 Heilige 3 Könige*	6 Sonntag	6 Sonntag	6 Mi	6 Fr	6 Mo	6 Mi	6 Sa	6 Di	6 Do	6 Sonntag	6 Di
7 Fr	7 Mo 6	7 Mo 10	7 Do	7 Sa	7 Di	7 Do	7 Sonntag	7 Mi	7 Fr	7 Mo 45	7 Mi
8 Sa	8 Fastnacht	8 Di	8 Fr	8 Sonntag	8 Mi	8 Fr	8 Mo 32	8 Do	8 Sa	8 Di	8 Do
9 Sonntag	9 Mi	9 Mi	9 Sa	9 Mo 19	9 Do	9 Sa	9 Di	9 Fr	9 Sonntag	9 Mi	9 Fr
10 Mo	10 Do	10 Do	10 Sonntag	10 Di	10 Fr	10 Sonntag	10 Mi	10 Sa	10 Mo 41	10 Do	10 Sa
11 Di 15	11 Fr	11 Fr	11 Mo	11 Mi	11 Sa	11 Mo 28	11 Do	11 Sonntag	11 Di	11 Fr	11 Sonntag
12 Mi	12 Sa	12 Sa	12 Di	12 Do	12 Sonntag	12 Di	12 Fr 37	12 Mo	12 Mi	12 Sa	12 Mo 50
13 Do	13 Sonntag	13 Sonntag 24	13 Mi	13 Fr	13 Mo	13 Mi	13 Sa	13 Di	13 Do	13 Sonntag	13 Di
14 Fr	14 Mo	14 Mo	14 Do	14 Sa	14 Di	14 Do	14 Sonntag	14 Mi	14 Fr	14 Mo 46	14 Mi
15 Sa	15 Di	15 Di	15 Fr	15 Pfingstsonntag	15 Mi	15 Fr	15 Mariä Himmelf.*	15 Do	15 Sa	15 Di	15 Do
16 Sonntag	16 Mi	16 Mi	16 Sa	16 Pfingstmontag	16 Do	16 Sa	16 Di 33	16 Fr	16 Sonntag	16 Buß+Bet*	16 Fr
17 Mo	17 Do 20	17 Do	17 Sonntag	17 Di	17 Fr	17 Sonntag	17 Mi	17 Do 42	17 Mo	17 Sa
18 Di	18 Fr	18 Fr	18 Mo 16	18 Mi	18 Sonntag	18 Mi	18 Sa	18 Di	18 Fr	18 Mo 51
19 Mi	19 Sonntag	19 Sonntag	19 Di	19 Do	19 Fr	19 Sa	19 Mo 38	19 Fr	19 Sonntag	19 Di
20 Do	20 Mo 25	20 Mo	20 Mi	20 Fr	20 Sa	20 Sonntag	20 Di	20 Sa	20 Mo	20 Do
21 Fr	21 Di	21 Di	21 Sonntag	21 Sa	21 Mo	21 Di	21 Mi	21 Do	21 Fr 47	21 Mi
22 Sonntag	22 Mi	22 Mi	22 Do 34	22 Sa	22 Do	22 Sa	22 So 52
23 Mo 21	23 Do	23 Do	23 Fr	23 Di	23 Sonntag	23 Fr
24 Di	24 Fr 43	24 Fr
25 Fr 17	25 Sa	25 Mo 30	25 Do	25 Sonntag	25 Fr	25 Sa	25 1.Weihnachtstag
26 Fronleichnam*	26 Mo	26 Mi	26 Fr 39	26 Mo	26 Sa	26 2.Weihnachtstag
27 Fr	27 Mo 26	27 Mi	27 Fr	27 Do	27 Sonntag	27 So 52
28 Sa	28 Di	28 Do	28 Sonntag	28 Fr	28 Mo 48	28 Di
29 Sonntag	29 Mi	29 Fr	29 Mo 35	29 Mi	29 Sa	29 Di
30 Mo 22	30 Do	30 Sa	30 Fr	30 Sonntag	30 Mi
31 Di	31 Sonntag	31 Mi	31 Reformationstag*	31 Sa

Land[1]	Sommer	Herbst	Weihnachten	Winter	Ostern	Pfingsten	Sommer
Baden-Württ. (5)	26.7.–8.9.	29.10.–2.11.	24.12.–5.1.	—	25.3.–5.4.	21.5.–1.6.	25.7.–7.9.
Bayern (–)	1.8.–12.9.	29.10.–3.11.	24.12.–5.1.	11.2.–15.2.	25.3.–6.4.	21.5.–31.5.	31.7.–11.9.
Berlin (–)	20./21.6.–3.8.	1.10.–13.10.	24.12.–4.1.	4.2.–9.2.	25.3.–6.4.	10.5./21.5.	19./20.6.–2.8.
Brandenburg (3)	21.6.–3.8.	1.10.–13.10.	24.12.–4.1.	4.2.–9.2.	27.3.–6.4.	10.5.	20.6.–2.8.
Bremen (1)	23.7.–31.8.	22.10.–3.11.	24.12.–5.1.	31.1.–1.2.	16.3.–2.4.	21.5.	27.6.–7.8.
Hamburg (–)	21.6.–1.8.	1.10.–12.10.	21.12.–4.1.	1.2.	4.3.–15.3.	2.5.–10.5.	20.6.–31.7.
Hessen (–)	2.7.–10.8.	15.10.–27.10.	24.12.–12.1.	—	25.3.–6.4.	—	8.7.–16.8.
Meckl.-Vorp.[2] (3)	23.6.–4.8.	1.10.–5.10.	21.12.–4.1.	4.2.–15.2.	25.3.–3.4.	17.5.–21.5.	22.6.–3.8.
Niedersachsen (–)	23.7.–31.8.	22.10.–3.11.	24.12.–5.1.	31.1.–1.2.	16.3.–2.4.	10.5./21.5.	27.6.–7.8.
Nordr.-Westf. (4)	9.7.–21.8.	8.10.–20.10.	21.12.–4.1.	—	25.3.–6.4.	21.5.	22.7.–3.9.
Rheinland-Pfalz (4)	2.7.–10.8.	1.10.–12.10.	20.12.–4.1.	—	20.3.–5.4.	10.5./31.5.	8.7.–16.8.
Saarland (2)	2.7.–14.8.	22.10.–3.11.	24.12.–5.1.	11.2.–16.2.	25.3.–6.4.	—	8.7.–17.8.
Sachsen (2)	23.7.–31.8.	22.10.–2.11.	22.12.–2.1.	4.2.–15.2.	29.3.–6.4.	10.5./18.5.–22.5.	15.7.–23.8.
Sachsen-Anhalt (–)	23.7.–5.9.	29.10.–2.11.	19.12.–4.1.	1.2.–8.2.	25.3.–30.3.	10.5.–18.5.	15.7.–28.8.
Schlesw.-Holst.[3] (3)	25.6.–4.8.	4.10.–19.10.	24.12.–5.1.	—	25.3.–9.4.	10.5.	24.6.–3.8.
Thüringen (1)	23.7.–31.8.	22.10.–3.11.	24.12.–5.1.	18.2.–23.2.	25.3.–6.4.	10.5.	15.7.–23.8.

[1],[2],[3] siehe Rückseite　　　Quelle: www.kmk.org/ferienkalender.html

Familie Mertens aus Brandenburg hat zwei Kinder. Sie muss bei ihrer Urlaubsplanung die Ferientermine beachten. Im .... gibt es zwei Wochen Herbstferien. Im .... und .... haben die Kinder Weihnachtsferien und im .... gibt es Winterferien. Die Osterferien sind im Frühling, im .... und .... Die Sommerferien liegen in den Monaten ...., ... und ....

2 Practising the names of the months. **Ask and answer questions.**

Wann machen Sie Ferien? Wann hast du Geburtstag?
Wann ist der Deutschkurs zu Ende?
Was ist dein Lieblingsmonat?

3 *Ab in den Süden* – a summer hit. **Listen to the song and read the text. Which words are holiday words for you? Mark them.**

2.12

Ab in den Süden

OHHH Willkommen, willkommen, willkommen Sonnenschein.
Wir packen unsre sieben Sachen in den Flieger rein.
Ja, wir kommen, wir kommen, wir kommen, macht euch bereit,
reif für die Insel, Sommer, Sonne, Strand und Zärtlichkeit.

Raus aus dem Regen ins Leben,
ab in den Süden der Sonne entgegen, was erleben ...

4 Holidays. **Make a mind map.**

wandern — die Berge — der Urlaub — die Sonne

5 Urlaub mit dem Auto

1
Ü19
Holiday destinations. **What is correct? Read and tick the boxes.**

1. ☒ Italien ist als Urlaubsland sehr beliebt.
2. ☐ Österreich ist der Urlaubsfavorit.
3. ☐ Viele deutsche Autourlauber fahren an die Ostsee.
4. ☐ Österreich hat den vierten Platz in den Top Ten.
5. ☐ Die Toskana, Venetien und Südtirol sind Attraktionen in Italien.
6. ☐ Auf Platz 1 bei den deutschen Autourlaubern liegt Deutschland.
7. ☐ Kroatien liegt als Urlaubsziel auf Platz 2.

reise + urlaub 07/2012

Wohin fahren die deutschen Autourlauber?

Deutsche Autourlauber und ihre Ziele

Deutschland	40,2
Italien	16,8
Österreich	7,2
Frankreich	5,7
Kroatien	5,4

Angaben in %

© 05/2012 ADAC e.V.

Viele deutsche Urlauber fahren gern mit dem Auto in die Ferien. Italien, Österreich und Frankreich sind Topreiseziele. Mit rund einer Million Urlaubsreisen liegt Deutschland bei den Autourlaubern aber auf Platz 1. Besonders gern fahren die Deutschen an die Ostsee und die Mecklenburgische Seenplatte, nach Oberbayern und ins Allgäu. In Italien sind die Toskana, Venetien und Südtirol *die* Attraktionen. Viele Autourlauber entscheiden sich auch für Kroatien und fahren z. B. nach Istrien.

27

2 What is your favourite destination?
Tell the class.

Mini memo
Deutschland / nach Deutschland
die Türkei / in die Türkei
die Schweiz / in die Schweiz

ABC

1 Holidays. **Match the words to the photos.**

die Altstadt – das Meer – Ski fahren – der Stadtbummel – wandern – lesen – die Berge – besichtigen – der Strandkorb – die Natur – die Sonne – das Schloss – baden – der Wald – einkaufen – das Café – der Strand

1   2   3

....   die Altstadt,.........................

....

....

....

....

2 **Four women – four holiday destinations**

2.19

a) **Which listening texts fit? Listen and match. One text doesn't fit.**

1 Allgäu ☐   2 Sylt ☐   3 Heidelberg ☐

b) **Where have the women been on holiday? Listen again and complete.**

1. Carina war bei ihrer Tante in ....

2. Julia war mit ihrer Klasse in den .... , sie waren im ....

3. Cora und ihre Freundin waren auf .... Und sie waren auch an

    der ....

4. Lena war mit ihrer Familie auf ....

3 Text karaoke. **Listen and say the 👄-parts of the dialogue.**
2.20

👂 ...
👄 Guten Tag, Herr Marquardt.
    Waren Sie im Urlaub?
👂 ...
👄 Wo waren Sie denn?
👂 ...
👄 Und wie war es?
👂 ...
👄 Und wie war das Wetter?
👂 ...

4 *Wo waren Sie im Urlaub?*

a) **Read and complete the interview.**

> Das Wetter war in den ersten Tagen gut. In Marseille hat es einen Tag geregnet. – Ich war
> mit meinem Freund zwei Wochen in Südfrankreich. – Mein Mann und ich waren zehn Tage
> in der Schweiz, nur unsere Tochter Sophie nicht. – Es war sehr schön. In Marseille war es toll.

💬 Wo waren Sie im Urlaub, Frau Abt?　　🗨 *Mein Mann* ....

💬 Und wo warst du, Sophie?　　🗨 ....

💬 Und wie war es in Südfrankreich?　　🗨 ....

💬 Und wie war das Wetter?　　🗨 ....

b) **Underline the *Präteritum* forms of *sein* and complete the table.**

sein			
ich	....	*wir*	....
du	....	*ihr*	....
er/es/sie	....	*sie/Sie*	....

5 *Und wie war der Urlaub?* **Listen to the words and mark: a long or a short vowel?**
2.21

Der Urlaub war ...

schlecht　　langweilig　　gut　　schön　　toll　　prima　　super!

))🎧 **6** **Off to Linz**

2.22

a) **Listen to the text and put the photos in the right order.**

Linzfest ☐

Linz an der Donau ⓵

Botanischer Garten ☐

Mariendom ☐

b) **What is right? Listen again and tick.**

1. Linz
   a ☐ ist die Hauptstadt von Österreich.
   b ☐ liegt nördlich von Wien.
   c ☐ liegt im Nordosten von Österreich.

2. Linz war Kulturhauptstadt
   a ☐ 2007.
   b ☐ 2009.
   c ☐ 2012.

3. Das Linzfest
   a ☐ ist ein Musikfestival.
   b ☐ ist im Sommer.
   c ☐ spielt Musik nur aus Österreich.

4. Seit 1653 gibt es schon
   a ☐ den Botanischen Garten.
   b ☐ die Linzer Torte.
   c ☐ das Linzfest.

7 **Eslem and Stefan in Linz**

a) **What do they want to do? Fill in the verbs.**

| ☐ – einen Bummel durch Linz .... |
| ☐ – die Linzer Torte .... |
| ☐ – das Linzfest .... |
| ☐ – eine Schiffstour .... |
| ☐ – den Mariendom .... |
| ☐ – Geschenke .... |

kaufen –
probieren –
machen –
machen –
fotografieren –
besuchen

b) **What did they do? Read and tick the options in a).**

Linz war super! Wir waren dort
zwei Tage. Wir haben in einem Hotel im Zentrum
übernachtet. Wir haben eine Schiffstour gemacht und
den Mariendom und das Rathaus fotografiert. Wir haben
die Altstadt angeschaut. Und wir haben
Linzer Torte probiert – hm, sehr lecker!
Das war alles.

Nein, wir haben auch noch viele
Geschenke gekauft!

c) **Underline the _Partizip II_ forms in b) and complete the table.**

ge...(e)t	...ge...(e)t	...(e)t
		übernachtet

8 Family Mertens' holiday

a) **Complete the _Partizip II_ forms.**

1. ☐ Familie Mertens hat eine Radtour von Passau nach Linz .... (machen).

2. ☐ Am zweiten Tag haben sie .... (einkaufen) und an der Donau ein
   Picknick .... (machen).

3. ☐ In Linz haben sie in einer Pension .... (übernachten).

4. ☐ In Linz haben sie ein Kloster .... (besichtigen).

5. ☐ In Wien haben sie das Rathaus .... (besuchen) und ....
   (fotografieren).

6. ☐ In Budapest hat die Familie ihr Ziel .... (erreichen).

b) **Re-read Silvia's diary on page 164. Which sentences in a) are correct?
   Tick them and correct the wrong sentences.**

9 Speaking fluently. **Listen and repeat.**

2.23

1. gemacht. – Urlaub in Wien gemacht. – Verena hat Urlaub in Wien gemacht.
2. telefoniert. – mit ihren Eltern telefoniert. – Sie hat mit ihren Eltern telefoniert.
3. übernachtet. – in einem Hotel übernachtet. – Sie hat in einem Hotel übernachtet.
4. angeschaut. – den Stephansdom angeschaut. – am ersten Tag den Stephansdom angeschaut. –
   Sie hat am ersten Tag den Stephansdom angeschaut.

10 What did Peter do last summer? **Write sentences.**

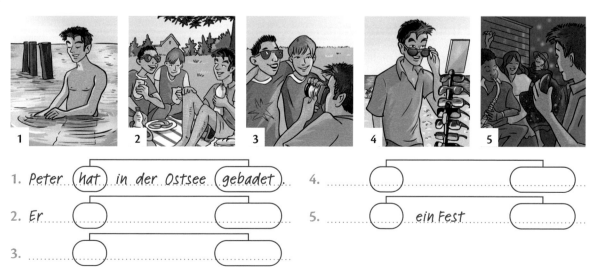

1. Peter (hat) in der Ostsee (gebadet).   4. ....

2. Er ....   5. .... ( ) ein Fest ( )

3. ....

11 Frau Mertens' accident. **Complete.**

1. Entschuldigung, ist Ihnen etwas ....? (*passieren*)

2. Ich bin vom Rad .... (*fallen*)

3. Der Ball ist ins Rad .... (*fliegen*)

4. Wie ist das genau ....? (*passieren*)

5. Ich habe Sie .... (*anrufen*)

12 Family words. **What goes together? Match.**

der Vater *der Großvater* *die Schwester* *die Mutter* *die Großmutter* *der Bruder*

die Großeltern: ....

\+ ....

die Eltern: ....

\+ ....

die Geschwister: ....

\+ ....

13 The *Perfekt*

a) **What is the infinitive form? Write.**

1. Die Kinder haben Ball gespielt. *spielen*

2. Der Ball ist ins Rad geflogen. ....

3. Es ist nicht viel passiert. ....

4. Die Mutter ist aufgestanden. ....

5. Der Vater hat angerufen. ....

6. Die Polizei ist gekommen. ....

7. Sie haben uns geholfen. ....

8. Wir sind weitergefahren. ....

b) *Sein* or *haben*? **Collect verbs from 11 and 13 and make a table.**

Perfekt mit haben	Perfekt mit sein
sie haben gespielt	....

14 Biking through France.
Fill in the *Perfekt* forms.

> fahren (2 x) – bleiben – schreiben – arbeiten –
> besichtigen – passieren – helfen – fallen

Liebe Freunde,

ich .... lange nichts .... Seit sechs Monaten sind wir

mit dem Fahrrad im Urlaub. Es ist toll! Wir .... von Freiburg

über Besançon nach Lyon .... In Lyon .... wir eine

Woche .... Lyon ist super! Wir .... viele Sehens-

würdigkeiten und die Altstadt .... Danach .... wir

nach Marseille .... Hier .... ein Unfall ....:

Max .... vom Rad ...., aber eine Frau ....

uns .... Wir .... hier einen Monat in einer Fabrik

.... Und morgen geht es weiter!

Liebe Grüße von Christine und Max

15 Kinds of holidaymaker

a) **Who goes on holiday where? Guess and match.**

> **Wo?** in der Stadt – im Wald – am Meer – in den Bergen – am Strand
> **Was?** Rad fahren – baden – wandern – feiern – in Cafés gehen – lesen – Museen besuchen
> **Mit wem?** allein – mit Freunden – mit der Freundin

Sven Hesse (27)

Wo? ....

Was? ....

Mit wem? ....

Marcel Lindner (30)

Wo? ....

Was? ....

Mit wem? ....

Gregor Bayer (25)

Wo? ....

Was? ....

Mit wem? ....

b) **Which description fits? Listen to the three interviews and match.**
2.24

16 And what kind of holidaymaker are you? **Write a short profile.**

> Wo?
> Was?
> Mit wem?

17 Planning holidays at work. **Who was on holiday when? Write.**

Claudia Behrens

Jörg Werner

Hanna Weber

Frau Behrens hat vom 21. Dezember bis zum 2. Januar Urlaub gemacht ...

18 The seasons. **What do you do when? Collect activities.**

im Garten arbeiten — **im Frühling** — spazieren gehen / Fahrrad fahren

lesen — **im Winter** — Ski fahren / in den Süden fliegen

19 What did the Grunwald family do on holiday? **Write.**

nach Österreich fahren – alle Sachen ins Auto packen – ein Picknick machen – falsch fahren – nach dem Weg fragen – helfen – auf der Autobahn im Stau stehen – im Hotel anrufen – spät ankommen – müde sein

Familie Grunwald ist nach Österreich gefahren. Zuerst haben sie alle Sachen ...

Fit for Unit 10? Test yourself!

Talking about holidays

Wo waren Sie im Urlaub?	....	(Dresden)
Und wie war es?	....	(sehr schön)
Wie war das Wetter?	....	(nicht so gut)

▸ KB 1.2, 2.4, 3.6, 5.1

Describing an accident

☐1 Wir haben eine Radtour gemacht. ☐ Dann sind wir weitergefahren.
☐ Sie haben ein Protokoll geschrieben. ☐ Ich bin vom Rad gefallen.
☐ Meine Schwester hat die Polizei angerufen. ☐ Die Polizei ist gekommen. ▸ KB 3.2, 3.4

Word fields

Holidays

ein Picknick wandern
die Altstadt planen
in den Bergen besichtigen
in der Ostsee machen
eine Städtereise baden ▸ KB 1.1, 2.3

Seasons and the names of the months

der Winter:	*der Dezember, der Januar* ....
der Frühling:	....
der Sommer:	....
der Herbst:	.... ▸ KB 4.1

Grammar

The *Perfekt*

passieren:	*es ist passiert*	helfen:	....
machen:	*er hat*	aufstehen:	....
kommen:	....	einkaufen:	....

▸ KB 2.5, 3.5

Pronunciation

A long or a short vowel?

gesp<u>ie</u>lt – gem<u>a</u>cht – geplant – gefallen – geholfen – geflogen – verloren – aufgestanden ▸ KB 3.3

Station 3

1 Berufsbilder

1 Job: travel agent

a) Look at the photos. What do travel agents do?

b) Read the text and collect information in the mind map.

Jenny Manteufel, Reiseverkehrskauffrau

Jenny Manteufel arbeitet im Reisebüro Ikarus in Kassel. Sie ist Reiseverkehrs-kauffrau und organisiert Urlaubs- und Geschäftsreisen. Reiseverkehrskaufleute reservieren Zimmer in Hotels und informieren Kunden über Reiseziele.
Frau Manteufel muss viele Länder sehr gut kennen. Sie ist Spezialistin für Reisen nach Kanada. Mit dem Computer recherchiert sie Reiseziele, Preise oder Fahrpläne. Sie muss viel organisieren, z. B. Exkursionen planen und dann die Hotels buchen. Manchmal macht sie auch eine Qualitätskontrolle in Hotels oder sie informiert sich über neue Reisetrends auf einer Messe. Letzte Woche war sie in Friedrichshafen zur Internationalen Touristikmesse „Reisen und Freizeit". Im Trend sind Trekking-Touren und Städte-Trips.

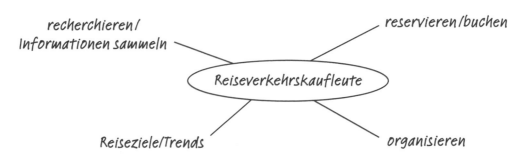

c) What else does Jenny Manteufel talk about?
2.13   **Listen to the interview and complete the mind map.**

2 Job: swimming pool attendant. **Read the job description. Which photo fits the job better? Tick.**

Sie arbeiten, wo andere ihre Freizeit verbringen. Badegäste nennen die „Fachangestellten für Bäderbetriebe" meistens „Schwimmmeister" oder „Bademeister". Bademeister/innen stehen nicht nur cool am Beckenrand, sie haben auch viele Aufgaben. Sie kontrollieren die Wasserqualität, betreuen die Badegäste, geben Schwimmunterricht und überwachen die Technik und die Sauberkeit in Schwimmbädern. Sie haben eine Ausbildung in Erste Hilfe und als Rettungsschwimmer. Bademeister/innen arbeiten oft in Frei- und Hallenbädern, an Seen und am Strand, in Fitnesszentren oder in Wellness-Hotels.

3 Interview with swimming pool attendant Kevin Landefeld (34)

2.14

a) **Listen to the interview and tick the correct statements. What does he not mention?**

	richtig	falsch
1. Kevin muss oft die Wasserqualität und die Technik kontrollieren.	☐	☐
2. Er muss oft Schwimmunterricht geben.	☐	☐
3. Er muss nie Sachen reparieren.	☐	☐
4. Er muss oft Badegäste retten.	☐	☐
5. Er muss nie ins Schwimmtraining gehen.	☐	☐
6. Er kann nie im Sommer Urlaub machen.	☐	☐
7. Er kann oft um 18 Uhr zu Hause sein.	☐	☐

b) **Listen again and correct the wrong statements.**

4 Portrait. **Write a short description of the job "swimming pool attendant": places of work, duties, training.**

2 Wörter – Spiele – Training

1 Guessing jobs. **Which jobs from studio [21] are they?**

> Kursbuch, Tafel, Wörter erklären, ... – die Lehrerin / der Lehrer

1. Computer, Software, Programme schreiben ....
2. Büro, Telefon, Termine machen ....
3. Speisekarte, Getränke, kassieren ....
4. Sport, Aerobic, Kurse planen ....
5. Maschine, Technik, reparieren ....
6. Praxis, Patienten untersuchen ....
7. Hotels, Flugtickets, telefonieren ....

2.15

2 In a labyrinth. **Listen to the description and mark in the way.**

💬 Entschuldigung, ich suche den Ausgang, bitte ganz, ganz schnell!

👤 ...

3 Revising vocabulary

a) Put the words in the right place in the table. Write the nouns with the article.

arbeiten – Bus – Computer – Berge – Drucker – Monitor – Sonne – notieren – Fahrrad –
Picknick – schreiben – Taxi – baden – wandern – U-Bahn – Verkehr – telefonieren – Insel –
E-Mail – Museum – Ampel – fliegen – Pause machen – Stau

Verkehr	Büro	Urlaub
der Bus		

b) Choose a word field. Make a learning poster.
   Compare the posters in class.

1. mein Tagesablauf
2. mein Arbeitsplatz
3. in Berlin als Tourist

mit dem Bus

mein Tagesablauf

aufstehen

Pause

4 Making up exercises in groups

a) Write ten exercises for units 7 to 9.

1. Beruf Arzt. Wie heißt die feminine Form?
2. Was macht ein Programmierer? Nennen Sie zwei Tätigkeiten.
3. Herr Sacher organisiert Sportkurse. Welchen Beruf hat er?
4. Artikelwörter im Akkusativ, maskulin, Singular – wie heißt die Endung?
5. Nennen Sie drei Informationen auf Visitenkarten.
6. ...

b) Group 1 plays "football" against Group 2.

Gruppe 1 fragt, Gruppe 2
antwortet falsch. Der Ball
geht ein Feld nach rechts.
Gruppe 2 fragt, Gruppe 1
antwortet richtig.
Der Ball geht ins Tor:
„1 zu 0" für Gruppe 1. usw.

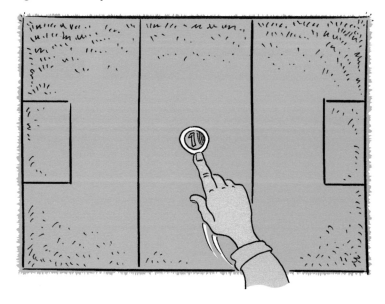

3 Filmstation

 1 Internship tasks. **Watch the scenes and fill in the verbs.**
14

Bitte .... Sie Platz!

Aleksandra hat nicht viel Erfahrung in der Verlagsarbeit, aber sie hat schon ein Praktikum bei einem

Wörterbuchverlag .... Sie .... sich sehr für das Praktikum.

Sie .... drei Sprachen. Sie .... mit Autoren zusammen.

Frau Garve sagt: „Sie .... und .... Texte der Autoren und

.... Konferenzen." Die Konferenzen sind auch am Wochenende. Aleksandra muss

auch Reisen .... und am Computer ....

 2 Finding your way around Berlin. **Asking for directions and answering.**
15 **Collect important words and sentences from the film.**

Fragen	Antworten
....	....
....	....
....	....

3 Aleksandra at her workplace

16

a) **In the office. Which things do you know in German?**

1. ....
2. ....
3. ....
4. ....
5. ....
6. ....

b) **Watch the scene and put the tasks in the right order.**
What does Aleksandra do when?

☐ Tom kommt und will 40 Kopien.
☐ Sie bittet Erkan um Hilfe.
☐ Sie telefoniert mit Frau Garve.
☐ Frau Garve braucht eine Stadtführung für einen Kollegen aus Barcelona.
☐ Erkan fragt: „Wir können mal zusammen kochen. Hast du Lust?"
1 Sie sucht eine Information auf der Internetseite der Deutschen Bahn.

c) **Aleksandra has to organise a guided tour of the city. She rings Erkan.**
Watch the scene. What does Erkan say? Complete the dialogue and practise with your partner.

💬 Hi Erkan, du, kannst du mir helfen? Ich brauche eine Stadtführung.

👄 ....

💬 Das ist ja super. Du kannst mir die Infos mailen.

👄 ....

💬 Das ist eine Riesenhilfe. Du hast was gut bei mir. Wie kann ich dir danken?

👄 ....

💬 Kochen? Bei dir?

👄 ....

💬 Ja gern, warum nicht?

👄 ....

💬 Ok., dann bis morgen Abend.

4 Magazin

Produkte aus Deutschland,

Nivea – eine Creme geht um die Welt

Wer kennt sie nicht, die blaue Cremedose mit der weißen Schrift? Nivea-Creme ist seit 1911 auf dem Markt. Der Apotheker Dr. Oscar Troplowitz hat sie schon um 1900 in seinem Labor in Hamburg entwickelt. Troplowitz hat Öl und Wasser mit Eucerit gemischt und so die Hautcreme erfunden. Der Name Nivea kommt von „nivis", lateinisch für Schnee. Die blaue Dose gibt es seit 1924. Sie symbolisiert Frische und Sauberkeit. Nivea – das ist heute nicht nur Creme und Body Lotion, es ist die größte Kosmetik- und Körperpflegemarke der Welt.

Energie aus Österreich - Red Bull

1982 hat Dietrich Mateschitz auf einer Reise im Fernen Osten funktionale Getränke kennengelernt. Die Idee war gut. Mateschitz hat einen Energy Drink entwickelt, und seit 1987 ist Red Bull in Österreich auf dem Markt. Heute verkauft die Firma jedes Jahr ca. fünf Milliarden Dosen in über 165 Ländern. Red Bull ist Sponsor im Motorsport. Viermal hat das Red Bull Racing-Team mit dem Formel-1-Piloten Sebastian Vettel den WM-Titel gewonnen (2010, 2011, 2012 und 2013). Red Bull unterstützt Extremsportler in Disziplinen wie Base-Jumping, Kitesurfen, Snow- und Skateboarden oder Mountainbiking. Das Eishockeyteam EC Red Bull Salzburg war 2007, 2008, 2010 und 2011 Meister in der ersten Liga. Dem EHC Red Bull München gelang 2010 der Aufstieg in die Deutsche Eishockey Liga. Außerdem hat Red Bull Fußballclubs in Österreich, Ghana, den USA, Brasilien und Deutschland.

Österreich und der Schweiz

Emmentaler – Käse mit Löchern

Was ist Schweizer Käse? Für viele Menschen weltweit ist die Antwort klar: Käse mit Löchern. Dabei gibt es über 450 verschiedene Käsesorten in der Schweiz – aber nur der Original Emmentaler Käse hat Löcher! Die Schweiz produziert Käse vor allem aus Kuhmilch, aber auch aus Milch von Ziegen und Schafen.

Seit dem 17. Jahrhundert ist Käse wichtig für die Schweiz, das Land verkauft schon im 18. Jahrhundert Käse in ganz Europa und heute in der ganzen Welt. Die Schweiz hat im Jahr 2014 über 185.000 Tonnen Käse produziert, davon gehen 68.000 Tonnen ins Ausland. Top-Favorit beim Export ist der Emmentaler mit fast 14.000 Tonnen. Woher kommen die Löcher? Sie entstehen durch besondere Bakterien bei der Produktion.

Emmental liegt im Kanton Bern. Der Name „Emmentaler Käse" ist nicht geschützt – auch andere Länder, z.B. Deutschland oder die Türkei produzieren heute Emmentaler. Der türkische Emmentaler heißt „Sepet Peyniri". Oft schmecken sie aber ganz anders. Nur die Löcher haben sie gemeinsam mit dem Schweizer Emmentaler.

Drei Streifen – Adidas

Die Adidas AG produziert Sportartikel für den internationalen Markt.
Die Firmengeschichte ist lang. 1920 entwickelt Adolf Dassler in Herzogenaurach bei Nürnberg einen Trainingsschuh für Läufer. Er kostet zwei Reichsmark und ist optimal für den Sport. Fünf Jahre später produziert Dassler Spezialschuhe für den Fußball und bei den Olympischen Spielen 1936 gewinnt Jesse Owens vier Goldmedaillen in den Schuhen von Adi Dassler. Die Adidas AG gründet Adolf Dassler am 18. August 1949.

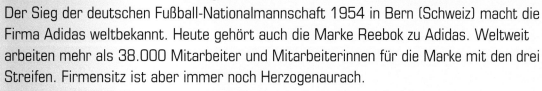

Der Sieg der deutschen Fußball-Nationalmannschaft 1954 in Bern (Schweiz) macht die Firma Adidas weltbekannt. Heute gehört auch die Marke Reebok zu Adidas. Weltweit arbeiten mehr als 38.000 Mitarbeiter und Mitarbeiterinnen für die Marke mit den drei Streifen. Firmensitz ist aber immer noch Herzogenaurach.

Essen und trinken

In this unit you will learn …

▶ to go shopping: ask questions and say what you would like
▶ to ask for the price and answer
▶ to say what you (don't) like eating/drinking
▶ to understand and explain a recipe

1 Lebensmittel auf dem Markt und im Supermarkt

Sie wünschen, bitte?

Oh, die Möhren sind billig, das Bund nur 1,29 Euro!

1 At the market or in the supermarket?

a) **What food and drink do you know? Collect in class.**

> Bananen, Kaffee, Milch, …

b) **What food and drink do you buy where? Make a table.**

auf dem Markt	im Supermarkt	beim Bäcker	in der Fleischerei
Äpfel		Brot	

Auf dem Markt kaufe ich Äpfel und Orangen.

Fleisch und Wurst kaufe ich in der Fleischerei.

einhundertsechsundachtzig

das Brot

die Butter

die Kartoffeln (Pl.)

das Hähnchen

die Tomate

3,49 Euro für 500 g Erdbeeren – das ist aber teuer!

Ich hätte gern 100 g Salami.

2 Shopping. **What do you buy every day? What do you sometimes or never buy?**
Ü1–2 **Compare in class.**

jeden Tag	manchmal	nie
Milch	Fleisch	Fisch

Ich kaufe jeden Tag Milch.
Manchmal kaufe ich Fleisch.
Fisch kaufe ich nie.

3 Five important kinds of food and drink in your country. **Make a list.**
Work with a dictionary. What are the items called in German?

4 Shopping in Germany, Austria and Switzerland – Shopping in your countries.
Ü3 **What do you buy? What can't you get?**

Bei uns zu Hause kaufe ich Weißbrot.

Sauerkraut kenne ich nicht. Was ist das?

Gibt es in Deutschland auch …?

In Deutschland gibt es keine …

ABC

einhundertsiebenundachtzig

der Joghurt

der Käse

die Eier (Pl.)

der Kuchen

die Schokolade

2 Einkaufen

 1 **What did the people buy?**

2.16

a) **Listen and tick.**

☐ .... Erdbeeren   ☐ .... Eier

☐ .... Kartoffeln   ☐ .... Brötchen

☐ .... Äpfel   ☐ .... Bananen

☐ .... Sauerkraut   ☐ .... Milch

b) **Listen again and note down the amounts.**

> **Mini memo**
> 500 g = 500 Gramm = 1 Pfund
> 1 kg = 1 Kilogramm (Kilo)
> 1 l = 1 Liter
> St = 1 Stück

2 **Weekend shopping. What will you buy? Write a shopping list.**

Ü4

> **Study tip**
> **Waiting time = Learning time**
> Waiting at the till? Name all the items in your trolley in German. What are other people buying?

Einkaufskorb

Fleisch	
✓ Grillfleisch	8,99€ pro kg
✓ Bratwurst	5,49€ pro kg
Backwaren	
✓ Brötchen	10 St / 2,50€
✓ Toastbrot	1 Pck. / 0,79€
Tiefkühlkost	
✓ Pizza	1,99€ pro St
Zutaten	
Insgesamt zu zahlen: 3,29€	

Liste (0)   Korb (6)   Rezepte   Favoriten

 3 **Shopping dialogues. Ask and say what you would like. Practise.**

Ü5

Was darf es sein?	Ich hätte gern	2 Kilo Kartoffeln / 5 Äpfel /
Sie wünschen?	Geben Sie mir bitte	einen Liter Milch /
Bitte schön?	Ich möchte	200 g Käse / 4 Brötchen /
	Ich nehme	eine Flasche Ketchup.

4 **Pronouncing -e and -en or -el at the end of the word. Listen and repeat.**

2.17   Ü6

1. bitte – bitte schön – ich hätte gern – ich hätte lieber – ich möchte – ich nehme – der Käse – eine Flasche – welche Flasche?

2. wünschen – Sie wünschen? – welchen Käse wünschen Sie? – geben – geben Sie mir bitte – der Apfel – die Äpfel – ein Brötchen – die Tomaten – kosten – was kosten die Lebensmittel?

5 Prices

Ü7

a) Ask and answer.

💬 Was kosten die Gurken?
👆 Eine Gurke kostet 1,50 Euro.
💬 Was kosten …?

👆 Wie viel kosten die Tomaten?
💬 3 Euro das Kilo.

b) Comment on the prices.

Eine Gurke für 1,50 Euro – das ist aber teuer!

Die Möhren sind billig.

6 Learning vocabulary systematically

a) Collect words related to food and drink in a mind map.

Lebensmittel

Mengenangaben

Äpfel   Kilo

👍 **Study tip**
Create mind maps.

b) Collect words and phrases in word fields.

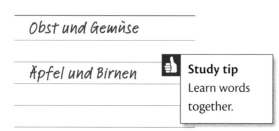

Obst und Gemüse

Äpfel und Birnen

👍 **Study tip**
Learn words together.

fragen und sagen, was man möchte

Ich hätte gern …

 c) **Practise words together with their pronunciation. Listen and repeat.**

2.18

 7 Acting out shopping dialogues. **Practise in class.**

Ü8–9

Useful phrases	Asking what someone would like	Saying what you would like
	Bitte schön? / Sie wünschen bitte?	Ein Kilo / Einen Liter …, bitte.
	Was darf es sein? / Noch etwas?	Ich hätte gern … / Ich möchte … /
	Welchen Käse möchten Sie?	Ich nehme …
	Welche Wurst …	Haben Sie …? Gibt es (heute) …?
	Darf es sonst noch etwas sein?	Danke, das ist alles.
	Möchten Sie eine Tüte?	Ja, bitte. / Nein, danke.
	Asking for the price	**Saying prices**
	Was kostet … / Wie viel kosten …?	100 g kosten 2,99. / 98 Cent das Kilo.
	Was macht das?	Das macht zusammen 23,76 Euro. / 3,80 bitte.

ABC

3 Über Essen sprechen

1 What do Germans like eating for lunch?

Ü10

a) Read the headline. What is the text about? Tick.

1. ☐ ein Rezept für Currywurst
2. ☐ eine Umfrage zum Thema Lieblingsessen
3. ☐ Sport in der Mittagspause

b) Read the newspaper article and collect food and drink words.

Currywurst oder Schnitzel mit Pommes – welches Gericht macht das Rennen?

Jeden Tag essen ca. 6 Mio. Deutsche in einer Kantine zu Mittag. Markt-Info hat 1000 Gäste in einer Kantine in Frankfurt/Main gefragt: Was ist Ihr Lieblingsessen? Das Ergebnis überrascht nicht: Pizza, Nudeln und Fleischgerichte sind sehr beliebt. 29 Prozent erklären die Currywurst zu ihrem Lieblingsessen. Spaghetti mit Tomatensoße landen mit 22 Prozent auf dem zweiten Platz. Danach

folgt Pizza mit 16 Prozent. Mit 13 Prozent ist das Schnitzel mit Pommes nicht mehr so beliebt wie früher (2007: 20 Prozent). Kalorien sind beim Lieblingsessen nicht wichtig: Kantinenbesucher essen lieber Hamburger (9 Prozent) als Fisch (7 Prozent). Gemüse und Salat sind auch nicht sehr beliebt. Nur 4 Prozent essen mittags am liebsten einen Salat. Das Umfrage-Ergebnis: Kantinenessen muss lecker, aber nicht gesund sein.

c) What's "in" in canteens? Make a "top ten" list.

Platz	Essen	Prozent
1		29
2		

d) What does that mean? Match.

das Rennen machen	1	a	zu ihrem Lieblingsessen erklären
auf dem zweiten Platz landen	2	b	auf dem 1. Platz sein
sagen, was man am liebsten isst	3	c	nicht so gut oder beliebt sein wie Platz 1

2 Text summary. **Add the food words.**

Kantinengäste essen gern ...., ... und
.... Sie mögen *Spaghetti* lieber als .... und
.... lieber als *Fisch* .... Am liebsten essen sie
....

> **Mini memo**
> Ich mag Pommes genauso gern wie Pizza. Ich mag Döner lieber als Hamburger.

3 Lunch break in your country – what do people like to eat the most? **Compare.**

4 Which egg is fresh? **Read the household tip.**
What happens? How old are the eggs? Match.

a   b   c

1. ☐ Das Ei ist frisch.
2. ☐ Das Ei ist mehr als zwei Wochen alt.
3. ☐ Das Ei ist mehr als drei Wochen alt.

> ## Haushaltstipp
> ### Eier-Test
> *Im Ei ist Luft. Ist das Ei frisch, ist wenig Luft im Ei. In einem alten Ei ist mehr Luft. Geben Sie das Ei in ein Glas mit Wasser.*

 5 Comparison: *viel – gut – gern*

27 Ü11–14

a) *Viel.* **Match the photos.**

a   b   c

1. ☐ viel   2. ☐ mehr   3. ☐ am meisten

b) *Gut* and *gern.* **Discuss in class.**

Ich finde, Fisch mit Reis schmeckt gut.
Ich esse gern Fisch mit Reis.

Ich finde, Currywurst mit Pommes schmeckt besser als Fisch.
Ich esse lieber Currywurst mit Pommes als Fisch.

Ich finde, Schokoladentorte mit Sahne schmeckt am besten, oder?
Ich esse am liebsten Schokoladentorte.

 6 The question word *welch-.* **Collect examples from the unit. Complete the table.**

24 Ü15

Grammar		der Käse	das Ei	die Wurst
	Nominative	welcher Käse	welch…… Ei	…………Wurst
	Accusative	…………Käse	…………Ei	welche Wurst
	Plural	Welche Äpfel/Eier/Bananen kaufst du?		

Ich kaufe Bio-Eier.

7 The pronunciation of *-er* at the end of the word. **Listen and repeat.**

2.19

lieber – Hamburger – Döner – Eier – welcher – Hamburger esse ich lieber als Döner.

Rule At the end of the word, *-er* is pronounced like a weak *a*.

ABC

4 Was ich gern mag

1
Ü16
A menu. What goes/doesn't go together?

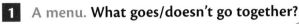

> Ich finde, Milch passt nicht zu Pizza.

> Das finde ich gar nicht.

> Das finde ich auch.

Fleisch	Kartoffeln	Salat	Käse	Wein
Fisch	Reis	Sauerkraut	Schinken	Bier
Pizza	Nudeln	Tomaten	Ketchup	Wasser
Brot	Pommes	Paprika	Schokolade	Orangensaft

 2
Ü17
Magst du ...? **Practise.**

💬 Magst du Nudeln?
👉 Ja, am liebsten mit Ketchup.

💬 Magst du ...?
👉 Ja, am liebsten mit ... / Nein, ... mag ich nicht.

3
Ü18
Small talk. Ask what your partner likes eating. Make notes and report back to the class.

Björn isst gern Döner. Er mag keine Kartoffeln.
Natalia isst lieber Salat als Fleisch. Am liebsten isst sie Tomaten.

Useful phrases

Asking what someone likes eating/drinking

Mögen Sie ... / Magst du ...	Spaghetti?/Kartoffeln?
Essen Sie / Isst du gern ...	Salat?/Eis?/Kuchen?
Trinken Sie / Trinkst du gern ...	Milch? Bier?/Eiskaffee?
Was mögen Sie / magst du lieber?	Äpfel oder Bananen?
Was ist Ihr/dein Lieblingsessen?	Gemüse, Fleisch oder Pommes?
	Fleisch mag ich am liebsten.

Saying what you (don't) like eating/drinking

Bratwurst	mag/esse/trinke ich gern / ist mein Lieblingsessen.
Tomatensaft	schmeckt/schmecken super.
Pommes frites	mag ich gar nicht / schmeckt/schmecken mir nicht.
	kenne ich nicht. Was ist das?

Ist das Schweinefleisch? / Ist das Ananas aus der Dose? Ist da Zucker drin?
Apfelkuchen, lecker! Sind da Rosinen drin?
Ich bin Vegetarierin/Vegetarier. Ich esse kein Fleisch.

5 Ein Rezept

1 *Nudelauflauf.* **Read the recipe and put the photos in the right order.**

Ü19–21

Zutaten (für 4 Personen)

250 g Nudeln
150 g Schinken
1–2 Zwiebeln
300 g Tomaten
150 g Bergkäse
1 Becher süße Sahne
Pfeffer, Salz

Nudelauflauf

Nudeln kochen. Schinken in Streifen schneiden, Zwiebel und Tomaten in Würfel schneiden. Zwiebeln in einer Pfanne anbraten. Drei Viertel (¾) der Nudeln in eine Form geben, dann Schinken, Zwiebeln und Tomaten dazu geben (ohne Schinken ist es vegetarisch). Mit etwas Käse bestreuen. Den Rest Nudeln darauf geben. Sahne, Salz und Pfeffer und den Käse verrühren und auf den Auflauf geben. Im Backofen bei 200 Grad ca. 30 Minuten backen.

Guten Appetit!

☐ backen

☐ anbraten

☐ verrühren

☐ schneiden

☐ kochen

Internet tip
www.chefkoch.de
www.kochecke.at
www.gutekueche.ch

Mealtimes in Germany

There are three main meals in Germany: *das Frühstück* (breakfast) between 6 and 10 am; *das Mittagessen* (lunch) between 12 and 2 pm and *das Abendessen* (dinner) between 6 and 8 pm. Breakfast consists of coffee or tea, muesli, bread or a roll, butter, jam, cheese and sausage. Those who get up early to go to work often have a second breakfast between 9 and 10 am at their workplace. Lunch is often a warm meal, for example meat with potatoes and vegetables. Many people prefer to eat something cold in the evening, such as bread, butter, cheese or cold meat and tea, juice or a beer. On Sundays between 3 and 5 pm, many families have coffee or tea and cake. When people go out for dinner, they usually meet at a restaurant or at a friend's house between 7 and 8 pm.

Life and culture

ABC

1 Food and drink. **Fill in the products.**

Milchprodukte	Obst und Gemüse	Fleisch und Wurst
....	die Tomaten....................	....
....	....	....
....	....	....
....	....	....
....	....	....

2 Word rows

a) **Fill in the articles.**

1. .... Apfel – .... Banane – .... Erdbeere – .... Ei

2. .... Reis – .... Wasser – .... Kartoffel – .... Nudel

3. .... Joghurt – .... Milch – .... Wurst – .... Butter

4. .... Kuchen – .... Schokolade – .... Fisch – .... Eis

b) **Which word doesn't fit? Cross it out.**

3 Frau Meier goes shopping

a) What does she buy where? Write sentences.

Obst und Gemüse – Fleisch und Wurst – Brot und Kuchen – Butter und Käse	auf dem Markt – im Supermarkt – beim Bäcker – in der Fleischerei

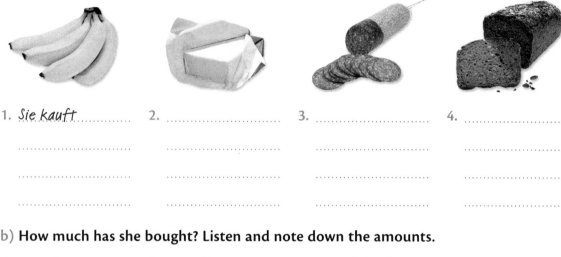

1. *Sie kauft* ....

2. ....

3. ....

4. ....

b) How much has she bought? Listen and note down the amounts.

2.25

1. .... Butter   3. .... Bananen   5. .... Salami   7. .... Brot

2. .... Milch   4. .... Brötchen   6. .... Käse   8. .... Paprika

4 The shopping list. Listen and write.

2.26

1 l Milch

5 Text karaoke. **Listen and say the 👄-parts of the dialogue.**

2.27

👂 ...
👄 Guten Tag. Ich hätte gern fünf Äpfel.
👂 ...
👄 Ja, ich nehme noch zwei Paprika.
👂 ...
👄 Was kosten denn die Tomaten?
👂 ...
👄 Dann nehme ich bitte ein Pfund.
👂 ...
👄 Danke, das ist alles.

6 -e, -en and -el at the end of the word

a) **Read and mark -e, -en and -el at the end of the word.**

1. 💬 Hallo, was darf es sein?
   👄 Guten Tag, ich hätte gern sechs Äpfel
   und 1 kg Orangen.
   💬 Noch etwas?
   👄 Ja, ich nehme noch eine Banane.

2. 💬 Guten Tag, bitte schön?
   👄 Guten Tag. Ich möchte vier Brötchen
   und ein Weißbrot.
   💬 Noch etwas?
   👄 Haben Sie Schokoladentorte?
   Ich hätte gern vier Stück.

b) **Listen and repeat.**

2.28

7 *Was kosten denn ...?* **Listen and write down the prices.**

2.29

1 kg Tomaten
....

1 Bund Möhren
....

1 kg Kartoffeln
....

1 kg Äpfel
....

500 g Erdbeeren
....

1 Gurke
....

8 *Ich hätte gern ...* **Who says what? Match.**

Ich nehme ein Kilo Kartoffeln. – Danke, das ist alles. – Darf es sonst noch etwas sein? –
Was kosten die Äpfel? – Das macht zusammen 18,75 €. – Sie wünschen, bitte? – Ich hätte
gern vier Brötchen. – Noch etwas? – Haben Sie Birnen?

Verkäufer / Verkäuferin	Kunde / Kundin
....	....
....	....

9 At the market. **Read and put the dialogue in the right order.**

1	💬 Guten Tag, was darf es sein?		☐	☝ Wie viel kostet der Salat?
☐	💬 Gern, sonst noch etwas?		2	☝ Ich hätte gern ein Kilo Kartoffeln.
☐	💬 Nur 1,20 Euro.		☐	☝ Dann nehme ich noch einen Salat und
☐	💬 Das macht zusammen 3,75 Euro.			zwei Orangen. Das ist dann alles.
☐	☝ Bitte.			

10 What do Mian and Alok like eating? **What is correct? Read and tick.**

💬 Was esst ihr am liebsten in der Mensa? Was esst ihr lieber als in eurer Heimat?

> Ich bin Mian und komme
> aus China. Ich esse lieber Kartoffeln als Reis.
> In Deutschland esse ich am liebsten Currywurst
> mit Pommes. Ich trinke sehr gern und
> sehr viel Tee mit viel Zucker.

> Mein Name ist Alok.
> Ich esse kein Fleisch. Ich bin Vegetarier.
> Ich esse viel Obst und Gemüse. Am liebsten esse
> ich Tofu, Reis und Gemüse. Dazu trinke
> ich gern Saft oder Wasser.

Mian

1. Was isst Mian lieber?
   a ☐ Kartoffeln.
   b ☐ Eis.
   c ☐ Reis.

2. Was isst sie am liebsten?
   a ☐ Bratwurst mit Pommes.
   b ☐ Currywurst mit Pommes.
   c ☐ Tomaten mit Pommes.

3. Was trinkt sie gern?
   a ☐ Wasser.
   b ☐ Saft.
   c ☐ Tee.

Alok

1. Was isst Alok?
   a ☐ Wenig Fleisch.
   b ☐ Kein Fleisch.
   c ☐ Viel Fleisch.

2. Was isst er am liebsten?
   a ☐ Tofu und Reis.
   b ☐ Fleisch und Kartoffeln.
   c ☐ Tofu und Nudeln.

3. Was trinkt er gern?
   a ☐ Cola.
   b ☐ Saft.
   c ☐ Kaffee.

11 Life and culture: Eating in Germany, Austria and Switzerland. **Fill in** *viel, mehr* **or** *mehr ... als.*

1. Die Deutschen essen gern Döner. In Berlin gibt es .... Döner-Lokale .... in Istanbul.

2. In Deutschland und Österreich isst man .... Wurst, in der Schweiz .... Käse.

3. Die Menschen in Deutschland, Österreich und in der Schweiz essen .... Kartoffeln .... die Menschen in Südeuropa.

4. In Österreich gibt es .... Dessertvariationen .... in Deutschland.

5. In Deutschland, Österreich und in der Schweiz kocht man .... zu Hause.

12 **And what do you think? Write six sentences and compare in class.**

| Ich esse/trinke
Die Deutschen/Schweizer/
  Österreicher essen/trinken
In meinem Land essen/
  trinken die Menschen | viel / mehr ... als
gern / lieber ... als /
am liebsten / kein(en) | Fisch/Schweinefleisch.
Currywurst mit Pommes.
Kartoffeln/Reis/Nudeln.
Schokoladentorte.
Bier/Wein/Wasser. |

1. ....

2. ....

3. ....

4. ....

5. ....

6. ....

13 *Vanille, Schokolade oder Erdbeere?* **Read the dialogue and complete the sentences.**

Lukas Laura Tim

  ♡ Ich mag gern Schokolade und Vanille. Und du, Laura?
  ♺ Vanille? Nein, ich mag gern Schokolade, aber noch
    lieber mag ich Erdbeere. Und du, Lukas?
  ♡ Ich mag am liebsten Vanille!
  ♡ Und jetzt? Ich kann nur eine Kugel Eis kaufen.
    Lukas, magst du auch gern Schokolade?
  ♡ Nein, ich mag lieber Erdbeere.
  ♺ Ja, Erdbeere!
  ♡ O.k. Bitte eine Kugel – Erdbeere.

1. Tim mag gern .... und ....

2. Laura mag lieber .... als Schokolade.

3. Lukas mag am liebsten ....

4. Lukas mag lieber .... als Schokolade.

14 *gern, lieber, am liebsten.* **Complete.**

| gern – gern – lieber – lieber – lieber – am liebsten – besser – am besten |

1. Reis esse ich nicht so ...., ich esse .... Nudeln.

2. Möchtest du .... Tee oder Kaffee?

3. Ich esse .... Obst und .... esse ich Bananen.

4. Ich mag keinen Tee, ich trinke .... Wasser.

5. Ich finde Apfelsaft schmeckt .... als Wasser.

6. Was schmeckt dir ....? Pizza oder Nudeln?

15 The question word *welch-.* **Complete.**

1. 💬 .... Käse möchten Sie?

   👉 Den Camembert, bitte.

2. 💬 .... Lebensmittel kaufen Sie oft ein?

   👉 Brot, Milch und Obst.

3. 💬 .... Marmelade isst du lieber: Erdbeere oder Aprikose?

   👉 Ich esse am liebsten Erdbeermarmelade.

4. 💬 .... Obst kaufst du?

   👉 Ich nehme Äpfel und Bananen.

5. 💬 .... Gemüse ist heute billig?

   👉 Gurken und Salat.

16 Job: waiter. **Read and answer the questions.**

Andreas Stein ist Kellner und arbeitet im Restaurant „Am Schloss" in Köln. Er arbeitet von Dienstag bis Sonntag von 17 bis 24 Uhr. Am Montag hat er frei. Er bringt den Gästen zuerst die Speisekarte und berät sie. Er erklärt die Zutaten oder empfiehlt einen Wein. Dann schreibt er die Bestellungen auf. Am liebsten bestellen die Gäste „Fisch im Gemüsebett", das ist eine Spezialität im Restaurant „Am Schloss". Herr Stein bringt das Essen und die Getränke und am Ende die Rechnung. Nach dem Essen trinken die Gäste gern noch einen Kaffee.

Andreas Stein (26)

1. Wie ist die Arbeitszeit von Andreas Stein? ....

2. Was macht er? ....

3. Was essen die Gäste am liebsten? ....

4. Was machen die Gäste oft nach dem Essen? ....

17 Speaking fluently. **Listen and repeat.**

2.30

1. keine Wurst. – Käse, aber keine Wurst. – Ich mag Käse, aber keine Wurst.
2. nicht so gern. – Fisch nicht so gern. – Robert isst Fisch nicht so gern.
3. gern Kaffee. – Ich trinke gern Kaffee. – Ich mag keinen Tee, ich trinke gern Kaffee.
4. als Orangen. – lieber Äpfel als Orangen. – Nora isst lieber Äpfel als Orangen.

18 *Gern oder nicht gern?* **What do/don't you like eating and drinking? Write six sentences.**

1. Ich ....

2. ....

3. ....

4. ....

5. ....

6. ....

19 In the kitchen. **Match the words. Some words can be used more than once.**

Wasser – Fleisch – Nudeln – Zwiebel – Fisch – Eier – Kuchen – Kartoffeln – Auflauf – Reis – Pizza

kochen   braten   backen

....

....

....

....

 20 Breakfast in Germany. **Who eats and drinks what? Listen and write.**

2.31

Susanne,   Jan,   Herr Becker,   Frau Weigmann,
25 Jahre   18 Jahre   63 Jahre   55 Jahre

....

....

....

....

21 *Frühstück – Mittagessen – Abendessen.* **What do you like eating and drinking?**

1. *Zum Frühstück esse ich* ....

....

2. *Zum Mittagessen* ....

....

3. *Zum Abendessen* ....

....

Fit for Unit 11? Test yourself!

Active language use

Shopping

💬 Sie .... bitte?   👆 Ich .... 1 kg Bananen.   ▸ KB 2.3, 2.7

Asking for the price and answering

💬 Was .... 1 kg Tomaten?   👆 .... 2,99 Euro.   ▸ KB 2.5

Saying what you (don't) like

💬 Was trinkst du gern?   👆 Ich trinke gern ....

💬 Welches Obst magst du am liebsten?   👆 ....   ▸ KB 4.2, 4.3

Word fields

Food and drink, weights and measures

```
        Obst / Gemüse                    Milchprodukte


                        Maße / Gewichte
    500 g
```
▸ KB 1.1, 2.1

Grammar

Comparison: *viel, gut, gern*

viel – mehr – ....; gut – .... – am besten; .... – lieber – am liebsten

▸ KB 3.5

The question word *welch-*
Nominative:

💬 .... Käse ist aus der Schweiz?   👆 Der Bergkäse.

Accusative:

💬 .... Eis isst du am liebsten?   👆 Schokolade!   ▸ KB 3.6

The verb *mögen*

💬 .... du Nudeln?   👆 Ja, ich .... Nudeln sehr gern.   ▸ KB 4.2

Pronunciation

2.32

The endings *-e, -en, -el* **and** *-er*

der Käse – die Äpfel – der Kuchen – die Eier – das Brötchen – die Banane –
die Kartoffel – die Tomaten   ▸ KB 2.4, 3.7

In this unit you will learn ...

▶ to talk about clothes and colours
▶ to buy clothes
▶ to name colours and sizes
▶ to understand weather information; to talk about the weather

Der Sommer kann kommen!

Sonne, Wärme, Natur – wir haben wieder Lust auf coole Mode in vielen Farben.
Blau, Gelb und Pink sind in.

24

1 Modetrends im Frühling und Sommer

1 From a fashion magazine

Ü1–3

a) **Which clothing words do you know? Read and mark the words in the text.**
b) **Who is who? Read the text again and note down the names of the people.**

zweihundertzwei

 hellblau
 rosa/pink
 grün
 orange

Modetrends

Trends kommen und gehen, Jeans bleiben. Denise kombiniert eine gelbe Jacke, ein weißes T-Shirt und enge, dunkelblaue Jeans. Jöran trägt eine blaue Jeans, eine dunkelblaue Kapuzenjacke und einen bunten Schal. Paula mag den Lagen-Look und trägt zur Jeans ein weißes und ein rotes T-Shirt. Mut zum Hut haben Doria und Chantal. Chantal mag hellblaue Jeans und pinke T-Shirts, Doria kombiniert zum Hut braune

Stiefel, dunkelblaue Jeans und einen grauen Mantel. Omar mag beige Hosen und Kapuzenpullover in Orange. Grün ist die Hoffnung – Sarah hofft auf gutes Wetter und trägt einen grünen Rock und eine graue Bluse. Die Mode in der Arbeitswelt bleibt klassisch: Jan trägt einen dunklen Anzug und ein blaues Hemd, Natalia ein weißes Kleid und eine schwarze Jacke – Schwarz und Weiß kommen nie aus der Mode!

25

2 Talking about clothes. **Ask and answer.**
Ü4–6

Useful phrases

Asking about clothes

Tragen Sie gern / Trägst du gern Mögen Sie / Magst du	Blusen / Jeans / T-Shirts / Mäntel / Röcke?	Ja, sehr gern. Nein, ich trage lieber T-Shirts. Nein, ich mag lieber Hosen.

2 Kleidung und Farben

1 Clothes and colours in class

Ü7

a) **Name a colour and a corresponding item of clothing.**

Rot!

Das T-Shirt von Marina.

Schwarz!

Die Hose von Jannek!

b) *Ich sehe was, was du nicht siehst, und das ist ... Play.*

Ich sehe was, was du nicht siehst, und das ist grün.

Die Pflanze?

Der Stuhl?

Richtig, der Stuhl.

Das Wörterbuch?

2 Talking about colours and clothes

a) **Ask and answer in class.**

🗨 Trägst du / Tragen Sie gern Blau?

👍 Ja, Blau mag ich. 👎 Nein, lieber Rot.

b) **Ask and answer in class.**

🗨 Ziehst du / Ziehen Sie gern Hemden an?

👎 Nein, lieber T-Shirts. 👍 Ja, Hemden ziehe ich gern an. /
Hemden? Ja, die ziehe ich gern an.

die Anzüge – die Pullover – die Hosen – die Blusen – die Röcke – die Kleider – die Jacken – die Mäntel – die Schals – die Stiefel

3 Umlauts in the plural. **Listen and repeat.**

2.20

der Anzug – die Anzüge   der Mantel – die Mäntel   der Rock – die Röcke

4 Talking about clothes. **Ask and answer.**

Ü8–9

Useful phrases	Ways of asking what someone likes / doesn't like	Ways of answering
	Wie gefällt Ihnen/dir das T-Shirt?	Das gefällt mir (sehr) gut. / Das gefällt mir (gar) nicht / überhaupt nicht.
	Wie finden Sie / findest du den Mantel?	Den finde ich schön/schick/altmodisch/ hässlich/cool.
	Was ziehen Sie / ziehst du gern an?	Ich ziehe gern Hosen an. / Ich trage gern ... Ich ziehe am liebsten Röcke an.

5 What do you like wearing? **Combine.**

| Ich mag Ich trage gern | weiße braune schwarze helle | Röcke Hosen Jeans Schuhe | und | blaue graue bunte schwarze | Hemden. Pullover. T-Shirts. Mäntel. |

6 Colours in football. **Read and compare.**

Das ist Cristiano Ronaldo.
Sein T-Shirt ist rot.
Er trägt **ein rotes** T-Shirt.
Seine Hose ist auch rot.
Er trägt **eine rote** Hose.

Das ist der Trainer.
Sein Trainingsanzug
ist schwarz.
Er trägt **einen
schwarzen** Trainings-
anzug.

Das ist die Frauen-Nationalmannschaft aus Deutschland.
Ihre T-Shirts sind weiß.
Die Spielerinnen tragen **weiße** T-Shirts.
Ihre Hosen sind schwarz.
Sie tragen **schwarze** Hosen.

 7 Adjectives in the accusative with an indefinite article

28 Ü10–11

a) **Complete the table with examples from the unit.**

Grammar		den	das	die
	Singular	einen schwarzen Trainingsanzug ...	ein gelbes T-Shirt ...	eine blaue Hose ...
	Plural	schwarze Anzüge/T-Shirts/Hosen		

rot
blau
gelb
grün
braun
orange
türkis
beige
lila
rosa
grau
weiß
schwarz
bunt

b) **Which colours does your favourite team wear? Complete.**

Meine Lieblingsmannschaft ist ....

Die Spieler/innen tragen .... T-Shirts und .... Hosen.

 8 A class game.
Who is it?

Sie trägt eine grüne Bluse und einen schwarzen Rock.

Das ist Juliette!

 9 *ie – u – ü* and *e – o – ö*. **Listen and repeat.**

2.21

Ich trage lieber grün. – Ich ziehe gern grüne Blusen an. – Ich liebe bunte Anzüge.
Die Hose ist sehr schön. – Ich trage gern gelbe Röcke. – Nein, ich trage lieber rote Röcke.

ABC

3 Einkaufsbummel

1 Going shopping

a) **What goes together? Listen and match the dialogues to the photos.**

2.22
Ü12

1. ♡ Entschuldigung, ich suche Jacken und Mäntel.
   Wo finde ich die?
   ♢ Für Herren?
   ♡ Ja, für mich.
   ♢ In der ersten Etage oder in der dritten Etage,
   in der Sportabteilung.
   ♡ Vielen Dank.

2. ♡ Hallo, ich suche ein blaues Hemd.
   ♢ Welche Größe denn?
   ♡ Äh, 50?
   ♢ Einen Moment, bitte. Wie gefällt Ihnen dieses?
   Wollen Sie das anprobieren?
   ♡ Ja, das ist schön. Aber sind die Ärmel nicht zu lang?
   ♢ Nein, das trägt man jetzt so. Das ist voll im Trend.
   ♡ Na, ich weiß nicht ...

3. ♢ Guten Tag, kann ich Ihnen helfen?
   ♡ Ja, ich suche eine schwarze Jeans.
   ♢ Eine bestimmte Marke?
   ♡ Das ist egal, aber nicht so teuer.
   ♢ Welche Größe denn?
   ♡ Diese hier ist 34/32.
   ♢ Gut. Wie gefällt Ihnen diese Jeans?
   ♡ Die ist aber dunkelgrau, nicht schwarz.
   ♢ Ja, aber die ist im Angebot. Nur 19,99 €!
   ♡ Oh, super! Ich probiere sie an.
   ♢ Die Jeans passt, oder?
   ♡ Ja, sehr gut. Die nehme ich.

b) **Read the dialogue with a partner.**

c) **Practise:
use different
clothing,
colours, sizes.**

2 Practising questions. **What do you ask?**

You think: – Dunkelgraue Jeans gefallen mir nicht.
– Die Bluse ist zu klein.
– Das blaue Hemd steht mir nicht.
– Ich möchte einen Anzug anprobieren.

You say:

*Haben Sie die Jeans
auch in Blau?*

3 Shopping dialogues

Ü13–14

a) Customer or shop assistant? Who says what? Match.

> Ich suche ein Kleid / einen Anzug / eine Hose. – Die Größe haben wir leider nicht. – Kann ich Ihnen helfen? – Kann ich das anprobieren? – Grün steht Ihnen sehr gut / nicht so gut. – Haben Sie den Rock in Größe 40? – Das Kleid passt nicht. Das ist mir zu klein/groß. – Das steht mir nicht. – Welche Größe denn? – Haben Sie die Hose in Grün? – Wo ist die Umkleidekabine? – Wollen Sie das anprobieren? – Wie gefällt Ihnen das? – Wie steht mir das? – Das nehme ich.

die Verkäuferin / der Verkäufer	die Kundin / der Kunde
....	....

b) Role-play: buying clothes. Write dialogues. Practise the dialogues with different partners.

4 Project: Shopping online. **You have got 100 euros. Buy clothes for the summer or winter holidays. Make a list and report back.**

Kleidungsstück	Preis	Farbe
....	....	....

> 👍 **Internet tip**
> www.zara.com
> www.zalando.de
> www.hm.com/de

🔍 **5** Demonstrative adjectives. **Read and complete the table.**

24 Ü15–17

👌 Lange Röcke, T-Shirts und Jeans sind in.

Dieser nicht. Der ist zu lang, den mag ich nicht!

Dieses nicht. Das ist zu bunt, das mag ich nicht!

Diese nicht. Die ist zu alt, die mag ich nicht!

Aber ich mag diesen Rock und dieses T-Shirt und diese Jeans!

Grammar

Nominative		Accusative	
der Rock	........*dieser* Rock	........*den* Rock	.... Rock
das T-Shirt	....	....	........*dieses T-Shirt*
die Jeans	....	....	....

ABC 📄

4 Es gibt kein schlechtes Wetter ...

1 The weather in Germany and other countries. **Read and mark the words which are related to the weather.**

Jenny aus Kuantan	Wie ist das Wetter bei euch?
Jo aus Deutschland	Es regnet hier seit drei Tagen. Das ist normal im November. Im Herbst regnet es bei uns am meisten. Es ist oft bewölkt und windig und früh dunkel. Und bei euch?
Jenny aus Kuantan	Wir haben keinen Herbst. Wir haben nur zwei Jahreszeiten: Regenzeit und Trockenzeit. In der Trockenzeit ist es sonnig und sehr heiß.
Jo aus Deutschland	Wir haben vier Jahreszeiten: Frühling, Sommer, Herbst und Winter. Manchmal auch am gleichen Tag! ☺ Richtig heiß ist es nur im Sommer. Dann ist es lange hell und wir feiern Grillpartys draußen. Welches Wetter mögt ihr in Malaysia?
Jenny aus Kuantan	Nicht zu viel Sonne und nicht zu viel Regen, nicht zu kalt und nicht zu heiß. Einfach normal.
Jo aus Deutschland	Was heißt „normal"? Bewölkt ist hier normal. Mit viel Glück schneit es im Winter (also von Dezember bis Februar) und nicht mehr im Frühling ...

2 Weather words. **Match the photos. Use the Mini memo to help you.**

21   Ü18

1   3   5   7

2   4   6   8

> **Mini memo**
> Wetterwort *es*:
> Es regnet. Es schneit.
> Es ist sonnig. Es ist bewölkt.
> Es ist windig. Es ist heiß.
> Es ist kalt. Es ist neblig.

☐ die Sonne   ☐ der Wind
☐ die Wolken   ☐ die Hitze
☐ der Regen   ☐ der Schnee
☐ die Kälte   ☐ der Nebel

3 City weather

2.23
Ü19

a) Listen and tick.

	sonnig/heiter	bewölkt	Regen	Schnee
Athen	☐	☐	☐	☐
Berlin	☐	☐	☐	☐
London	☐	☐	☐	☐
Madrid	☐	☐	☐	☐
Moskau	☐	☐	☐	☐
Rom	☐	☐	☐	☐
Lissabon	☐	☐	☐	☐

b) **Ask and answer.**

4 Pronunciation: *i – ü* or *e – ö*? **Listen and repeat.**

2.24

Es regnet in Berlin und Zürich. – Es ist sonnig in Bern und Köln. –
In Paris und München schneit es. – Es ist bewölkt in Jena. –
Das Wetter in Athen ist schön. – In Kiel und Nürnberg ist es heiter.

5 Colours and their meaning in different cultures

a) **Listen and read silently.**

2.25

Welche Farbe hat die Welt?

Als ich klein war, ging ich zum Vater
mit dem Malbuch in der Hand und ich fragte:
Welche Farbe hat die Welt?

Welche Farbe hat die Welt?
Ist sie schwarz oder grün?
Ist sie blau oder gelb?
Ist sie rot wie die Rosen oder braun wie die Pferde,
oder ist sie so grau wie des Schäfers große Herde?

Grün sind die Bäume und die Gräser und das Laub.
Bäume tragen Früchte und vertilgen den Staub.
Blau ist das Meer, das die Sonne immer küsst,
blau ist der Himmel,
der dir zeigt, wie klein du bist.

Rot, das ist die Liebe, sie darf niemals vergeh'n,
wenn du erst einmal groß bist, wirst du das versteh'n.
Denn bist du ohne Liebe, dann fehlt dir auch das Glück,
wenn du sie später findest, denk an mein Wort zurück!

Welche Farbe hat die Welt …

b) **What is the meaning of the colours in the song?**

c) **What associations do you have?**

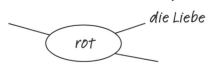

die Liebe

rot

der Himmel

blau

ABC

1 Clothes. **What are the people wearing? Write.**

die Bluse

die Schuhe

2 Fashion trends in spring and summer

a) **Read the magazine text (pages 202/203) again. What is correct? Tick.**

	richtig	falsch
1. Dunkle Farben sind dieses Jahr in.	☐	☐
2. Jeans bleiben immer in Mode, egal ob dunkel oder hell.	☐	☐
3. Bei gutem Wetter trägt Sarah gern Rot.	☐	☐
4. Ein dunkler Anzug ist klassisch.	☐	☐
5. Die Farben Blau und Schwarz bleiben immer aktuell.	☐	☐

b) **Correct the false statements.**

1. Blau, Gelb und

2.

3.

3 An interview with fashion adviser Frau Günther

2.33

a) Listen and put the questions into the right order.

☐ Und welches Kleidungsstück ist im Sommer besonders in?
☐ Frau Günther, was sind die Modetrends für den Frühling und Sommer?
☐ Und der Trend für den Sommer?

b) Which colours and which items of clothing are 'in' in summer? Listen again and write.

Alice Günther (41)

	Farben	Kleidungsstücke
Frauen	....	....
Männer	....	....

4 Herr Schwarz is going on holiday. **What is he taking? Write.**

Er nimmt vier Hemden ....
....
....
....
....
....

5 What do you like wearing?

2.34

a) Which photo fits? Listen and tick.

1. a ☐   b ☐   2. a ☐   b ☐

b) Text karaoke. Listen and say the 👄-parts of the dialogue.

2.35

1. 👂 ...
   👄 Nein, ich trage lieber Hosen.
   👂 ...
   👄 Ja, ich liebe T-Shirts.

2. 👂 ...
   👄 Nein, ich trage lieber Kapuzenpullover.
   👂 ...
   👄 Hemden? Nein, ich mag keine Hemden.

c) What are the people wearing? Write.

Paula trägt ein T-Shirt und eine Jeans. Sie mag die Farben Rot und Blau.

6 The verbs *tragen* and *mögen*.
Complete.

tragen	mögen
ich *trage*	ich ....
du	du ....
er/es/sie	er/es/sie ....
wir	wir ....
ihr	ihr ....
sie/Sie	sie/Sie ....

1. .... du gern Blusen?

Ja, ich *trage* gern Blusen.

2. *Mögen* Sie die Farbe Gelb?

Ja, ich .... Gelb.

3. *Mag* er Turnschuhe?

Nein, er .... keine Turnschuhe.

7 Picture dictionary: mixing colours

a) **Which colours do you see? Write.**

b) **How do you mix colours? Write.**

grau: .... + ...
rosa: .... + ...
braun: .... + ...

grün: .... + ...
orange: .... + ...
violett: .... + ...

8 *Wie findest du ...?*

a) **Fill in the plural forms.**

1. ♀ Gefällt dir der Hut?   ♂ Nein, ich finde .... altmodisch.

2. ♀ Gefällt dir der Anzug?   ♂ Ja, ich finde .... schick.

3. ♀ Gefällt dir der Rock?   ♂ Ja, ich finde .... elegant.

b) **Listen and repeat.**
2.36

9 Talking about tastes

a) **What do Alica, Pia and Bente like? Read and fill in the names.**

 Alica Diese Fotos habe ich im Internet gefunden. Wie gefällt euch der neue Modetrend für den Sommer?

 Pia B. Die Fotos gefallen mir überhaupt nicht. Die Kleider sind hässlich, zu viele Farben!

 Bente Die Kleider gefallen mir sehr gut. Das ist doch super schick. Bunte Kleider sind wieder in. Wie findet ihr den Hut?

 Alica Den finde ich schick. Ich trage gern Hüte. Was zieht ihr gern an?

 Pia B. Ich ziehe super gern Röcke an, aber am liebsten trage ich Jeans.

1. .... findet die Kleider zu bunt.

3. .... gefallen die Sommerkleider.

2. .... gefällt der Hut gut.

4. .... zieht am liebsten Jeans an.

b) **What do you think of the fashion trend and what do you like wearing? Write.**

....
....

10 Nice furniture for a new living room

a) **You have moved house. What do you buy for your new living room? Write.**

das Bücherregal – das Sofa – die Lampe – der Sessel – der Tisch – die Vase – die Bilder – die Stehlampe – die Kommode

Ich kaufe ein ....
....
....
....
....

b) **And what colour is the furniture? Combine and write sentences.**

ein braunes oder weißes Regal
eine rote oder grüne Vase
einen weißen oder roten Schrank
eine schwarze oder blaue Kommode

ein graues oder gelbes Sofa
eine graue oder blaue Lampe
einen gelben oder braunen Tisch
einen grünen oder roten Sessel

In meinem Wohnzimmer habe ich ...

c) **Underline the adjective endings in your text and complete.**

der Schrank: Ich habe einen Schrank.   Ich habe einen neu..... Schrank.

das Sofa: Ich habe ein Sofa.   Ich habe ein neu..... Sofa.

die Lampe: Ich habe eine Lampe.   Ich habe eine neu..... Lampe.

die Bilder: Ich habe Bilder.   Ich habe neu..... Bilder.

11 The Kühn family does sport. **Complete the adjective endings.**

Familie Kühn macht viel Sport.

Frau Kühn spielt Fußball. Sie trägt eine grün..... Hose, ein schwarz..... T-Shirt und weiß..... Schuhe.

Ihr Mann spielt Tennis. Heute hat er einen blau..... Trainingsanzug und gelb..... Schuhe angezogen.

Ihr Sohn geht joggen. Er zieht eine schwarz..... Hose und einen rot..... Pullover an.

Ihre Tochter tanzt. Sie trägt ein blau..... Kleid und schwarz..... Schuhe.

12 Shopping dialogues. **Match the answers. Then listen and check.**

2.37

> 36 oder 38. – Die blaue Jacke gefällt mir nicht. Ich probiere die braune an. Wo ist die Um-
> kleidekabine? – Nein, die Ärmel sind zu lang. Sie steht mir nicht. – Ja, ich suche eine Jacke.

💬 Guten Tag! Kann ich Ihnen helfen?

👄 ....

💬 Welche Größe haben Sie denn?

👄 ....

💬 Wir haben hier eine braune Jacke in 38 und eine
   blaue in Größe 36.

👄 ....

....

💬 Hinten rechts. Und passt Ihnen die Jacke?

👄 ....

....

13 Text karaoke. **Listen and say the 👄-parts of the dialogue.**

2.38

👂 ...
👄 Ich suche eine Hose.
👂 ...
👄 Größe 40. Haben Sie eine schwarze Hose
   fürs Büro?
👂 ...
👄 Kann ich die in Blau anprobieren?

👂 ...
👄 Hmm ... die gefällt mir gut. Sie ist auch
   sehr bequem. Steht sie mir?
👂 ...
👄 Gut, dann nehme ich sie.

14 You need clothes for your holiday. **Ask questions.**

1. Sie suchen eine Fahrradhose. ....?

2. Sie brauchen die Hose in Größe 42. ....?

3. Sie wollen ein T-Shirt anprobieren. ....?

4. Sie wollen die Hose in Rot. ....?

15 *Das gefällt mir auch nicht!*

a) **Which items of clothing go with the dialogue parts? Match.**

1. 💬 Also dieses T-Shirt ist toll!
   👎 Dieses T-Shirt ist doch zu kurz.
   Das gefällt mir nicht.
2. 💬 Aber diese Schuhe sind super.
   Ich liebe schwarze Schuhe!
   👎 Hmm, ich finde die zu hoch.
3. 💬 Und diese Jacke? Die ist schön.
   👎 Ich mag diese Jacke nicht, die ist
   zu bunt.
4. 💬 Und die Hose? Ich finde diese Hose
   schick. Oder?
   👎 Na ja, mir gefällt sie nicht.
   💬 Was gefällt dir dann?

b) **Mark the demonstrative adjectives in a).**

16 *Dieser oder dieser hier?* **Fill in *welch-* or *dies-*.**

1. 💬 .... Wintermantel findest du schöner? .... oder ....?

   👎 Ich finde .... hier schöner. Aber .... ist wärmer?

   💬 Beide sind warm. Ich nehme .... hier.

2. 💬 .... Stiefel sind Größe 39?   3. 💬 Gefällt dir .... Kleid?

   👎 .... hier.   👎 ....? Dieses hier? Nein,

   💬 Und .... hier nicht?   aber .... ist schön!

   👎 Nein, ... sind Größe 38.   💬 .... Kleid ist doch zu klein!

17 Lennart in the clothes shop. **Listen and answer.**

2.39

1. Was möchte Lennart kaufen? ....

2. Welche Größe hat er? ....

3. Welche Farbe mag er? ....

18 *Frühling, Sommer, Herbst und Winter.* **What is the weather like? What can you do? What do you wear? Collect.**

der **Winter**
Ski fahren

der **Frühling**

der **Herbst**
es regnet

der **Sommer**
der Bade-anzug

19 The weather in Europe

2.40

a) **What is the temperature in ...? Listen and fill in the temperatures on the map.**

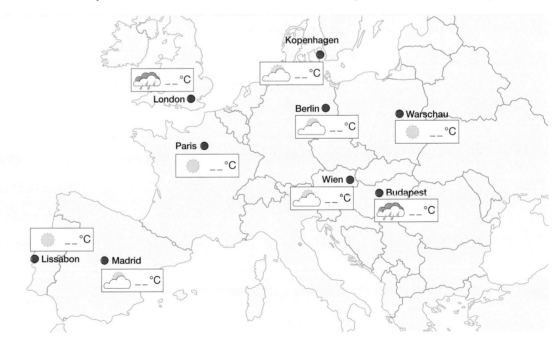

b) How is the weather in ...? Listen again and write.

Madrid: Es ist bewölkt.

Fit for Unit 12? Test yourself!

Talking about clothes

💬 Wie gefällt dir der Rock? 👄 ....

💬 Was ziehen Sie gern an? 👄 ....

▶ KB 1.2, 2.4, 2.5

Buying clothes; naming colours and prices

💬 Kann ich Ihnen helfen? 👄 .... (ein blaues Hemd)

💬 .... ? 👄 Größe 42.

▶ KB 3.1–3.4

Understanding weather information; talking about the weather

💬 Wie ist das Wetter? 👄 .... (10 °C, Regen, Nebel)

▶ KB 4.1–4.3

Word fields

Clothes

Kleidung für Frauen: *das Kleid,* ....

Kleidung für Männer: ....

▶ KB 1.1

Colours

 ....

▶ KB 1.1, 2.1, 2.2

Weather

die Sonne: *Es ist sonnig.* .... der Regen: .... der Schnee: ....

▶ KB 4.2

Grammar

Adjectives in the accusative

Die Frau trägt ein weiß.... T-Shirt, eine schwarz.... Hose und rot.... Schuhe. ▶ KB 2.6 – 2.8

Demonstrative adjectives

💬 Gefällt dir .... Kleid? 👄 Nein, ... hier gefällt mir nicht. Aber .... ist schön! ▶ KB 3.5

Pronunciation

2.41

Umlaut or no umlaut?

der R....ck – die R....cke; der H....t – die H....te; ich tr....ge – er tr....gt; er m....g – ihr m....gt

▶ KB 2.3

i – ü or *e – ö*?

B....rn und K....ln   Par....s und M....nchen

▶ KB 2.9, 4.4

12 Körper und Gesundheit

In this unit you will learn ...

▶ to name the parts of the body
▶ at the doctor's: to say what is wrong and what hurts
▶ to give recommendations and instructions
▶ to talk about emotions

1 Von Kopf bis Fuß

Laufen ist ein Volkssport. Immer mehr Menschen erholen sich bei einer Runde um den See, durch den Wald oder im Stadtpark. Laufen macht den Kopf frei und öffnet die Augen und Ohren für die Natur. Ein bisschen Übung und schon schafft man den ersten 5-km-Lauf. Beine, Füße, Herz und Lunge – Laufen trainiert den ganzen Körper.

22

Training und gesundes Essen gehören beim Bodybuilding zusammen. Die Sportler brauchen starke Muskeln. Sie müssen Arme, Beine, Schultern, Bauch und Rücken trainieren. Das verbraucht oft mehr als 5000 Kalorien. Für Bodybuilder heißt das jeden Tag Fisch, Fleisch, Milchprodukte und Gemüse essen – und zwei Stunden Training im Fitness-Studio.

1 Fit from head to toe

Ü1

a) Look at the photos. Which sports do you know?

b) Read the texts from the sports magazine. Mark all the parts of the body.

c) Which kinds of sport go with the statements?

1. Gestern war ich auf über 2700 Metern.
2. Täglich ins Training ist ok, aber man muss auch ziemlich viel essen.
3. Es macht Platz im Kopf für neue Ideen.
4. Man braucht viel Konzentration für die langsamen Bewegungen.

d) Comment on the sports.

> Tai Chi finde ich ...

> Ich mag ...

Ski fahren

Volleyball spielen

Tauchen

Tanzen

Gymnastik ma

Der Winter ist vorbei und Berg-Fans haben wieder Lust auf ihr Lieblingshobby. Sie müssen jetzt das Training planen. Der Bergsport ist nicht ungefährlich – Bergsteiger brauchen nicht nur starke Arme und Beine, auch Bauch und Rücken dürfen sie auf keinen Fall im Training vergessen. Hartes Training ist wichtig – vor dem Glück auf über 1000, 2000 oder 3000 Metern!

Langsam den Arm heben, die Finger strecken, das linke Bein anwinkeln, alles mit viel Ruhe. Tai Chi kombiniert Entspannung und Konzentration und ist gut für den Körper und den Kopf. Den Sport kann man überall machen: im Fitness-Studio, im Park und zu Hause. Gut ist: Jeder kann Tai Chi lernen – auch Senioren. Für sie gibt es spezielle Kurse.

23

2 Naming parts of the body from top to bottom. **Put the body parts in the right order**
Ü2 **and speak quickly.**

a) die Nase, das Bein, das Knie,
   der Fuß, das Auge, der Bauch

b) der Mund, der Bauch, die Haare,
   der Hals, die Ohren, die Füße

3 Parts of the body and functions.
Ü3–6 **What goes together? Complete.**

essen

küssen

laufen

ABC

zweihundertneunzehn

Fußball spielen

Fahrrad fahren

Tennis spielen

Schwimmen

Yoga machen

219

2 Bei der Hausärztin

)))🎧 **1** Herr Aigner has got a temperature and a sore throat. **He makes an appointment with his**
2.26 **family doctor. Listen and note down the appointment.**

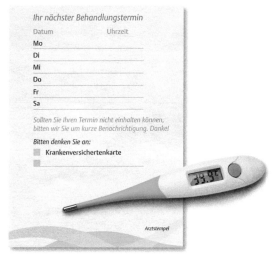

2 Checking in at the doctor's surgery

)))🎧 **a) Listen and read. What is different?**
2.27
Ü7 💬 Guten Morgen, mein Name ist Aigner.
Ich habe einen Termin.
👓 Morgen, Herr Aigner. Waren Sie in diesem Quartal
schon mal bei uns?
💬 Nein, in diesem Quartal noch nicht.
👓 Dann brauche ich Ihre Versichertenkarte.
💬 Hier, bitte. Muss ich warten?
👓 Ja, aber nicht lange. Sie können im Wartezimmer
Platz nehmen. Die Ärztin kommt gleich.

b) Read the dialogue aloud. Pay attention to pronunciation and word stress.

3 In the consulting room. **Listen and read the dialogue aloud.**

2.28 Ü8–9

💬 Guten Tag, Herr Aigner. Was fehlt Ihnen denn?

👤 Ich habe seit drei Tagen Fieber, mein Hals tut weh und ich habe Kopfschmerzen.

💬 Sagen Sie mal „Aaaah"! Husten Sie mal! Alles rot. Sie haben eine Angina.

👤 Wie bitte?

💬 Eine schwere Halsentzündung. Sie sind stark erkältet. Ich verschreibe Ihnen Tabletten und Hustensaft. Bitte nehmen Sie die am Morgen, Mittag und Abend. Rauchen Sie?

👤 Ja, aber nicht viel. So 20 Zigaretten am Tag.

💬 Aha, ich schreibe Sie eine Woche krank. Sie müssen viel trinken und Sie dürfen natürlich nicht rauchen. Bitte machen Sie einen Termin für nächste Woche. Gute Besserung!

👤 Dann bis nächste Woche. Auf Wiedersehen, Frau Doktor.

Dr. Vera Hartmann, Ärztin

4 Illnesses. **Add more words.**

1. **Schmerzen:** *Bauch, Ohren, Rücken,* ....

2. **In der Arztpraxis:** *Termin, Wartezimmer, krank schreiben,* ....

3. **Medikamente:** *Tabletten verschreiben/nehmen,* ....

5 Role-play. **Choose a role card. Write and act out the role-play with your partner.**

Ü10–11

Herr Wondrak fühlt sich nicht gut. Er arbeitet 14 Stunden am Tag. Der Arzt schreibt ihn drei Tage krank. Herr Wondrak muss sich ausruhen und darf nicht mit der Firma telefonieren.

Frau Beier hat seit einer Woche Schnupfen und Husten. Der Arzt verschreibt Hustensaft. Frau Beier muss viel trinken. Sie darf nicht schwimmen gehen.

Tobias hat Fußball gespielt. Jetzt tut sein Knie weh. Die Ärztin verschreibt eine Sportsalbe. Tobias muss sein Knie dreimal täglich einreiben. Er darf keinen Sport machen.

Useful phrases

What the doctor says

Was fehlt Ihnen? / Wo haben Sie Schmerzen? / Tut das weh?
Haben Sie auch Kopf-/Hals-/Rückenschmerzen?
Ich schreibe Ihnen ein Rezept.
Nehmen Sie die Tabletten dreimal am Tag vor/nach dem Essen.
Sie dürfen nicht rauchen und keinen Alkohol trinken.
Bleiben Sie im Bett. Ich schreibe Sie ... Tage krank.

What the patient says

Ich fühle mich nicht gut. / Mir geht es nicht gut.
Ich habe Bauch-/Magenschmerzen.
Mein Arm/Knie/... tut weh.
Wie oft / Wann muss ich die Medikamente nehmen?
Wann darf ich wieder Sport machen?
Wie lange muss ich im Bett bleiben?
Ich brauche eine Krankmeldung für meinen Arbeitgeber.

ABC

3 Empfehlungen und Anweisungen

1 Tips from the pharmacy magazine

Ü12–13

**a) Read through the text quickly (in one minute!).
What is it about? Tick.**

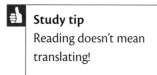

Study tip
Reading doesn't mean translating!

1. ☐ Tipps für neue, interessante Medikamente
2. ☐ Tipps für die Gesundheit im Herbst und im Winter
3. ☐ Tipps für die Ernährung von Sportlern

TIPPS
aus Ihrer Apotheke

Stärken Sie im Herbst Ihr Immunsystem!

Falsche Kleidung bei Regen, Schnee und Kälte und am nächsten Tag tun Hals und Kopf weh – Sie haben eine Erkältung. In dieser Jahreszeit nehmen Erkältungen zu. Hier unsere Tipps für Sie: Sport und Bewegung trainieren das Immunsystem. Gehen Sie viel spazieren oder joggen Sie – auch im Winter! Duschen Sie abwechselnd heiß und kalt oder gehen Sie in die Sauna. Besonders wichtig: kein Stress! Machen Sie Gymnastik, Yoga oder Tai Chi und tanken Sie Energie. Vergessen Sie nicht, viel zu trinken, am besten Tee, Mineralwasser und frischen Orangensaft. Essen Sie in Ruhe, am besten viel Obst und Gemüse. Brot, Nudeln und Kartoffeln machen gute Laune. Essen Sie zweimal pro Woche Fisch, aber wenig Fleisch. So bleiben Sie auch im Herbst und Winter gesund und fit!

**b) Read the text again.
Collect the tips about colds.
Have you got any other tips?**

Gehen Sie ...

**c) www.apotheken-umschau.de – an internet pharmacy magazine.
Find three important words to do with health and illness and present them in class.**

2 Problems and advice. **Collect problems and suitable advice.**
Ü14–15 **Write each sentence on a card. Find suitable cards in class.**

 3 Imperatives
32 Ü16

a) Find more forms in the text from exercise 1 and complete the table.

Infinitive	Imperative (3rd p. pl.)	2nd p. sg.	Imperative (2nd p. sg.)
nehmen	Nehmen Sie eine Tablette!	du nimmst	Nimm eine Tablette!
gehen	Gehen Sie zum Arzt!	du gehst	Geh zum Arzt!
…	…	…	…

b) Compare the 2nd person singular and the imperative. Complete the rule.

Mini memo
Du bist zu laut.
Sei bitte ruhig!

Rule Imperative = 2nd person singular minus ....!

c) Statement – imperative. Where is the verb?

Sie (trinken) Tee.

(Trinken) Sie Tee!

4 Three tips to stop smoking. **Christina has done it!**
Ü17 **Here are her tips for Hermann and Andrea.**

1. Wählt eine Zeit ohne Stress für   2. Geht nicht in Raucherkneipen.
   den Rauchstopp, zum Beispiel den Urlaub. 3. Geht mit Nichtrauchern aus.

a) Have you got any more tips? Which work well? Which don't?

 b) Complete the table.
32

Infinitive	2nd person plural	Imperative (2nd person plural)
gehen	Ihr geht nicht auf Partys.	Geht nicht auf Partys!
…	…	…

ABC

4 Emotionen

1 **Who says what?** **Match the sentences to the drawings.**

1. ☐ Wo bleibst du? Ich warte auf dich!
2. ☐ Es ist aus, aber ich liebe ihn noch!
3. ☐ Na, wie findest du sie?
4. ☐ Holst du uns am Bahnhof ab?

2 **Writing poems with accusative pronouns.** **Write a poem.**

25

	höre(n)	mich	
	sehe(n)	dich	nicht
Ich	liebe(n)	ihn, sie, es	heute.
Wir	brauche(n)	uns	, oder?
	kenne(n)	euch	, aber ...
	verstehe(n)	sie	

> *Ich höre dich.*
> *Ich sehe dich.*
> *Ich liebe dich,*
> *aber wir kennen uns nicht.*

3 A "love letter"

Ü18

a) **Complete the personal pronouns in the accusative.**

Liebe Jenny,

du kennst ...., wir sehen .... jeden Morgen im Bus. Ein Morgen

ohne .... ist wie ein Morgen ohne Sonne! Manchmal siehst du ....

an, das macht .... sehr glücklich. Mein Herz klopft dann sehr laut – kannst

du .... hören? Ich denke oft an .... Deine Augen, deine Haare –

du bist für .... eine Traumfrau! Ich möchte .... kennen lernen.

Kommst du morgen um 19.30 Uhr ins Café Bohème?

Viele liebe Grüße, dein Pjotr

b) **Write a reply on behalf of Jenny. The building blocks below will help you.**
   Read your letter aloud.

4 Emotional sentences – the emotion thermometer

Ü19

a) **Put the phrases in order from left to right and compare in class.**

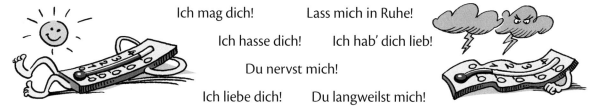

Ich mag dich!   Lass mich in Ruhe!

Ich hasse dich!   Ich hab' dich lieb!

Du nervst mich!

Ich liebe dich!   Du langweilst mich!

b) **What are they both thinking?**

ABC

1 Yoga

a) Match the animals to the yoga figures.

Yoga aus der Natur.

a .... b .... c .... d ....

der Hund *die Kobra* *die Katze* *der Baum*

b) Which text goes with which photo? Listen and match.

2.42

c) Listen again. Which parts of the body do you hear? Tick.

- ☐ der Kopf
- ☐ die Augen
- ☐ die Ohren
- ☐ die Beine
- ☐ die Füße
- ☐ die Arme
- ☐ der Po
- ☐ der Bauch
- ☐ der Rücken
- ☐ die Finger
- ☐ die Schultern
- ☐ die Knie
- ☐ die Hände
- ☐ die Nase

2 Word body.
Label the person.

3 Collocations. **What goes together? Connect and check using the texts on pages 218/219.**

starke Muskeln 1   a heben

Augen und Ohren 2   b trainieren

den Arm 3   c haben

den Körper 4   d anwinkeln

das Bein 5   e öffnen

4 Sport and training. **Read the texts from the sports magazine on pages 218/219 again. What is correct? Tick.**

1. Laufen ist gut für
   a ☐ Augen und Ohren.
   b ☐ den ganzen Körper.
   c ☐ den Oberkörper.

2. Bergsport
   a ☐ muss gut vorbereitet werden.
   b ☐ ist sicher.
   c ☐ kann jeder machen.

3. Bodybuilder
   a ☐ müssen einmal die Woche trainieren.
   b ☐ dürfen kein Fleisch essen.
   c ☐ müssen auf ihre Ernährung achten.

4. Tai Chi
   a ☐ können nur Erwachsene machen.
   b ☐ trainiert den Körper und den Kopf.
   c ☐ macht man immer in der Natur.

5 Kinds of sport

a) **Mark the kinds of sport in the texts on pages 218/219 and in Isabel's and Stefan's statements.**

Ich mache viel Sport. Ich gehe regelmäßig laufen und schwimmen. Ich mache gerne Sport allein. Dann habe ich Zeit zum Nachdenken und Entspannen. Im Urlaub fahre ich Ski oder gehe Bergsteigen. Bergsport ist mein Lieblingshobby! Ballsportarten gefallen mir nicht gut. Ich mag kein Fußball oder Handball. Das finde ich blöd.

Isabel

In der Woche mache ich wenig Sport. Ich muss viel arbeiten und habe wenig Zeit. Aber ich fahre jeden Tag mit dem Fahrrad zu meiner Arbeit. Am Wochenende spiele ich mit Freunden Tennis oder Fußball. Ich mag Sport in der Gruppe. Tennis ist super, es macht fit und macht viel Spaß. Laufen oder Bodybuilding finde ich langweilig.

Stefan

b) **Which kinds of sport do Isabel and Stefan like and which don't they like? Write.**

6 Crazy sports? **Which comments go with the photos? Match.**

a ☐

b ☐

c ☐

1. Ich finde Skifahren gefährlich.
2. Skydiving finde ich super. Das ist spannend.
3. Mir gefällt Kajakfahren im Wildwasser. Ich finde das toll.
4. Ich mag nicht gern Klettern. Bergsport ist zu gefährlich.
5. Tauchen mit Haien gefällt mir überhaupt nicht. Ich finde das furchtbar.

))⁾⁾ **7** Checking in at the dentist's

2.43

a) Listen. What is wrong with the man? Write.

....

b) Complete the dialogue.

> Nein, leider nicht. – Guten Tag, ich habe starke Zahnschmerzen. – Hier, bitte. –
> Ja, mein Name ist Marianowicz. Muss ich lange warten? – Gut, mache ich. Danke.

💬 Guten Tag.

↻ ....

💬 Haben Sie einen Termin?

↻ ....

💬 Waren Sie schon einmal bei uns?

↻ ....

💬 Leider ja. Wir haben heute viele Patienten. Ich brauche Ihre Versichertenkarte.

↻ ....

💬 Danke ... So, hier ist Ihre Karte. Bitte nehmen Sie im Wartezimmer Platz.

↻ ....

c) Listen again and check.

8 Word field: illness

a) Which word doesn't fit in? Cross it out.

1. die Tabletten – der Hustensaft – das Wasser – die Medikamente
2. der Zahnarzt – die Halsentzündung – die Grippe – die Ohrenschmerzen
3. der Termin – die Versichertenkarte – die Magenschmerzen – das Wartezimmer
4. der Kinderarzt – die Arzthelferin – die Augenärztin – die Hausärztin
5. der Husten – das Rezept – der Schnupfen – das Fieber

b) Connect.

eine Krankheit	1	a	machen
Tabletten	2	b	schreiben
ein Rezept	3	c	haben
jemanden krank	4	d	verschreiben
einen Termin	5	e	nehmen

))⁾⁾ **c) Listen to the collocations and check. Then repeat.**

2.44

9 Who says what? **Match the statements. Write the intitial:** *Arzt (A)* **or** *Patient (P)?*

1. ☐ Sie dürfen keinen Alkohol trinken.
2. ☐ Mir geht es nicht gut, ich fühle mich seit Tagen krank.
3. ☐ Ich schreibe Sie krank. Trinken Sie viel Tee und ruhen Sie sich aus!
4. ☐ Sie haben eine Erkältung. Bleiben Sie ein paar Tage zu Hause.
5. ☐ Wann muss ich die Medikamente nehmen?
6. ☐ Ich habe Magenschmerzen.
7. ☐ Gute Besserung!
8. ☐ Ich habe seit drei Tagen Fieber.

10 At the family doctor's

a) **What is wrong with them? Write.**

1.
....
....
....
....

3.
....
....
....
....

2.
....
....
....
....

4.
....
....
....
....

b) **Which tips are for which person?**

1. ☐ Bleiben Sie im Bett! Sie müssen viel schlafen!
2. ☐ Nehmen Sie den Hustensaft dreimal täglich!
3. ☐ Essen Sie heute nichts!
4. ☐ Nehmen Sie eine Kopfschmerztablette!

11 Text karaoke. **Listen and say the 👄-parts of the dialogue.**

2.45

👂 …
👄 Ich habe Kopfschmerzen.
👂 …
👄 Ja, seit zwei Tagen.
👂 …
👄 Aaahhhhhhh!
👂 …
👄 Wie oft muss ich die Medikamente nehmen?
👂 …
👄 Danke. Auf Wiedersehen!

Dr. Kramer, Hausarzt

12 *Gute Besserung!* **What is correct? Tick.**

1. Medikamente kauft man
   a ☐ im Wartezimmer.
   b ☐ in der Apotheke.

2. Termine beim Arzt / bei der Ärztin macht man
   a ☐ in der Apotheke.
   b ☐ bei der Sprechstundenhilfe.

3. Alle Versicherten haben
   a ☐ eine Krankenversichertenkarte.
   b ☐ eine Apothekenkarte.

4. Das Rezept für die Medikamente bekommt man
   a ☐ beim Arzt.
   b ☐ in der Apotheke.

13 Internet tips

a) **Read the text and collect tips for stomach ache.**

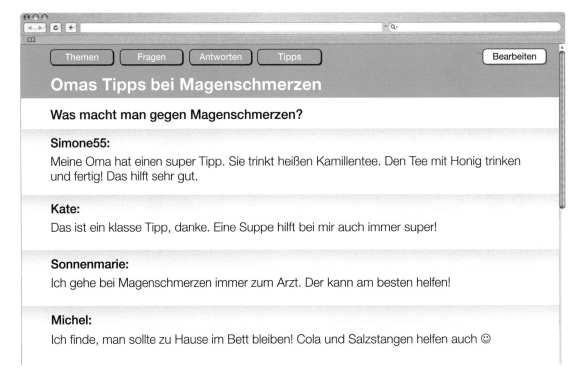

Themen — Fragen — Antworten — Tipps — Bearbeiten

Omas Tipps bei Magenschmerzen

Was macht man gegen Magenschmerzen?

Simone55:
Meine Oma hat einen super Tipp. Sie trinkt heißen Kamillentee. Den Tee mit Honig trinken und fertig! Das hilft sehr gut.

Kate:
Das ist ein klasse Tipp, danke. Eine Suppe hilft bei mir auch immer super!

Sonnenmarie:
Ich gehe bei Magenschmerzen immer zum Arzt. Der kann am besten helfen!

Michel:
Ich finde, man sollte zu Hause im Bett bleiben! Cola und Salzstangen helfen auch ☺

b) **Write more tips.**

Medikamente nehmen – kein Fastfood essen – keinen Alkohol trinken – ...

14 *Ich habe Halsschmerzen.* **What does the doctor say? Listen and tick.**
2.46

☐ viel Obst essen
☐ 2 x am Tag vor dem Essen die Tabletten nehmen
☐ morgens nach dem Frühstück die Medikamente nehmen
☐ viel Tee trinken
☐ ein Glas Wein am Tag
☐ nicht rauchen
☐ nicht arbeiten und ausruhen
☐ Gemüse und Suppe essen

15 Problems and advice. **Give tips.**

1. Meine Hose passt mir nicht mehr! ....

2. Ich habe Kopfschmerzen. ....

3. Ich bin immer müde. ....

4. Ich bin krank. ....

5. Ich darf nicht mehr Fußball spielen, will aber weiter Sport machen. ....

16 Imperatives

a) **What do you say?**

1. mehr Sport machen (Sie) *Machen Sie bitte mehr Sport!* ....

2. mindestens drei Liter Wasser am Tag trinken (ihr) ....!

3. mehr Obst und Gemüse essen (Sie) ....!

4. jeden Tag spazieren gehen (du) ....!

5. den Hustensaft abends nehmen (ihr) ....!

6. regelmäßig Rückengymnastik machen (Sie) ....!

7. weniger Schokolade essen (du) ....!

8. heute einen Termin beim Arzt machen (ihr) ....!

b) **Mark the verbs.**

17 Prohibited things

a) **What are you allowed /not allowed to do? Write sentences.**

> parken – fotografieren – ~~ins Wasser springen~~ – weiterfahren – Fußball spielen – essen und trinken – Ski fahren

1. *Hier dürfen Sie nicht* ....

2. ....

3. ....

4. *Hier darf man nicht ins Wasser springen.*

5. ....

6. ....

7. ....

b) **Complete the table with the missing forms of *dürfen*.**

	ich	du	er/es/sie	wir	ihr	sie/Sie
dürfen	....	darfst	....	dürfen	....	....

18 Party conversations

a) **Fill in the personal pronouns in the accusative.**

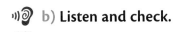

1. 🗩 Siehst du den tollen Typ da drüben?

   🗩 Den Blonden? Das ist Peter! Findest du .... gut?

   🗩 Ja, er sieht super aus!

   🗩 Ich habe seine Telefonnummer. Ruf .... doch mal an.

2. 🗩 Bist du noch mit Ulla zusammen?

   🗩 Nein, ich habe .... schon seit einem halben Jahr nicht mehr getroffen.

3. 🗩 Hallo! Ich glaube, ich habe .... schon einmal gesehen.

   🗩 Ja, natürlich! Am Montag haben wir .... in der Galerie getroffen. Wie geht es Ihnen denn?

4. 🗩 Du hast ja ein tolles Kleid an!

   🗩 Danke. Ich habe .... letzte Woche gekauft.

5. 🗩 Ihr habt .... im Café am Markt getroffen, du und ein junger Mann. Du liebst .... nicht mehr!

   🗩 Natürlich liebe ich .... noch. Er ist mein Kollege. Wir hatten ein Arbeitsessen.

b) **Listen and check.**
2.47

19 Speaking lyrically. **Listen and repeat.**
2.48

1. nicht verstehen – mich nicht verstehen –
   Kannst du mich nicht verstehen?
2. dich – brauche dich –
   Ich brauche dich!
3. liebe dich – ich liebe dich –
   Denn ich liebe dich!

4. sehen – ihn sehen – Ich kann ihn sehen.
5. hören – ihn hören – Ich kann ihn hören.
6. verstehen – ihn verstehen –
   Ich kann ihn verstehen.
7. treffen – ihn nicht treffen –
   Aber ich kann ihn nicht treffen.

Fit for A2? Test yourself!

Active language use

Talking about illnesses

Was fehlt Ihnen denn?

Ich habe Magenschmerzen. ....

....

....

▸ KB 2.3 – 2.5

Giving recommendations

Nimm eine Tablette! ....

....

....

▸ KB 3.2

Word fields

Parts of the body

Hand und ...., Arm und ...., Bauch und ....   ▸ KB 1.3

Illnesses

Tabletten ...., ein Rezept ...., Kopfschmerzen ....,

einen Termin ...., jemanden krank ....   ▸ KB 2.3 – 2.5

Grammar

The imperative

zum Arzt gehen (du) ....

im Bett bleiben (Sie) ....

mehr Sport treiben (ihr) ....

viel Obst essen (du) ....   ▸ KB 3.3

The modal verb *dürfen*

Saskia und ihr Bruder .... bis um 24 Uhr auf die Party gehen.

Thomas .... nicht mehr Laufen gehen.

Maria .... keine Milch trinken.   ▸ KB 2.5

Personal pronouns in the accusative

Da ist mein neuer Nachbar. Hast du .... schon gesehen? Ja, ich kenne ....

Wir haben .... beim Sport kennengelernt.   ▸ KB 4.2

Station 4

1 Berufsbilder

1 Job: chef.
Look at the photos.
What do chefs do?
Collect.

Koch/Köchin

2 Job description: chef

a) **Which tasks does a chef have? Read and underline the relevant parts of the text. Compare with your ideas in 1.**

Koch/Köchin

Berufe aktuell

■ Köche und Köchinnen machen Menü-Pläne und bestellen Lebensmittel. Sie organisieren die Arbeit in der Küche und kontrollieren die Lebensmittel. In kleinen Küchen kochen, braten und backen Köche und Köchinnen alle Gerichte selbst. In Großküchen sind sie oft spezialisiert, z. B. für Suppen, Salate, Fisch- oder Fleischgerichte. Sie müssen auch die Preise kalkulieren und manchmal die Gäste beraten.

■ Köche und Köchinnen arbeiten in Restaurants, Hotels, Kantinen, Krankenhäusern, Pflegeheimen, Catering-Firmen und manchmal auch in privaten Haushalten.

■ Köche und Köchinnen müssen oft bei Hitze und Lärm arbeiten. Sie müssen Hygienevorschriften beachten. Sie müssen kreativ sein und sich für Mathematik und Chemie interessieren.

■ Die Ausbildung dauert drei Jahre. Köche und Köchinnen arbeiten in Restaurants oft auch am Wochenende und an den Feiertagen. Sie verdienen ca. 1500 Euro im Monat, in großen Hotels oder guten Restaurants manchmal auch viel mehr.

35

b) **What is where in the job description? Match the headings.**

Wie sind die Arbeitszeiten und was verdient man? – Wo arbeitet man? – Was macht man in diesem Beruf? – Was muss man auch noch wissen?

3 Practising questions and answers. **Collect questions in class and answer them.**

Wo arbeiten Köche und Köchinnen?

Wie viel verdienen sie?

Sie müssen am ...

4 Job: nurse.
Read and collect information. Report back to the class.

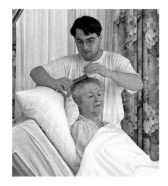  

Roland Sänger, Gesundheits- und Krankenpfleger

Gesundheits- und Krankenpfleger pflegen, versorgen und beraten Patientinnen und Patienten. Wir müssen z. B. die Patienten waschen oder Essen und Medikamente verteilen. Wir helfen den Ärzten auch bei Untersuchungen. Bei Operationen kontrollieren wir medizinische Apparate und Instrumente. Meistens arbeiten wir in Krankenhäusern, aber auch in ambulanten Stationen, dann pflegen wir die Patienten zu Hause. Meine Ausbildung hat drei Jahre gedauert. Im Moment arbeite ich im Schichtbetrieb im Krankenhaus. Meine Arbeit beginnt mal um sechs Uhr morgens, mal um zwei Uhr mittags oder um zehn Uhr abends.

Aufgaben	Arbeitszeiten	Arbeitsorte
Patienten pflegen		

5 Job dialogues

> Gesundheits- und Krankenpfleger arbeiten in Krankenhäusern.

a) **Who says what? Put the dialogues in the right order.**

~~Was kann ich für Sie tun?~~ – Kein Fieber? Wir messen aber noch einmal vor dem Frühstück. – Wie viel kostet der Flug? – 278 Euro, inklusive Steuern. – Guten Morgen, Frau Otto. Wie geht es Ihnen? – Ich muss am 27. September in Istanbul sein. – Wann gibt es Frühstück? – Um 14.10 Uhr. – In zwei Minuten, danach nehmen Sie bitte die Tabletten, o. k.? – Also, es gibt einen Flug am 27.09. um 11.35 Uhr. – Danke, besser. Ich habe kein Fieber. – Wann bin ich dann in Istanbul? – Gut, aber geben Sie mir bitte noch ein Glas Wasser. – Ja, der ist gut, den nehme ich.

Im Reisebüro	Im Krankenhaus
Was kann ich für Sie tun?	Guten Morgen, Frau Otto. Wie

b) **Listen and check.**

2.29

c) **Practise the dialogues.**

2 Wörter – Spiele – Training

1 Four seasons – what do you wear?

a) **Which season fits? Match.**

der Frühling ☐   der Herbst ☐

der Sommer ☐   der Winter ☐

1. Morgen bleibt es sonnig und trocken. Die Temperaturen steigen auf 28 Grad.
2. Am Sonntag bringen dichte Wolken leichten Schneefall. Die Temperaturen bleiben weiter unter null.
3. Am Dienstag liegen die Höchsttemperaturen meist nur bei 11 bis 13 Grad, starker Wind aus Nord-Ost.
4. Morgens noch Nebel, dann ein Mix aus Sonne und Wolken bei 17 bis 19 Grad, am Donnerstag 20 Grad.

b) **Combine the items of clothing with the seasons.**

Im Winter ziehe ich eine Winterjacke und ... an.

Im Sommer trage ich Jeans mit ...

> **Mini memo**
>
> **Winter clothes**
> der Schal, die Mütze,
> die Handschuhe, die Stiefel,
> der Wintermantel,
> die Winterjacke

2 A job at "Burger House" or rather at the "Grüner Baum" hotel?

a) **Choose one of the ads and collect information.**

	Arbeitsort	Arbeitszeit	Bezahlung	Voraussetzungen/ Anforderungen
Anzeige 1	Augsburg			
Anzeige 2				

American Burger & Pizza House

sucht in Augsburg **eine/n Pizzafahrer/in** für ca. 15 Stunden pro Woche.

Arbeitszeiten: Schichten mittags, nachmittags und abends; 5,70 Euro/Stunde + Trinkgeld.

Anforderungen: Flexibilität – Führerschein und PKW – gute Deutschkenntnisse.

Bitte bewerben Sie sich telefonisch bei Herrn Kabasakal, **0171 34142938**

Das Hotel „Grüner Baum"

sucht in Bochum **Zimmermädchen/Roomboys**. Voraussetzungen: keine.

20 Stunden, in drei Schichten mittags, nachmittags, abends, auch am Wochenende.

8,15 Euro/Stunde brutto.

Weitere Informationen bei Frau Wolters **0234 203 410**

---

b) Planning a call. Choose one of the ads in a) and note down questions about the job. Your problem: You are at your German class in the mornings.

> *Ist die Stelle als ... noch frei?*
> *Von wann bis wann ...?*
> *Kann ich ... anfangen?*
> *Wie viele Stunden ...?*

c) Make an appointment for a job interview. The diagram below will help you. Act out the dialogue in pairs.

Herr Kabasakal / Frau Wolters	**Sie**
Pizza House in ... / Hotel Grüner Baum in ... Sie sprechen mit ... Was kann ich für Sie tun? →	
	← Guten Tag, mein Name ist ... / Stelle frei?
Ja, ... →	
	← Arbeitszeiten?
Mittags von 12 bis 16 Uhr, ... →	
	← Prima, das passt gut.
Führerschein? / Arbeiten am Wochenende? →	
	← Ja, ...
Am ... um 9.30 Uhr zu einem Gespräch kommen? →	
	← Nein, ...
Um 13.30 Uhr? →	
	← Ja, ... Adresse?
Findelgäßchen 14a. / Pestalozzistraße 26. →	
	← Vielen Dank. Bis ... um ... Uhr. Auf Wiederhören!
Auf Wiederhören.	

3 Pronunciation: *-e, -en, -el, -er.* **Listen. Then read aloud.**
2.30

Ich habe heute keine Sahnetorte.   Am liebsten möchten wir einen Kuchen essen.
Äpfel und Kartoffeln sind Lebensmittel.   Eier esse ich lieber, aber Eier sind teuer.

4 Pronunciation: *i, ü, e, ö*
2.31

a) Listen and repeat.

vier – für   der Vogel – die Vögel
lesen – lösen   drücken – drucken

b) Read aloud.

vier – für – ich fuhr   das Tier – die Tür – die Tour   Kiel – kühl – cool

3 Filmstation

1 At the fruit and vegetable shop

21

a) Watch the film and read the story. Two pieces of information are wrong. Mark them.

Der Vater von Erkan hat einen Gemüseladen in Berlin. Erkan besucht seinen Vater. Der Vater freut sich. Erkan sagt, er bekommt Besuch. Ein Freund will ihn besuchen. Erkan kocht gern. Er will für seinen Freund kochen. Der Vater fragt: „Brauchst du etwas?" Er gibt Erkan Gemüse: Tomaten, Paprika, eine Zucchini, Eisbergsalat und eine Ananas. Erkan muss nichts zahlen.

Was kostet ein Kilo Pfirsiche?

b) What can you ask? Look at the photos and write questions.

1. ♥ _Was_ ....   ☺ Das Kilo kostet 1,99 €.

2. ♥ ....   ☺ Das Kilo 2,49 €.

3. ♥ ....   ☺ Die Birnen kommen aus Italien.

4. ♥ _Haben Sie_ ....   ☺ Ja, oben rechts, ganz frisch aus Costa Rica.

5. ♥ ....   ☺ Die kommen aus der Türkei.
                                                  Ganz billig, nur 0,99 € das Kilo.

c) Sentences from the film. Watch the film again and complete.

1. Entschuldigung, ich hätte gern ....

2. Was kostet der Paprika? – ....

3. Und dann bitte noch ....

4. Bitte ....

2 Breakfast in Germany

8

a) What people eat and drink. Make a picture dictionary.

....

das .... die ....

b) Watching closely: What is correct? Tick.

1. ☐ Lukas isst ein Käsebrötchen.   ☐ Lukas isst ein Schinkenbrötchen.
2. ☐ Janine schenkt Lukas Kaffee ein.   ☐ Lukas schenkt Janine Kaffee ein.
3. ☐ Die Milch steht auf dem Tisch.   ☐ Die Milch ist in der Tasse.
4. ☐ Lukas möchte noch ein Brötchen.   ☐ Lukas möchte kein Brötchen mehr.
5. ☐ Lukas telefoniert. Seine Mutter ruft an.   ☐ Lukas ruft seine Mutter an.

c) What do people often say during breakfast? Complete the phrases.

🗨 Möchtest du noch ....? 🗨 ....

🗨 Heute sind die Brötchen .... 🗨 Findest du?

🗨 Haben wir noch ....? 🗨 Ja, im Kühlschrank.

🗨 Es ist schon halb neun! 🗨 Halb neun? Ja, du hast recht, wir ....

🗨 Beeil dich, wir .... 🗨 Ich komme schon!

4 Magazin

Was essen die Deutschen?

In einem Jahr isst und trinkt
eine Deutsche / ein Deutscher ca. ...

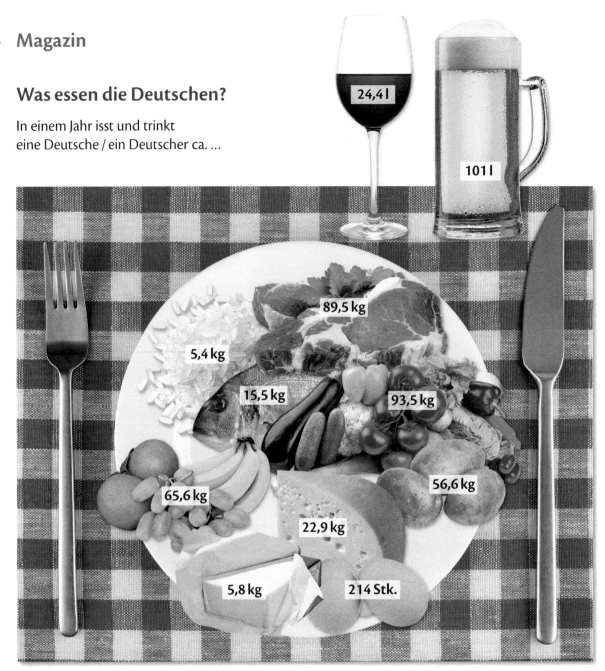

24,4 l

101 l

89,5 kg

5,4 kg

15,5 kg

93,5 kg

65,6 kg

56,6 kg

22,9 kg

5,8 kg

214 Stk.

(Quelle: Statistisches Bundesamt, Statistisches Jahrbuch 2012)

Brötchen, Semmel oder Weckerl?

Viele Lebensmittel haben in Deutschland, Österreich und in der Schweiz unterschiedliche Namen.

Deutschland	Österreich	Schweiz
Kartoffel	Erdapfel	Haerdoepfel
Aprikose	Marille	Barelle
Hähnchen	Hendl	Poulet
Brötchen	Semmel	Weggli
Käsekuchen	Topfenkuchen	Quarkkuchen
Hackfleisch	Faschiertes	Ghackets

Deutschland

2.32

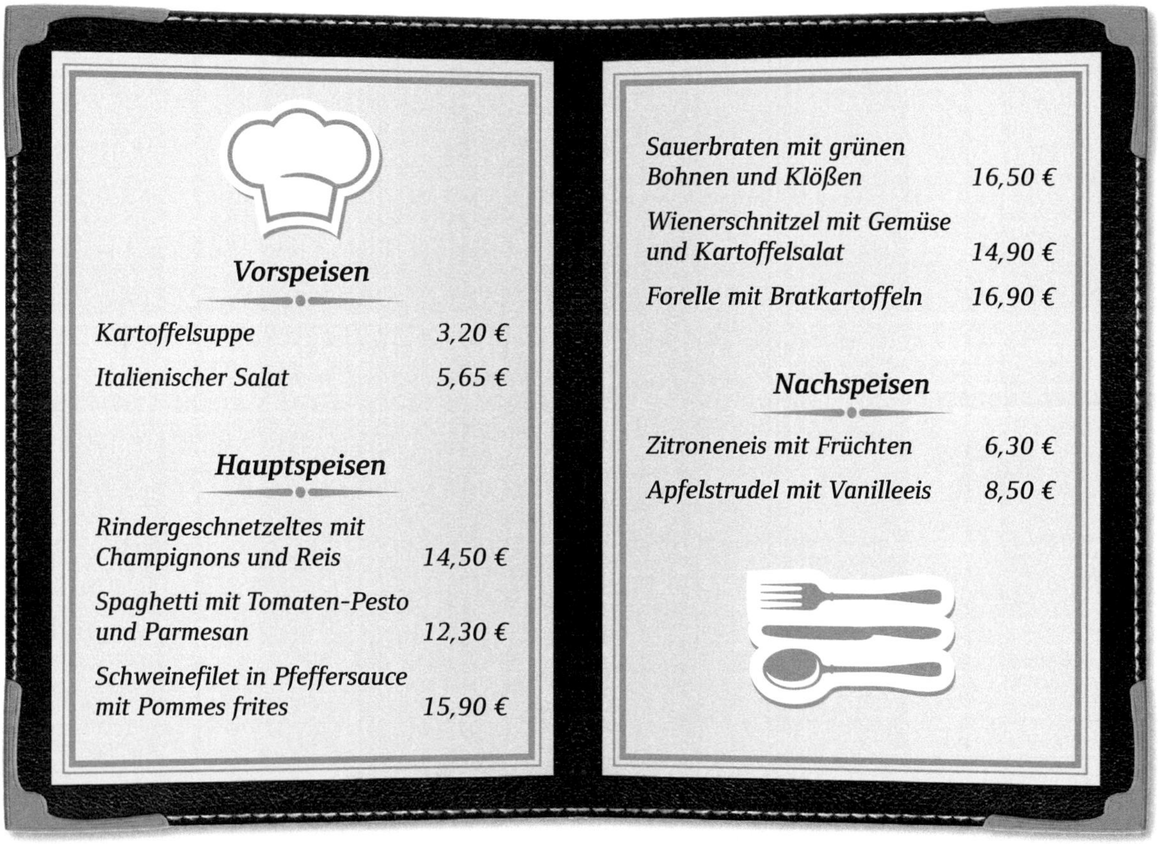

Vorspeisen

Kartoffelsuppe	3,20 €
Italienischer Salat	5,65 €

Hauptspeisen

Rindergeschnetzeltes mit Champignons und Reis	14,50 €
Spaghetti mit Tomaten-Pesto und Parmesan	12,30 €
Schweinefilet in Pfeffersauce mit Pommes frites	15,90 €
Sauerbraten mit grünen Bohnen und Klößen	16,50 €
Wienerschnitzel mit Gemüse und Kartoffelsalat	14,90 €
Forelle mit Bratkartoffeln	16,90 €

Nachspeisen

Zitroneneis mit Früchten	6,30 €
Apfelstrudel mit Vanilleeis	8,50 €

Österreich

Basilikum-Eiernockerl mit Salat	11,50
Kümmelbraten mit Kraut und Knödel	14,90
Faschierter Braten mit Erdäpfelsalat	13,20
Toskana Schnitzel mit Pürree	15,50
Schafkäsetascherl mit Spinat	11,50
Salzburger Würstel	9,80

Schweiz

Vorspiisä

Morchelcrèmesuppe	Fr. 15,-
Thonsalat garniert	Fr. 16,-
Salattteller mit Pouletbruststreifen	Fr. 18,-

Hauptspiisä

Bauernbratwurst mit Zwiebelsauce und knuspriger Rösti	Fr. 19,-
Schweinssteak mit Rahmsauce, Nudeln und Früchte	Fr. 30,-
Kalbspätzli mit Mischsalat	Fr. 31,-
Eglifilets nach Art des Hauses, Haerdoepfel und Tartarsauce	Fr. 32,-

Süessi Tröimli

Glace: Vanille, Erdbeer, Schokolade	Fr. 8,-

Grüezi mitenand!

5 Endspurt: Eine Rallye durch studio [21]

This game takes you through volume one.
Who can get to the finish first?

Rules

You need:
two to four players, a dice, one coin per player.

How to play:
correct answer = go forward two spaces
wrong answer = go back two spaces

 word joker =
go forward one space
for each correct answer

You have got ten seconds for each answer.

Start

1

Was haben Sie gestern gemacht? Nennen Sie drei Dinge.

11

Bilden Sie einen Satz.

seinen Sohn
um 17 Uhr
Peter Löscher
abholen
vom Kindergarten

10

Fragen Sie einen Spielpartner nach seinem Traumberuf.

9

Ergänzen Sie den Dialog.

💬 Guten Tag,
ich hätte gerne ...
🛒 Darf es sonst ...?
💬 Haben Sie auch ...?

8

Wortfeld Stadt: Nennen Sie vier Nomen.

12

Welche Körperteile haben wir nur einmal?

13

Wie spät ist es?

14

Wortfeld Wohnung: Nennen Sie fünf Zimmer.

15

Sie suchen eine Bar. Fragen Sie.

Ziel

24
Welche Frage passt?

Antwort:
„Im dritten Stock links,
Zimmer 321."

23
**Wann sind Sie
geboren?**

22
**Buchstabieren Sie
den Vornamen Ihrer
Spielpartnerin / Ihres
Spielpartners.**

2
**Wie
heißt der Plural?**

der Stuhl
das Radio
der Mann
die Straße

3
**Wie heißen die
Artikel?**

Postkarte
Autobahn
Kalender
Toilettenpapier

4
**Nennen Sie fünf
Sehenswürdigkeiten
in Berlin.**

21
**Nennen Sie
vier Berufe.**

7
**Was ist
das Gegenteil?**

lang
teuer
alt
spät
dunkel

6
**Fragen Sie nach
der Uhrzeit.**

5
**Langer oder
kurzer Vokal?
Sprechen Sie laut.**

Nudeln
Saft
Tasche
wohnen
viel

20
**Sie kommen zu spät.
Was sagen Sie?**

16
**Wie heißt das
Partizip II?**

gehen
arbeiten
hören
aufstehen

17
**Sie haben eine Grippe.
Was sagen Sie
dem Arzt?**

18
Wo sind ...?

der Eiffelturm
das Kolosseum
das Brandenburger Tor

19
**Länder/Sprachen.
Ergänzen Sie.**

Italien/...
.../Polnisch
.../Chinesisch
die Türkei/...

Hören

Dieser Test hat drei Teile.
Sie hören kurze Gespräche und Ansagen. Zu jedem Text gibt es eine Aufgabe. Lesen Sie zuerst die Aufgabe, hören Sie dann den Text dazu. Kreuzen Sie die richtige Lösung an.

2.33 **1** **Was ist richtig? Kreuzen Sie an: a, b oder c. Sie hören jeden Text zweimal.**

1. Wann kommt Herr Hübner?

a ☐ Gegen 10.30 Uhr.   b ☐ Gegen 11.30 Uhr.   c ☐ Gegen 11.15 Uhr.

2. Welche Zimmernummer hat Frau Dr. Kunz?

a ☐ 244.   b ☐ 224.   c ☐ 242.

3. Wie kommt der Mann zur Oper?

a ☐ An der Kreuzung nach links.   b ☐ An der Kreuzung nach rechts.   c ☐ Geradeaus bis zur Kreuzung.

4. Wo war Herr Düllmann im Urlaub?

a ☐ In den Bergen.   b ☐ Am Meer.   c ☐ Auf der Insel Sylt.

5. Herr Kaminski hat ...

a ☐ Kopfschmerzen.   b ☐ Bauchschmerzen.   c ☐ Halsschmerzen.

6. Was wollen die Frau und der Mann Nina schenken?

a ☐ Ein Kleid.   b ☐ Einen Mantel.   c ☐ Einen Pullover.

2 Was ist richtig? Kreuzen Sie an: richtig oder falsch. Sie hören jeden Text einmal.

2.34

	richtig	falsch
7. Auf der linken Seite ist die Humboldt-Universität.	☐	☐
8. Die Erdbeeren kosten 1,99 Euro.	☐	☐
9. Im Herbst soll man Vitamin C nehmen.	☐	☐
10. Die Vorwahl von Japan ist 0088.	☐	☐

3 Was ist richtig? Kreuzen Sie an: a, b oder c. Sie hören jeden Text zweimal.

2.35

11. Wohin fährt
der Mann?
a ☐ Nach Hause.
b ☐ Ins Büro.
c ☐ Nach Köln.

12. Wann kann man Dr. Mocker
am Dienstag erreichen?
a ☐ Von 11 bis 19 Uhr.
b ☐ Von 8 bis 13 Uhr.
c ☐ Von 8 bis 12 Uhr.

13. Wann will die Frau
einen Termin haben?
a ☐ Am Samstag.
b ☐ Am Donnerstag.
c ☐ Am Dienstag.

14. Wie war das Wetter
im Norden?
a ☐ Bewölkt.
b ☐ Sonnig.
c ☐ Heiß.

15. Was kosten
die T-Shirts?
a ☐ 29,95 Euro.
b ☐ 9,95 Euro.
c ☐ 19,95 Euro.

Lesen

Dieser Test hat drei Teile.
Sie lesen kurze Briefe, Anzeigen etc. Zu jedem Text gibt es Aufgaben.
Kreuzen Sie die richtige Lösung an.

25'

1 Lesen Sie die Texte und Aufgaben. Was ist richtig? Kreuzen Sie an: richtig oder falsch.

Lieber Peter, der Zug hat Verspätung.
Bin erst um drei in Köln. Gehen wir
heute Abend essen? Ruf an. Zwischen
fünf und sechs bin ich aber bei
Natascha.
LG Silke

	richtig	falsch
1. Silke kommt um 15 Uhr an.	☐	☐
2. Peter soll sie zwischen 17 und 18 Uhr anrufen.	☐	☐

Liebe Pia, lieber Holger,

den Umzug haben wir endlich hinter uns. Es war ziemlich anstrengend. Michael hat noch immer Rückenschmerzen. Wir hatten mehr als 75 Umzugskartons! Unsere Wohnung ist jetzt in der 3. Etage und hat 92 m². Die Zimmer sind sehr hell. Wir haben jetzt auch ein großes Arbeitszimmer mit viel Platz für unsere Bücher. Leider haben wir keinen Balkon und die Küche hat nur 7,5 m². Kommt doch mal zum Essen! Habt ihr am Samstagabend Zeit? Dann könnt ihr euch die Wohnung ansehen.

Viele Grüße
Karin + Michael

	richtig	falsch
3. Pia und Holger sind umgezogen.	☐	☐
4. Das Wohnzimmer ist leider nicht so hell.	☐	☐
5. Der Balkon ist nur klein.	☐	☐

2 **Lesen Sie die Texte und Aufgaben. Wo finden Sie Informationen? Kreuzen Sie an: a oder b.**

6. Sie möchten Polnisch lernen. Wo finden Sie Informationen?

www.bildung-brandenburg.de

➤ Partnerregionen in Polen
➤ Deutsch-polnische Schulprojekte
➤ Polnisch-Unterricht

www.ratgeber-polen.de

◆ Kommunikation
◆ Reiseinfos
◆ Medien

a) ☐ www.bildung-brandenburg.de

b) ☐ www.ratgeber-polen.de

7. Sie suchen einen neuen Kleiderschrank. Wo finden Sie Informationen?

www.2-c.de

Die Wohnwelt. Ihr Partner für Möbel.
Weitere Informationen über:
Schlafzimmer   –   Wohnzimmer
Arbeitszimmer   –   Kinderzimmer

www.arcom.de

Badezimmer-Möbelprogramm

Auf den folgenden Seiten stellen wir Ihnen das Angebot an Badmöbeln vor.

a) ☐ www.2-c.de

b) ☐ www.arcom.de

8. Sie möchten in Österreich auf der Donau eine Schiffsreise machen. Wo bekommen Sie Informationen?

www.austria.at

Unsere aktuellen Themen:
■ Winterurlaub ■ Weihnachtsurlaub
■ Ferienwohnungen und Hotels

www.donaukurier.at

Seit Generationen fasziniert die Donau. In unseren modernen Schiffen kann man den Fluss jeden Tag neu erleben.

a) ☐ www.austria.at

b) ☐ www.donaukurier.at

9. Sie möchten im Schwarzwald arbeiten. Wo finden Sie Informationen?

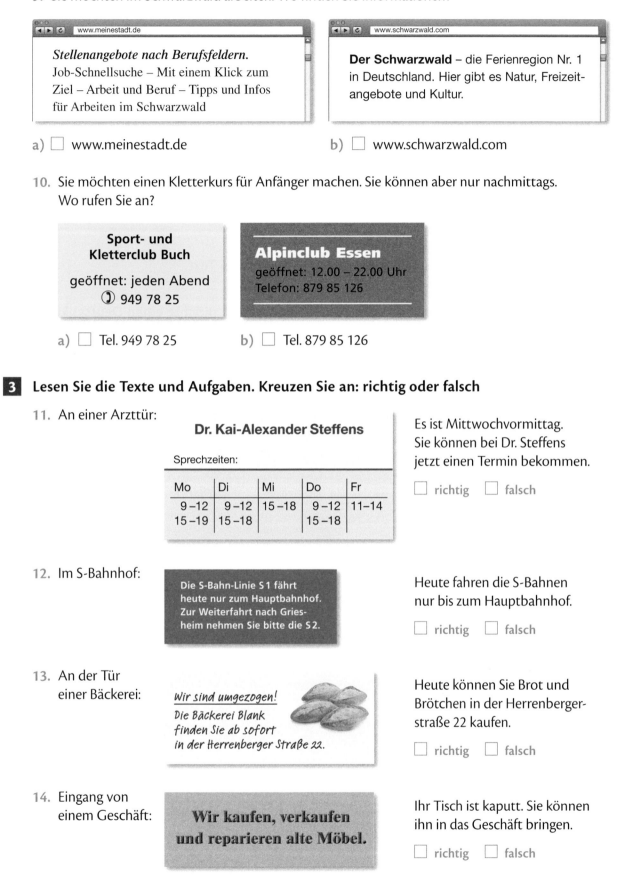

www.meinestadt.de

Stellenangebote nach Berufsfeldern.
Job-Schnellsuche – Mit einem Klick zum
Ziel – Arbeit und Beruf – Tipps und Infos
für Arbeiten im Schwarzwald

www.schwarzwald.com

Der Schwarzwald – die Ferienregion Nr. 1
in Deutschland. Hier gibt es Natur, Freizeit-
angebote und Kultur.

a) ☐ www.meinestadt.de   b) ☐ www.schwarzwald.com

10. Sie möchten einen Kletterkurs für Anfänger machen. Sie können aber nur nachmittags.
    Wo rufen Sie an?

**Sport- und
Kletterclub Buch**

geöffnet: jeden Abend
☎ 949 78 25

Alpinclub Essen
geöffnet: 12.00 – 22.00 Uhr
Telefon: 879 85 126

a) ☐ Tel. 949 78 25   b) ☐ Tel. 879 85 126

3 Lesen Sie die Texte und Aufgaben. Kreuzen Sie an: richtig oder falsch

11. An einer Arzttür:

Dr. Kai-Alexander Steffens

Sprechzeiten:

Mo	Di	Mi	Do	Fr
9–12	9–12	15–18	9–12	11–14
15–19	15–18		15–18	

Es ist Mittwochvormittag.
Sie können bei Dr. Steffens
jetzt einen Termin bekommen.

☐ richtig   ☐ falsch

12. Im S-Bahnhof:

Die S-Bahn-Linie S 1 fährt
heute nur zum Hauptbahnhof.
Zur Weiterfahrt nach Gries-
heim nehmen Sie bitte die S 2.

Heute fahren die S-Bahnen
nur bis zum Hauptbahnhof.

☐ richtig   ☐ falsch

13. An der Tür
    einer Bäckerei:

Wir sind umgezogen!
Die Bäckerei Blank
finden Sie ab sofort
in der Herrenberger Straße 22.

Heute können Sie Brot und
Brötchen in der Herrenberger-
straße 22 kaufen.

☐ richtig   ☐ falsch

14. Eingang von
    einem Geschäft:

**Wir kaufen, verkaufen
und reparieren alte Möbel.**

Ihr Tisch ist kaputt. Sie können
ihn in das Geschäft bringen.

☐ richtig   ☐ falsch

15. In der Sprachschule:

> **Das Exkursionsprogramm**
> **für den Kurs Deutsch II am 8.10.**
>
> 7.57 Uhr   Abfahrt Hauptbahnhof Tübingen
> 9.53 Uhr   Ankunft Hauptbahnhof Heidelberg
> 10.00 – 14.00 Uhr Stadtbesichtigung (Universität,
>   Heidelberger Schloss usw.)
> 15.00 – 19.00 Uhr frei (Stadtbummel, Einkaufen
>   in der Hauptstraße)

Die Teilnehmer können mittags einkaufen gehen.

☐ richtig   ☐ falsch

Schreiben

Dieser Test hat zwei Teile.
Sie füllen ein Formular aus und schreiben einen kurzen Text.

20'

1 Ihre Freundin, Jitka Staňková, spricht kein Deutsch. Sie möchte einen Deutschkurs an der Volkshochschule machen (Stufe A1.1). Sie wohnt jetzt in Hannover, in der Luther-straße 63. Die Postleitzahl ist 30171. Im Kursprogramm finden Sie einen Kurs für sie. In dem Anmeldeformular fehlen fünf Informationen. Helfen Sie Ihrer Freundin und schreiben Sie die fünf fehlenden Informationen in das Formular.

VHS-Programm

Deutsch – Stufe A1.1

Kursnummer: 4017–40
Mo, Di, Do, Fr 09.00–12.00 Uhr
€ 192,-

Anmeldeformular

Familienname, Vorname	*Staňková,*
Straße, Hausnummer	*Lutherstr.*
PLZ, Wohnort	*Hannover*
Telefon	*0511/818384*
Kurs, Kursnummer	

2 Sie sind krank. Sie können nicht nach Frankfurt zu einem Termin mit Herrn Bauer kommen. Schreiben Sie Herrn Bauer:

– Entschuldigung.   – Vorschlag: neuer Termin.

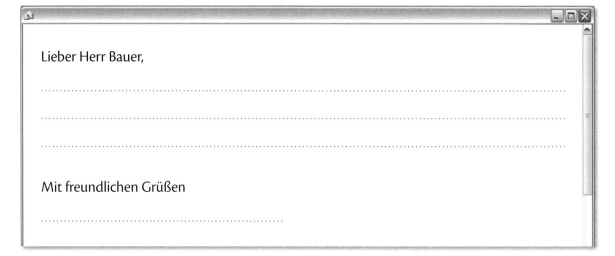

Lieber Herr Bauer,

....

....

....

Mit freundlichen Grüßen

....

Sprechen

Dieser Test hat drei Teile.
Sprechen Sie bitte in der Gruppe.

15'

1 Sich vorstellen.

> Name? – Alter? – Land? – Wohnort? – Sprachen? – Beruf? – Freizeit?

2 Um Informationen bitten und Informationen geben.

Einkaufen	Einkaufen	Einkaufen
Mantel	1 kg Bananen	Größe

Einkaufen	Einkaufen	Einkaufen
Kasse	Preis	Esstisch

Freizeit	Freizeit	Freizeit
Wochenende	wandern	Fahrkarten

Freizeit	Freizeit	Freizeit
Kino	telefonieren	schwimmen

3 Bitten formulieren und darauf reagieren.

 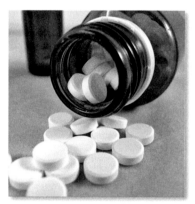 

Grammar overview

Grammar

Sentences

1 W-questions

E 3, 5

	Position 2			
Woher	kommen	Sie?	Aus Italien.	
Was	trinken	Sie?	Kaffee, bitte.	Woher kommen Sie?
Wie	heißt	du?	Claudio.	
Wie viel Uhr	ist	es?	Halb zwei.	
Wann	kommst	du?	Um drei.	
Wer	spricht	Russisch?	Ich.	

2 'Yes/No' questions

E 3

	Position 2		
Kommen	Sie	aus Italien?	
Trinken	Sie	Kaffee?	Kommen Sie aus Italien?
Warst	du	schon mal in München?	
Können	Sie	das bitte wiederholen?	

3 Statements

E 3

	Position 2		
Ich	spreche	Portugiesisch.	
Hildesheim	liegt	südlich von Hannover.	
Marion	ist	Deutschlehrerin.	

4 The sentence frame

E 5

		Position 2		End of the sentence
Statement	Ich	rufe	dich am Samstag	an.
	Ich	stehe	am Sonntag um elf	auf.
	Ich	gehe	um zehn	schlafen.
	Ich	kann	auf Deutsch	buchstabieren.
W-question	Wann	stehst	du am Sonntag	auf?
	Wann	gehst	du	schlafen?
	Was	möchten	Sie	trinken?
'Yes/No' question	Rufst	du	mich am Samstag	an?
	Können	Sie	das bitte	buchstabieren?

5 Phrases of time

E 5

	Position 2	
🗨 Wir	gehen	**am Sonntag** ins Kino. Kommst du mit?
🗨 **Am Sonntag**	kommt	meine Mutter. Das geht nicht.
🗨 Gehen	wir	**am Samstag** ins Museum?
🗨 Ja, **am Samstag**	geht	es.

6 Adjectives after nouns in a sentence

E 4

Meine Wohnung ist **klein**.

Ich finde meine Wohnung **schön**.

7 *Es* in a sentence

Es ist 4 Uhr.

Wie spät ist es?

Wie geht's?

Danke, es geht.

8 Words which join sentences

E 2 **1 Pronouns**

Das ist Frau Schiller. **Sie** ist Deutschlehrerin.

2 Articles

🗨 Wo ist mein Deutschbuch? 🗨 **Das** ist dort drüben!

🗨 Kennst du Frau Schiller? 🗨 Ja, **die** kenne ich, sie ist Deutschlehrerin.

> 👍 dort = Ort

E 3 **3 *dort* and *da***

🗨 Warst du schon mal in Meran? **Dort** spricht man Italienisch und Deutsch.

🗨 Gehen wir am Montag ins Kino? 🗨 Tut mir leid, **da** kann ich nicht. Zeit

🗨 Warst du schon mal in Meran? 🗨 Nein, **da** war ich noch nicht. Ort

E 2,5 **4 *das***

🗨 Cola, Wasser, Cappuccino ... **Das** macht 8,90 Euro.

🗨 Das ist Sauerkraut. 🗨 **Das** verstehe ich nicht. Können Sie **das** wiederholen?

🗨 Kommst du am Freitag? 🗨 Freitag? Ja, **das** geht.

Words

9 Nouns with articles

E2 **1 Definite articles: *der, das, die***

der Computer

masculine

das Haus

neuter

die Tasche

feminine

Au|to, das; -s, -s (griech.) (kurz

Pilot(in f) m -en, -en pilot.
Pilot-: ~anlage f pilot plant; ~ballon m pilot balloon; ~film m pilot film; ~projekt nt pilot scheme; ~studie f pilot study.

E2 **2 Indefinite articles: *ein, eine***

ein Computer

masculine

ein Haus

neuter

eine Tasche

feminine

E2 **3 Negation: *kein, keine***

Das ist ein Computer.   Das ist **kein** Computer, das ist ein Monitor.

Singular

der	Computer	das	Haus	die	Tasche
ein	Computer	ein	Haus	ein**e**	Tasche
kein	Computer	kein	Haus	kein**e**	Tasche

Plural

die	Computer, Häuser, Taschen
–	Computer, Häuser, Taschen
kein**e**	Computer, Häuser, Taschen

E4 **4 Definite articles, indefinite articles and negation in the accusative**

	Nominative		Accusative	
	der/(k)ein Flur.		**den** Flur	
Das ist	das/(k)ein Bad.	Ich finde	das Bad	zu klein.
	die/(k)eine Toilette.		die Toilette	
		Ich habe	**(k)einen** Flur.	
			(k)ein Bad.	
			(k)eine Toilette.	

5 Possessive adjectives in the nominative

Das ist mein Computer!

Personal pronoun	Singular		Plural
	der Balkon / das Bad	die Wohnung	die Balkone/Bäder/ Wohnungen
ich	mein		meine
du	dein		deine
er/es/sie	sein/sein/ihr		seine/seine/ihre
wir	unser		unsere
ihr	euer		eure
sie/Sie	ihr/Ihr		ihre/Ihre

10 Nouns in the plural

E 2

–	-s	-n	-e
der Computer	das Foto	die Tafel	der Kurs
die Computer	die Fotos	die Tafeln	die Kurse
der Lehrer	das Handy	die Regel	das Heft
die Lehrer	die Handys	die Regeln	die Hefte
der Beamer	der Kuli	die Lampe	der Tisch
die Beamer	die Kulis	die Lampen	die Tische

-(n)en	-(ä/ö/ü)-e	-(ä/ö/ü)-er
die Zahl	der Stuhl	das Haus
die Zahlen	die Stühle	die Häuser
die Lehrerin	die Stadt	das Buch
die Lehrerinnen	die Städte	die Bücher
die Tür	der Ton	das Wort
die Türen	die Töne	die Wörter

Rule The definite article in the plural is always **die**.

 Study tip
Learn nouns together with plural forms:
die Tür – die Türen
das Buch – die Bücher

11 Word formation: compounds

E2

Determiner   Primary word
↓   ↓

das Büro	**der** Büro - stuhl	**der** Stuhl
der Flur	**die** Büro - lampe	**die** Lampe
	die Flur - lampe	

> **Rule**   The article of a compound is the article of the primary word.
> The primary word is at the end.

12 Prepositions: *am, um, bis, von ... bis* + time

E5

am	**Am** Montag gehe ich in den Kurs.		Point in	**am** + Tag
um	Der Kurs beginnt **um** neun Uhr.		↓	**um** + Uhrzeit

von ... bis	Der Kurs dauert	**von** 19 **bis** 21 Uhr.	Period of
bis		**von** Montag **bis** Freitag.	←——→
		bis Sonntag.	

13 Prepositions: *in, neben, unter, auf, vor, hinter, an, zwischen, bei* + place (dative)

E6

💬 Wo ist mein Autoschlüssel?
🔑 Der Autoschlüssel ...

... hängt an der Wand.	... liegt auf der Kommode.	... liegt unter der Zeitung.	... liegt im Regal neben den Büchern.

		Singular		
		der Schreibtisch	das Regal	die Kommode
Der Schlüssel ist	in neben unter auf vor hinter	**dem** Schreibtisch	**dem** Regal	**der** Kommode.
Der Schlüssel hängt	an			**der** Wand.
		Plural		
Der Stuhl steht	zwischen bei	**den** Schreibtischen / **den** Regalen / **den** Kommoden.		

in dem = **im**
an dem = **am**
bei dem = **beim**

> **Rule**   der/das → **dem**   die → **der**   die (Plural) → **den**

14 Preposition: *mit* + dative
E 6

der Bus		**mit dem** Bus	
das Auto	Ich fahre	**mit dem** Auto	zur Arbeit.
die Straßenbahn		**mit der** Straßenbahn	

15 Question words
E 1, 2, 3, 5

wo?	💬 **Wo** warst du gestern?	👄 In Hamburg.
	💬 Aarau? **Wo** liegt denn das?	👄 In der Schweiz.
woher?	💬 **Woher** kommen Sie?	👄 Aus Polen. / Aus der Türkei.
was?	💬 **Was** heißt das auf Deutsch?	👄 Radiergummi.
	💬 **Was** möchten Sie trinken?	👄 Kaffee, bitte.
wer?	💬 **Wer** ist denn das?	👄 Das ist John.
wie?	💬 **Wie** heißt du?	👄 Ich heiße Ana.
	💬 **Wie** viel Uhr ist es?	👄 Es ist halb neun.
wann?	💬 **Wann** kommst du nach Hause?	👄 Um vier.

16 Verbs

1 Verbs: root and endings
E 1, E 2

	kommen	wohnen	heißen	trinken	arbeiten	schreiben	suchen
ich	komme	wohne	heiße	trinke	arbeite	schreibe	suche
du	kommst	wohnst	heißt	trinkst	arbeitest	schreibst	suchst
er/es/sie	kommt	wohnt	heißt	trinkt	arbeitet	schreibt	sucht
wir	kommen	wohnen	heißen	trinken	arbeiten	schreiben	suchen
ihr	kommt	wohnt	heißt	trinkt	arbeitet	schreibt	sucht
sie/Sie	kommen	wohnen	heißen	trinken	arbeiten	schreiben	suchen

2 The auxiliary verbs *sein* and *haben*
E 3, E 5

		Präsens	Präteritum	Präsens	Präteritum
Singular	ich	bin	war	habe	hatte
	du	bist	warst	hast	hattest
	er/es/sie	ist	war	hat	hatte
Plural	wir	sind	waren	haben	hatten
	ihr	seid	wart	habt	hattet
	sie/Sie	sind	waren	haben	hatten

17 Verbs: negation with *nicht*
E 5

Ich	gehe	am Sonntag	**nicht**	ins Theater.
Ich	kann	heute	**nicht**.	
Am Freitag	kann	ich	**nicht**.	
Das	geht		**nicht**.	
Kommst		du	**nicht**	mit?

Sentences

18 Phrases of time

E 7

		Position 2	
🗨 Wir	gehen	**am Sonntag** ins Kino. Kommst du mit?	
👤 **Am Sonntag**	kommt	meine Mutter. Das geht nicht.	
👤 Meine Mutter	kommt	**am Sonntag**. Das geht nicht.	
🗨 Wann	muss	ich zu Hause	sein?
👤 **Um 19 Uhr**	musst	du zu Hause	sein.
👤 Du	musst	**um 19 Uhr** zu Hause	sein.

19 Information in a sentence: *wie oft? – jeden Tag, manchmal, nie*

E 11

Ich	kaufe	**jeden Tag**	Milch.
Jeden Tag	kaufe	ich	Milch.
Ich	kaufe	**manchmal**	Fisch.
Manchmal	kaufe	ich	Fisch.

Fleisch kaufe ich **nie**! Ich bin Vegetarier.

20 The sentence frame

E 9

1 The *Perfekt* in a sentence

		Position 2		End of the sentence
Statement	Wir	haben	eine Radtour	gemacht.
	Wir	sind	nach Österreich	gefahren.
	Im Sommer	haben	wir eine Radtour	gemacht.
	Wir	sind	drei Wochen	geblieben.
Question	Habt		ihr eine Radtour	gemacht?
	Seid		ihr nach Österreich	gefahren?
	Wohin	seid	ihr	gefahren?
	Wie lange	seid	ihr	geblieben?

E 3, 7,
8, 11

2 Modal verbs in a sentence: *wollen, müssen, dürfen, können*

Statement	Wir	(wollen)	eine Radtour	(machen).
	Ich	(darf)	kein Fleisch	(essen).
	Ich	(muss)	um acht zu Hause	(sein).
	Ich	(kann)	am Samstag nicht	(kommen).

'Yes/No' question	(Wollt)	ihr	eine Radtour	(machen)?
	(Darfst)	du	Fisch	(essen)?
	(Müssen)	Sie	schon	(gehen)?
	(Können)	Sie	eine E-Mail	(schreiben)?

W-question	Wohin	(wollt)	ihr	(fahren)?
	Was	(darfst)	du	(essen)?
	Wann	(musst)	du	(gehen)?
	Wann	(kannst)	du	(kommen)?

21 *Es* in a sentence

E 11

Es regnet. (weather words)
Es ist kalt.

◯ Gehen wir am Samstag aus?   ◯ Am Samstag geht **es** nicht.

◯ Wie geht**'s**? (Wie geht **es**?)   ◯ Danke, **es** geht.

◯ Wir waren in den Ferien auf Mallorca.   ◯ Und wie war **es**?

22 Words which join sentences: *zuerst, dann, danach, und*

E 8

Zuerst war sie im Büro. **Dann** hat sie Sport gemacht. **Danach** war sie mit Jan im Kino.
Und dann haben sie noch eine Pizza gegessen.

◯ Wo geht es zum Schlosspark?
◯ **Zuerst** gehen Sie geradeaus bis zur Ampel. **Dann** die erste Straße links,
  danach sehen Sie schon das Schloss. **Und** hinter dem Schloss ist der Park.

Words

23 Possessive adjectives and (k)ein- in the accusative
E 7

Nominative			der		das		die
ich		mein		mein		meine	
du		dein		dein		deine	
er/es		sein		sein		seine	
sie	Das ist	ihr	Computer	ihr	Auto	ihre	Uhr.
wir		unser		unser		unsere	
ihr		euer		euer		eure	
sie/Sie		ihr/Ihr		ihr/Ihr		ihre/Ihre	

	Das ist	(k)ein	Computer	(k)ein	Auto	(k)eine	Uhr.

Accusative			den		das		die
ich		meinen		mein		meine	
du		deinen		dein		deine	
er/es		seinen		sein		seine	
sie	Ich suche	ihren	Computer	ihr	Auto	ihre	Uhr.
wir		unseren		unser		unsere	
ihr		euren		euer		eure	
sie/Sie		ihren/Ihren		ihr/Ihr		ihre/Ihre	

	Ich habe	(k)einen	Computer	(k)ein	Auto	(k)eine	Uhr.

24 Question word: welch-, demonstrative adjectives: dies-
E 10, E 11

Singular			der		das		die
Nominative	Wie ist	dieser	Computer	dieses	Auto	diese	Uhr?
Accusative	Ich mag	diesen	Computer	dieses	Auto	diese	Uhr.

Plural				
Nominative	Wie sind	diese	Computer/Autos/Uhren?	
Accusative	Ich suche	diese	Computer/Autos/Uhren.	

		der		das		die	
Nominative	Welcher	Apfel	welches	Eis	welche	Banane	schmeckt gut?
Accusative	Welchen	Apfel	welches	Eis	welche	Banane	kaufst du?
Plural	Welche	Äpfel/Bananen					kaufst du?

25 Personal pronouns in the accusative
E 12

Nominative	Accusative
ich	**mich**
du	**dich**
er/es/sie	**ihn/es/sie**
wir	**uns**
ihr	**euch**
sie/Sie	**sie/Sie**

💬 Kennst du Arnold Schwarzenegger?
🗣 Ja, ich habe **ihn** einmal in Graz getroffen.

💬 Hallo Petra, hast du einen neuen Freund?
Ich habe **euch** gestern in der Stadt gesehen!

26 Word formation: nouns + *-in, -ung*

E 7

1 Nouns + *-in*

der Lehrer **die** Lehrer**in**   der Taxifahrer **die** Taxifahrer**in**

2 Nouns + *-ung*

die Wohn**ung**   (wohnen)
die Ordn**ung**   (ordnen)
die Orientier**ung**   (sich orientieren)
die Entschuldig**ung**   (sich entschuldigen)

Rule Nouns with *-ung* = article **die**

27 Adjective – comparison: *viel, gut, gern*

E 10

viel	→	mehr	→	am meisten
gut	→	besser	→	am besten
gern	→	lieber	→	am liebsten

28 Adjectives in the accusative: indefinite articles

E 11

        Wer ist das?
den   Sein Mantel ist rot. Er trägt **einen** rot**en** Mantel.
das   Sein Hemd ist weiß. Er trägt ein weiß**es** Hemd.
die   Seine Nase ist groß. Er hat **eine** große Nase.
Plural   Seine Schuhe sind schwarz. Er trägt schwarz**e** Schuhe.
        Das ist der Weihnachtsmann!

29 The prepositions *in, durch, über* + accusative

E 8

*Wohin gehen
die Touristen?*

Die Touristen gehen   **ins** Museum.   **durch** das Tor.   **über** die Brücke.
                        (**ins** = **in das**)

der		**in den** Zoo.	**durch den** Park.	**über den** Markt.
das	Wir gehen	**ins** Museum.	**durch das** Tor.	**über das** Gelände.
die		**in die** Oper.	**durch die** Stadt.	**über die** Brücke.

30 The prepositions *zu, an ... vorbei* + dative

E 8

Die Touristen gehen   **zum** Museum.   **zur** Universität.   **am** Stadttor vorbei.
                        (**zum** = **zu dem**)   (**zur** = **zu der**)   (**am** = **an dem**)

der		**zum** Bahnhof.	**am** Bahnhof vorbei.
das	Wir gehen	**zum** Stadttor.	**am** Stadttor vorbei.
die		**zur** Brücke.	**an der** Brücke vorbei.

31 Modal verbs: *müssen, wollen, dürfen, können, möchten, mögen*

E 3, E 7,
E 8, E 11

	müssen	wollen	dürfen	können	möchten	mögen
ich	muss	will	darf	kann	möchte	mag
du	musst	willst	darfst	kannst	möchtest	magst
er/es/sie	muss	will	darf	kann	möchte	mag
wir	müssen	wollen	dürfen	können	möchten	mögen
ihr	müsst	wollt	dürft	könnt	möchtet	mögt
sie/Sie	müssen	wollen	dürfen	können	möchten	mögen

32 The imperative

E 12

Nimm keine Tabletten! **Geh** zum Arzt! **Kommen Sie** bitte am Montag um neun in die Praxis!
Geht nicht auf Partys!

Präsens	Imperative du form	*Präsens*	Imperative ihr form	*Präsens*	Imperative Sie form
du gehst	gehst	ihr geht	**geht**	Sie gehen	**gehen Sie**
du nimmst	nimmst	ihr nehmt	**nehmt**	Sie nehmen	**nehmen Sie**

33 The *Perfekt*: regular and irregular verbs

E 9

1 The past participle of regular verbs

Wir **haben** eine Radtour **gemacht**. Wir **haben** Wien **angeschaut**. Wir **haben** Freunde **besucht**.
Wir **sind** in den Bergen **gewandert** und **haben** viel **fotografiert**.

ge...(e)t	...ge...t	...(e)t	...ieren →...t
gemacht	eingekauft	besucht	fotografiert
gespielt	angeschaut	erreicht	probiert
gezeltet	abgeholt	übernachtet	telefoniert

2 The past participle of irregular verbs

Der Urlaub **hat begonnen**. Wir **sind** nach Italien **geflogen**. Ich **habe** meine Freundin **angerufen**.
Die Kinder **haben** Postkarten **geschrieben**. Wir **sind** in Rom **gewesen**.

ge...en	...ge...en	...en
geflogen	aufgestanden	verloren
geschrieben	angerufen	geboren
gekommen	weitergefahren	begonnen

> **Mini memo**
>
> Most verbs form the *Perfekt* with *haben*.
> Learn the *Perfekt* with *sein*:
> 🚲 fahren – ist gefahren, 🏃 laufen – ist gelaufen, ✈ fliegen – ist geflogen,
> bleiben – ist geblieben, passieren – ist passiert, sein – ist gewesen

Phonetics overview

The German vowels

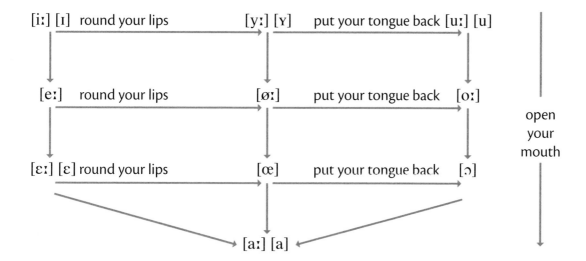

Examples of long and short vowels

[aː – a]   geb<u>a</u>det – gem<u>a</u>cht; [ɛː – ɛ] ger<u>e</u>gnet – gez<u>e</u>ltet; [iː – ɪ] gesp<u>ie</u>lt – bes<u>i</u>chtigt

Ich habe eine R<u>a</u>dtour gem<u>a</u>cht. Du hast dich an der <u>O</u>stsee erh<u>o</u>lt. Er hat am M<u>ee</u>r gez<u>e</u>ltet.
Wir haben <u>U</u>lm bes<u>u</u>cht. Sie haben W<u>ie</u>n bes<u>i</u>chtigt.

The long [eː]

[eː]   n<u>e</u>hmen, g<u>e</u>ben, l<u>e</u>ben, w<u>e</u>nig, der T<u>ee</u>, der S<u>ee</u>

The endings -e, -en, -el, -er

Ich habe heute keine Sahnetorte. Am liebsten möchten wir einen Kuchen essen.
Äpfel und Kartoffeln sind Lebensmittel. Eier esse ich lieber, aber Eier sind teuer.

Examples of unrounded and rounded vowels

[iː – yː]   vier – für, spielen – spülen, das Tier – die Tür, Kiel – kühl

[ɪ – ʏ]   die Kiste – die Küste, das Kissen – küssen, die Brillen – brüllen

[eː – øː]   lesen – lösen, der Besen – die Bösen, die Meere – die Möhre

[ɛ – œ]   kennen – können, der Wärter – die Wörter

Examples of an umlaut or no umlaut

[yː – uː]   die Brüder – der Bruder, spülen – spulen

[ʏ – ʊ]   drücken – drucken, nützen – nutzen

[øː – oː]   schön – schon, die Größe – große, die Höhe – hohe

Three long vowels next to each other

[iː – yː – uː]   die Ziege – die Züge – im Zuge, das Tier – die Tür – die Tour, vier – für – ich fuhr,
spielen – spülen – spulen

Spelling and pronunciation [p, b, t, d, k, g]

[p] can be written: *p* as in *das Papier*
pp as in *die Suppe*
b at the end of a word or syllable as in *halb vier*

[b] can be written: *b* as in *ein bisschen*

[t] can be written: *t* as in *die Tasse*
tt as in *das Bett*
th as in *das Theater*
dt as in *die Stadt*
d at the end of a word or syllable as in *das Geld*

[d] can be written: *d* as in *das Datum*

[k] can be written: *k* as in *können*
ck as in *der Zucker*
g at the end of a word or syllable as in *der Tag*

[g] can be written: *g* as in *gern*

Spelling and pronunciation [f] and [v]

[f] can be written: *f* as in *fahren*
ff as in *der Löffel*
v as in *der Vater*
ph as in *die Phonetik*

[v] can be written: *w* as in *wer*
v as in *die Universität*

Spelling and pronunciation of the nasal sounds [n, ŋ]

[n] can be written: *n* as in *nein*
nn as in *können*

[ŋ] can be written: *ng* as in *der Junge*
n(k) as in *die Bank*

The pronunciation of the consonant *r*

[r] must be pronounced: [r] as in *richtig* when *r* is at the beginning of a syllable
[ʁ] as in *der Berg* when *r* is at the end of a syllable (+ consonant/s)
[ɐ] as in *besser* when *-er* is at the end of a syllable

List of irregular verbs

anbraten	*er brät an*	*er hat angebraten*
anfangen	er fängt an	er hat angefangen
anrufen	er ruft an	er hat angerufen
anschreiben	er schreibt an	er hat angeschrieben
ansehen	er sieht an	er hat angesehen
anziehen (sich)	er zieht sich an	er hat sich angezogen
aufstehen	er steht auf	er ist aufgestanden
ausgehen	er geht aus	er ist ausgegangen
backen	er backt/bäckt	er hat gebacken
beginnen	er beginnt	er hat begonnen
bekommen	er bekommt	er hat bekommen
beraten	er berät	er hat beraten
bleiben	er bleibt	er ist geblieben
bringen	er bringt	er hat gebracht
denken	er denkt	er hat gedacht
dürfen	er darf	er durfte (Präteritum)
einreiben	*er reibt ein*	*er hat eingerieben*
entscheiden (sich)	er entscheidet sich	er hat sich entschieden
essen	er isst	er hat gegessen
fahren	er fährt	er ist gefahren
fallen	er fällt	er ist gefallen
fernsehen	er sieht fern	er hat ferngesehen
finden	er findet es	er hat es gefunden
fliegen	er fliegt	er ist geflogen
geben	er gibt	er hat gegeben
gefallen	es gefällt	es hat gefallen
gehen	er geht	er ist gegangen
haben	er hat	er hatte (Präteritum)
hängen	es hängt	es hat gehangen
heben	er hebt	er hat gehoben
heißen	er heißt	er hat geheißen
helfen	er hilft	er hat geholfen
kennen	er kennt	er hat gekannt
kommen	er kommt	er ist gekommen
können	er kann	er konnte (Präteritum)
laufen	er läuft	er ist gelaufen
leidtun	es tut leid	es hat leidgetan
lesen	er liest	er hat gelesen
liegen	es liegt	es hat gelegen
mitkommen	er kommt mit	er ist mitgekommen
mögen	er mag	er mochte (Präteritum)
müssen	er muss	er musste (Präteritum)
nehmen	er nimmt	er hat genommen
schlafen	er schläft	er hat geschlafen
schließen	er schließt	er hat geschlossen
schneiden	er schneidet	er hat geschnitten
schreiben	er schreibt	er hat geschrieben
schwimmen	er schwimmt	er ist geschwommen
sehen	er sieht	er hat gesehen
sein	er ist	er war (Präteritum)

singen	er singt	er hat gesungen
sitzen	er sitzt	er hat gesessen
Ski fahren	er fährt Ski	er ist Ski gefahren
spazieren gehen	er geht spazieren	er ist spazieren gegangen
sprechen	er spricht	er hat gesprochen
stattfinden	*es findet statt*	*es hat stattgefunden*
stehen	er steht	er hat gestanden
tragen	er trägt	er hat getragen
treffen	er trifft	er hat getroffen
trinken	er trinkt	er hat getrunken
tun	er tut	er hat getan
verbinden	er verbindet	er hat verbunden
vergehen	es vergeht	es ist vergangen
vergessen	er vergisst	er hat vergessen
vergleichen	er vergleicht	er hat verglichen
verlieren	er verliert	er hat verloren
verschreiben	*er verschreibt*	*er hat verschrieben*
verstehen	er versteht	er hat verstanden
waschen	er wäscht	er hat gewaschen
wehtun	es tut weh	es hat wehgetan
wissen	er weiß	er hat gewusst
wollen	er will	er wollte (Präteritum)
zunehmen	*es nimmt zu*	*es hat zugenommen*
zurückdenken	er denkt zurück	er hat zurückgedacht

Transcripts

Here you find all the transcripts that were not printed or not completely printed in the units.

Start auf Deutsch

1 [1]

+ Entschuldigung, wo ist der Alexanderplatz?
– Das ist einfach. Gehen Sie hier nur geradeaus die Straße Unter den Linden entlang. Dann kommen Sie zum Alex.

Firma Intershop, guten Morgen, Claudia Meinert am Apparat.

+ Was darf´s sein?
– Eine Pizza Margherita, bitte.

Liebe Kundinnen und Kunden, heute im Angebot: Pizza Ristorante, verschiedene Sorten, 1,99 Euro pro Packung, Persil-Waschmittel 1 kg-Packung nur 12,75 Euro, Crème fraîche …

Herr Weimann bitte zum Lufthansa-Schalter. Es liegt eine Information für Sie vor. Mr. Weimann please contact the Lufthansa Counter, there´s a message for you.

Lufthansa Flug LH 349 nach Zürich, wir bitten die Passagiere zum Ausgang. Lufthansa flight LH 349 to Zurich now ready for boarding.

1 [3]

Sprecher 1 kommt aus Frankreich.
Sprecherin 2 kommt aus Tschechien.
Sprecher 3 kommt aus Deutschland.
Sprecherin 4 kommt aus Syrien.

3 [2]

1. Graz – 2. Hamburg – 3. Bern – 4. Berlin – 5. Frankfurt – 6. Wien – 7. Genf – 8. Lugano

3 [4]

1. + Goethe-Institut München. Grüß Gott.
   – Guten Tag. Kann ich bitte Herrn Benz sprechen?
   + Bitte wen? Krenz?
   – Nein, Herrn Benz, B-E-N-Z.
2. + Heier.
   – Guten Morgen, ist dort die Firma Mayer mit A-Y?
   + Nein, hier ist Heier. H-E-I-E-R.
   – Oh, Entschuldigung …
3. + Hotel Astron, Guten Morgen.
   – Guten Tag. Hier ist Sundaram. Ich möchte ein Zimmer reservieren.
   + Entschuldigung. Wie heißen Sie? Buchstabieren Sie bitte.
   – S-U-N-D-A-R-A-M.

1 Kaffee oder Tee?

2 [2]

a) + Hallo, Katja. Ist hier noch frei?
   – Hallo, Martin. Ja klar.
   + Was trinkst du? Mineralwasser?
   – Nein, lieber Orangensaft.
   + Zwei Orangensaft, bitte.

b) + Grüß dich, Anna. Das ist Amir.
   – Tag, Sabira. Hallo, Amir. Woher kommst du?
   * Aus Libyen. Und du?
   + Aus Serbien. Was trinkt ihr? Kaffee?
   – Ja, Kaffee …
   * … mit viel Milch, bitte.

2 [5]

c) + Kommst du jetzt?
   – Ja, ich komme.

   ı Wo wohnst du?
   – Ich wohne in Berlin.

   + Wo wohnt ihr?
   – Wir wohnen in Hamburg.

   + Wo wohnt er?
   – Pedro? Er wohnt in München.

   + Frau Bergmann, wo wohnen Sie?
   – Ich wohne in Potsdam.

3 [6]

vier – siebzehn – neunundzwanzig – zweiunddreißig – dreiunddreißig – fünfundvierzig, Zusatzzahl: neun

3 [7]

23 – 1 – 49 – 33 – 43 – 50 – 45 – 25 – 31 – 12 – 37 – 11 – 3 – 4 – 44 – 29 – 30 – 13 – 2 – 38 – 39 – 40 – 20 – 19 – 9 – 18 – 26 – 42 – 28 – 46 – 8 – 47 – 35 – 41 – 7 – 36 – 17 – 5 – 27 – 15 – 21 – 48 – 32 – 16 – 6 – 22 – 14 – 24 – 10 – 34

4 [1]

1. + Ich habe jetzt ein Handy.
   – Aha, wie ist die Nummer?
   + 0171 235 53 17.
2. + Becker.
   – Becker? Ich habe die 73 49 87 55 gewählt!
   + Ich habe die 73 49 87 52.
   – Oh, Entschuldigung.
3. + Wie ist Ihre Telefonnummer?
   – Das ist die 0341-804 33 08.
   + Ich wiederhole: 0341-804 33 08.
   – Ja, richtig.
4. + Telekom Auskunft, Platz 23.
   – Hallo, ich hätte gern die Nummer von Wilfried Otto in Königshofen.
   + Das ist die 03423-23 26 88. Ich wiederhole: 03423-23 26 88.
   – Danke.

4 [3]

1. + Zahlen, bitte!
   – Drei Eistee. Das macht zusammen 7 Euro 20.
   + Und getrennt?
   – 2 Euro 40, bitte.
2. + Ich möchte zahlen, bitte!
   – 2 Euro 60.
   + 2 Euro 60, hier bitte.
   – Danke, auf Wiedersehen!

3. + Ich möchte bitte zahlen!
    – Eine Cola und zwei Wasser, zusammen oder getrennt?
    + Zusammen, bitte.
    – Also, eine Cola, das sind 2 Euro 20 und zwei Wasser à 2 Euro 10. Das macht zusammen ... Moment ... 6 Euro 40, bitte.
    + Hier, bitte, stimmt so. Tschüss.
    – Danke, auf Wiedersehen!

Ü 5

+ Cola mit Eis?
– Ja, viel Eis, bitte.

* Tee oder Kaffee?
– Lieber Tee, mit viel Zucker, bitte.

Kaffee mit Milch und Zucker?
– Nein, ohne Milch und ohne Zucker, bitte.

Ü 6

b) + Entschuldigung, ist hier noch frei?
    – Ja klar, bitte.
    + Danke. Ich heiße Mateusz und das ist Polina.
    – Hallo, ich bin ... Woher kommt ihr?
    + Wir kommen aus Polen. Und du? Woher kommst du?
    – Ich komme aus ...
    + Was möchtest du trinken? Tee oder lieber Kaffee?
    – Tee mit Zucker.
    + Gut, dann drei Tee mit Zucker, bitte.

Ü 8

1. + Hallo, Diana! Was möchtest du trinken?
    – Guten Tag, Paul. Ich nehme Fanta mit wenig Eis.
2. + Guten Tag, was trinken Sie?
    – Ich nehme Kaffee mit viel Milch und ohne Zucker.
3. + Entschuldigung, trinken Sie Wasser oder lieber Orangensaft?
    – Orangensaft ... oder nein, lieber Cola.
4. + Trinkst du Weißwein?
    – Nein, ich nehme lieber Rotwein.

Ü 11

So, da haben wir Tisch 3 ... das war ein Wasser, das ist 209 und einmal Apfelschorle ... Nr. 220. Dann Tisch 88: das waren die 208, 214 und 217 und Tisch 34 ... einmal Sprite ... ähm ... Nr. 211.

Ü 12

1. Liebe Fahrgäste, am Gleis 3 wartet der ICE 3043 nach München, planmäßige Abfahrt ...
2. Vorsicht am Gleis 9! Es fährt ein: der EC 1509 von Erfurt nach Jena Paradies.
3. Der ICE 8878 nach Düsseldorf fährt heute vom Gleis 9 ab.

Ü 13

1. + Julian, wie ist deine Telefonnummer?
    – Meine Telefonnummer ist 0172 43 74 333.
2. + Wie ist die Telefonnummer von Michaela?
    – Die Telefonnummer von Michaela? Das ist die 4569872.
3. + Sabine, hast du ein Handy?
    – Ja.
    + Und wie ist deine Nummer?
    – 0179 126 186 9.
4. + Wie ist die Handynummer von Jarek?
    – Moment ... das ist die 0176 22 11 334.

Ü 14

1. + Empfang, Stein am Apparat.
    – Hallo, Paech hier. Wie ist die Telefonnummer von Frau Mazanke, Marketingabteilung?
    + Einen Moment, 68 35 und die Durchwahl ist 48 17.
    – Danke schön.
2. + Hallo, ich brauche die Telefonnummer von Herrn Feldmeier in München.
    – Ja ... die Vorwahl ist 089 und dann die 448 093 87.
3. + Stein, Empfang.
    – Guten Morgen, Frau Stein. Wie ist die Telefonnummer von Frau Rosenberg in Dresden?
    + Frau Rosenberg, Serviceteam?
    – Ja.
    + Das ist die 264 651 und die 0351 für Dresden.

Ü 16

+ Ja, bitte?
– Ich möchte zahlen, bitte.
+ Zusammen oder getrennt?
– Zusammen, bitte.
+ Kaffee – 1,20 Euro und Milchshake – 1,80 Euro ... Das macht 3 Euro, bitte.
– Hier, bitte.
+ Danke, auf Wiedersehen!

Ü 17

1. + Entschuldigung, ist hier noch frei?
    – Ja, bitte. Mein Name ist Angelina. Bist du auch im Sprachkurs A1?
    + Ja. Ich heiße Paul. Ich komme aus Frankreich. Woher kommst du?
    – Ich komme aus Italien.
2. + Was möchten Sie trinken?
    – Tee, bitte.
    + Mit Zucker und Milch?
    – Mit Milch, bitte.
3. + Wir möchten zahlen, bitte!
    – Getrennt oder zusammen?
    + Zusammen, bitte.
    – Das macht dann 5,30 Euro.
    + Bitte!
    – Danke und auf Wiedersehen!
    + Tschüss!

2 Sprache im Kurs

1 1

Können Sie das bitte buchstabieren?
Entschuldigung, kannst du das bitte wiederholen?
Kannst du das bitte schreiben?
Wie heißt das auf Deutsch?

1 4

1. der Tisch – 2. das Buch – 3. die Tasche – 4. die Brille –
5. der Radiergummi – 6. das Heft – 7. der Kuli – 8. der Becher

2 5

b) 1. die Brüder – 2. zählen – 3. das Buch – 4. die Türen –
   5. das Wort – 6. der Stuhl – 7. die Töne – 8. das Haus

3 **2**

+ Was ist denn das?
– Das? Rate mal!
+ Ein Mann?
– Nein, falsch. Guck mal jetzt!
+ Eine Frau?
– Ja …
+ Eine Lehrerin?
– Ja, richtig! Und was ist das?
+ Ah, eine Lehrerin und ein Buch. Hey, das ist ja Frau Neumann, die Deutschlehrerin!

Ü **1**

a) + Entschuldigung. Wie heißt das auf Deutsch?
– Der Radiergummi.
+ Das verstehe ich nicht. Können Sie das bitte wiederholen?
– Der Radiergummi.
+ Können Sie das bitte anschreiben?
– Ja, klar. Der Radiergummi.

Ü **5**

b) 1. der Mann und die Frau – 2. essen und trinken – 3. lesen und schreiben – 4. ja oder nein – 5. Kaffee oder Tee – 6. der Tisch und der Stuhl – 7. das Papier und der Stift – 8. hören und sprechen – 9. fragen und antworten – 10. der Bleistift und der Radiergummi

Ü **7**

+ Ja, bitte?
– Entschuldigung, wie heißt das auf Deutsch?
+ Das ist eine Zimmerpflanze.
– Ich verstehe das nicht. Können Sie das bitte wiederholen?
+ Ja, gerne. Das ist eine Zimmerpflanze.
– Ah. Können Sie das bitte buchstabieren?
+ Die Z-I-M-M-E-R-P-F-L-A-N-Z-E.

Ü **10**

Liebe Eltern, die Kinder brauchen für das neue Schuljahr wieder neue Sachen. Hier ist die Liste: 4 Hefte, 1 Füller, 3 Stifte, 2 Kulis, 1 Englisch-Wörterbuch und 1 Radiergummi. So, unser weiteres Thema ist …

Ü **11**

1. hören – 2. begrüßen – 3. üben – 4. zählen – 5. können – 6. Österreich – 7. möchten – 8. fünf

Ü **16**

b) Ich bin Maria Gonzales. Ich komme aus Mexiko und lebe in Mexiko-Stadt. Ich bin 19. Ich bin verheiratet mit José Gonzales. Wir haben keine Kinder. Ich spreche Spanisch, Englisch und Französisch. Ich lerne Deutsch im Goethe-Institut in Mexiko-Stadt. Deutschland ist für mich Technik und Fußball!

Ü **18**

a) Ich heiße Tran und komme aus Vietnam. Ich bin verheiratet mit Viet. Wir leben seit 2010 in Weimar und haben ein Kind, es heißt Viet Duc. Ich spiele gern Gitarre.
b) Mein Name ist Jakub Podolski. Ich bin Student. Ich lebe in Warschau und studiere Medizin. Ich bin 23 Jahre alt und möchte in Deutschland arbeiten. Mein Hobby ist Sport.

c) Ich bin Amita und ich lebe in Mumbai. Ich arbeite bei Daimler Benz. Ich lerne Deutsch am Goethe-Institut. Ich bin verheiratet und habe ein Kind. Ich liebe Bücher.

3 Städte – Länder – Sprachen

1 **3**

1. + Was ist das?
– Das ist der Prater.
+ Und wo ist das?
– In Wien.
+ Aha, und in welchem Land ist das?
– Wien ist in Österreich.
2. + Und was ist das?
– Das ist die Akropolis.
+ Wo ist denn das?
– In Athen.
+ Ach so, und in welchem Land ist das?
– Athen ist in Griechenland.

5 **1**

+ Hallo, wir sind Campus Radio. Wir interviewen internationale Studenten. Wie heißt ihr? Woher kommt ihr?
– Ciao, ich bin Laura. Ich komme aus Pisa und studiere in Bologna.
Und ich bin Piet. Ich bin aus Brüssel.
+ Welche Sprachen sprecht ihr?
– Ich spreche Italienisch – und oft Englisch und Deutsch im Studium, natürlich.
Ich spreche Niederländisch. Das ist meine Muttersprache. Und Französisch. Im Studium brauche ich Deutsch und oft Englisch.
+ Und was studiert ihr?
# Ich studiere Chemie.
– Deutsch als Fremdsprache. Ich bin im Masterstudiengang.

Ü **3**

1. – Ich heiße Frank und komme aus Interlaken.
+ Wo ist denn das?
– Das ist in der Schweiz.
2. – Ich bin Mike aus San Diego.
+ Wo ist denn das?
– Das ist in den USA.
3. – Mein Name ist Nilgün und ich komme aus Izmir.
+ Wo ist denn das?
– Das ist in der Türkei.
4. – Ich heiße Stefanie, ich komme aus Koblenz.
+ Wo ist denn das?
– Das ist in Deutschland.
5. – Mein Name ist Světlana. Ich komme aus Prag.
+ Wo ist denn das?
– Das ist in Tschechien.

Ü **9**

1. + Herr Onischtschenko, woher kommen Sie?
– Ich komme aus Moldawien. Waren Sie schon mal in Moldawien?
+ Nein, wo liegt denn das?
– Das liegt östlich von Rumänien.

2. + Und aus welcher Stadt kommen Sie?
   – Aus Cahul.
   + Wo ist das?
   – Cahul liegt südwestlich von Kischinau. Kischinau ist die Hauptstadt von Moldawien.
3. – Jetzt wohne ich aber in Duisburg.
   + Ah, Duisburg. Ich war schon mal in Duisburg. Das liegt nördlich von Köln.
   – Ja, genau.
4. – Und wo wohnen Sie?
   + Ich wohne in Lüdenscheid.
   – Wo liegt denn das?
   + Lüdenscheid liegt nordöstlich von Köln.

Ü 16

Mein Name ist Anke Baier. Ich bin verheiratet und habe einen Sohn. Ich komme aus München, aber meine Familie und ich leben im Westen von Österreich – in Innsbruck. Das liegt in Tirol. Dort spricht man Deutsch. Ich spreche Deutsch, Italienisch und Englisch.

Ü 20

b) + Woher kommen Sie?
   – Ich komme aus …
   + Aha. Und welche Sprachen spricht man dort?
   – Bei uns spricht man …
   + Welche Sprachen sprechen Sie?
   – Ich spreche … Und Sie?
   + Ich spreche Deutsch, Englisch und ein bisschen Spanisch.

Station 1

3 4

Hier ist der Deutschlandfunk. An unserem Hörspielabend hören Sie „Schöne Grüße", ein Hörbeispiel aus Dänemark. Es folgt um 21 Uhr das „Küchenduell", eine französische Dokumentation und danach das „Stadtgespräch" aus Wien, eine österreichische Talkshow. Um 23 Uhr folgt „Das schöne Mädchen", ein tschechisches Märchen. Gute Unterhaltung!

4 Menschen und Häuser

1 2

a) + Hallo, Uli, wie geht's?
   – Danke gut, Lars. Du, wir haben eine neue Adresse. David, Lena und ich wohnen jetzt in einer Altbau-wohnung, in der Goethestraße 117 in Kassel.
   + Moment, ich schreibe die Adresse auf. Sag nochmal.
   – Goethestraße Nummer 117 in 34119 Kassel.

Ü 2

a) 1. + Herr Gülmaz, wie ist Ihre Adresse?
      – Meine Adresse? Wiesenstraße 65, 13357 Berlin.
   2. + Und Ihre Adresse, Frau Schmidt?
      – Meine Adresse ist: An der Universität 19, 07743 Jena.
   3. + Herr Heller, wie ist Ihre Adresse?
      – Das ist die Hauptstraße 98, 51817 München.

Ü 5

+ Guten Tag, Frau Wenke. Hier ist vielleicht Ihre Traum-wohnung.
– Hallo, Herr Meier, na ja, mal sehen.
+ Die Wohnung hat drei Zimmer.
– Hat die Wohnung auch einen Garten?
+ Nein, sie hat keinen Garten. Aber es gibt einen Balkon. Hier!
– Schön, aber der Balkon ist sehr klein. Was kostet die Wohnung?
+ Sie kostet nur 550 Euro. Das ist sehr billig.
– Gut, dann nehme ich sie.

Ü 10

+ Hallo, ich zeige dir unsere Wohnung! Hier ist die Küche.
– Habt ihr ein Esszimmer?
+ Nein, unsere Wohnung hat kein Esszimmer. Aber hier rechts ist das Wohnzimmer. Es ist groß und sonnig.
– Hat die Wohnung auch einen Balkon?
+ Ja, sie hat einen Balkon, am Arbeitszimmer. Ich finde den Balkon schön, aber zu klein.
– Wo ist denn euer Arbeitszimmer?
+ Hier gleich neben dem Bad.
– Ist eure Wohnung teuer?
+ Nein, die Wohnung kostet 700 Euro warm. Das ist billig.

Ü 15

der Tisch und der Stuhl
der Schreibtisch und das Bücherregal
das Bett und der Schrank
die Küche und der Flur
das Bad und die Toilette

5 Termine

1 1

1. Es ist sechs Uhr. Die Nachrichten …
2. 19 Uhr: Die Nachrichten des Tages, heute mit Petra Meier.
3. Liebe Fahrgäste auf Gleis 2: Der IC 1893 nach Frankfurt am Main, planmäßige Ankunft 16.05 Uhr hat 95 Minuten Verspätung.
4. Guten Tag, ich habe um 14 Uhr einen Termin bei Frau Dr. Vocks.

2 1

Am Montag?
Ja, am Montag.
Am Dienstag um 10 Uhr?
Nein, lieber am Mittwoch um 10?
Am Donnerstag oder am Freitag?
Lieber am Samstag?
Und am Sonntag?
Am Samstag?
Ja, gern.

4 5

a) + Haben Sie einen Termin frei?
  – Geht es am Freitag, um 9.30 Uhr?
  + Ja, das geht.

  + Gehen wir am Freitag ins Kino?
  – Am Freitagabend kann ich leider nicht, aber am Samstag.

  + Können Sie am Freitag um halb zehn?
  – Ja das ist gut.

  + Treffen wir uns am Montag um acht?
  – Um acht geht es leider nicht, aber um neun.

Ü 2

b) + Ackermann.
  – Hallo, Herr Ackermann, Binek hier. Ich habe die Termine für nächste Woche.
  + Schön.
  – Also, am Montag um acht Uhr haben Sie den Termin beim Zahnarzt. Und am Mittwoch um 11 ist das Treffen mit Frau Rein.
  + Am Mittwoch ... um 11 Uhr ... Frau Rein. O.k., ist das alles?
  – Nein, am Dienstag und Donnerstag essen Sie um 13 Uhr mit Herrn Meier.
  + Hm, Dienstag und Donnerstag um ...?
  – Um 13 Uhr. Das ist alles.
  + Gut und vielen Dank!
  – Gern, auf Wiederhören.

Ü 3

c) 1. + Laura, wie spät ist es?
    – Einen Moment ... es ist zwanzig nach vier.
  2. Kulturradio Berlin und Brandenburg, es ist 14.30 Uhr, die Nachrichten: In Frankreich ...
  3. Schön, Frau Rosemüller, dann notiere ich den Termin: halb elf am Donnerstag.
  5. + Leo, aufstehen, es ist schon zehn vor sieben!
    – Hmmm ... noch fünf Minuten ...
    + Aufstehen!
  6. Achtung auf Gleis drei! Der Intercity Express 13 46 von Hamburg nach München, planmäßige Abfahrt 13.46 Uhr, fährt ein.

Ü 10

– Praxis Dr. Brummer, guten Tag.
+ Guten Tag. Mein Name ist ... Ich hätte gern einen Termin.
– Waren Sie schon einmal hier?
+ Nein.
– Hm, nächste Woche am Mittwoch um 8 Uhr?
+ Um acht kann ich leider nicht. Geht es auch um 14 Uhr?
– Ja, das geht auch. Also, am Mittwoch um 14 Uhr.
+ Danke und auf Wiederhören!
– Auf Wiederhören!

Ü 15

+ Wann stehst du morgen auf?
– Ich stehe um sieben Uhr auf.
+ Wann fängst du morgen im Büro an?
– Ich fange zwischen acht und neun Uhr an.
+ Wann gehst du morgen aus?
– Ich gehe um neun aus.

6 Orientierung

1 3

Ich bin Birgit Schäfer und wohne in Schkeuditz. Das ist westlich von Leizpig. Ich arbeite bei ALDI am Leipziger Hauptbahnhof. Ich fahre eine halbe Stunde mit dem Zug.

Ich heiße Lina Salewski und bin Bibliothekarin. Ich arbeite in der Universitätsbibliothek „Albertina" in der Beethoven-straße. Mein Büro ist in der vierten Etage. Ich wohne in Gohlis und fahre eine Viertelstunde mit dem Fahrrad zur Arbeit. Das sind fünf Kilometer.

Ich bin Marco Sommer und wohne in Markkleeberg, im Süden von Leipzig. Ich arbeite bei der Deutschen Bank am Martin-Luther-Ring. Ich fahre jeden Tag 20 Minuten mit der Straßenbahn zur Arbeit.

Ich heiße Alexander Novak und wohne in der Südvorstadt. Ich arbeite bei Porsche. Ich brauche im Stadtverkehr 30 Minuten mit dem Auto. Aber es ist oft Stau.

4 1

b) + Hallo, Herr Sommer, hier Peter Rosner.
  – Guten Tag, Herr Rosner.
  + Können wir uns nächste Woche noch zu einer Beratung treffen?
  – Ja, sicher. Wann geht es bei Ihnen?
  + Gleich am Montag, den 22.10. um 9 Uhr?
  – Das tut mir leid, da habe ich schon einen Termin. Aber am Dienstag, 23.10. um 9 Uhr geht es bei mir.
  + Prima, das geht bei mir auch.
  – Okay, dann bis zum 23.10. 9 Uhr.
  + Ja, danke! Bis nächste Woche!
c) + Praxis Dr. Otto, guten Tag.
  – Guten Tag, hier Marco Sommer. Ich habe nächste Woche Donnerstag, den 25.10. einen Termin um 15 Uhr und muss ihn leider verschieben.
  + Ja, gut. Dann schauen wir mal. Können Sie am Dienstag, 23.10. gleich morgens um 9 Uhr?
  – Nein, da habe ich schon einen Termin.
  + Und am Freitagnachmittag, 26.10. um 16 Uhr?
  – Ja, das passt.
  + Gut, dann notiere ich: Freitag, 26.10. um 16 Uhr.
  – Prima, vielen Dank. Auf Wiederhören!
  + Auf Wiederhören!

Ü 1

a) U7 Richtung Rathaus Spandau. Zurückbleiben, bitte.

Ü 2

1. Ich arbeite an der Universität in Münster. Münster ist klein. Ich stehe um 8.30 Uhr auf. Ich fahre 15 Minuten mit dem Fahrrad zur Arbeit.
2. Ich arbeite am Max-Planck-Institut in Jena und wohne in Weimar. Ich stehe um 8 Uhr auf. Ich fahre eine Viertel-stunde mit dem Zug und 10 Minuten mit dem Bus zum Institut am Beutenberg.
3. Ich lebe in Hamburg und arbeite am Hamburger Hafen. Ich stehe jeden Morgen um 4 Uhr auf und fahre 35 Minuten mit dem Auto zur Arbeit.
4. Ich arbeite in Berlin und lebe in Potsdam. Von Montag bis Freitag stehe ich um 6.15 Uhr auf. Potsdam ist südwestlich von Berlin. Ich fahre 40 Minuten mit der S-Bahn bis zum Hauptbahnhof und fünf Minuten mit dem Bus bis zur Arbeit.

Ü 5

a) + Entschuldigung, wo finde ich die Caféteria?
– Die Caféteria ist ganz oben, in der 4. Etage.
Guten Tag, ich suche die Garderobe.
– Die Garderobe ist gleich hier hinten.
* In welcher Etage finde ich die Verwaltung?
– Die Verwaltung ist in der 3. Etage.
§ Ich suche den Lesesaal.
– Den Lesesaal finden Sie in der 1. Etage.
% Wo sind bitte die Zeitungen?
– Die Abteilung mit den Zeitungen finden Sie in der 2. Etage.
& Hallo, wo finde ich die Toiletten?
– Gleich hier im Erdgeschoss unten rechts.

Ü 7

+ Guten Tag, kann ich Ihnen helfen?
– Entschuldigung, wo ist denn bitte die Caféteria?
+ Die Caféteria ist im Erdgeschoss.
– In welcher Etage sind die Lesesäle?
+ Die Lesesäle sind in der 1. Etage.
– Und die Gruppenarbeitsräume? Wo finde ich die Gruppenarbeitsräume?
+ Die Gruppenarbeitsräume sind in der 2. Etage.
– Und ... Entschuldigung, wo sind die Toiletten bitte?
+ Die Toiletten sind gleich hier rechts.
– Vielen Dank!

Ü 11

1. + Praxis Dr. Glas, Seidel am Apparat.
– Martens, guten Morgen. Ich hätte gern einen Termin.
+ Wann geht es denn?
– Am Donnerstag um 8 Uhr?
+ Hm, da geht es leider nicht. Geht es am Mittwoch um 9.30 Uhr?
– Nein, da kann ich nicht. Da muss ich arbeiten.
+ Hm, Moment, am Dienstag um 11 Uhr?
– Ja, das ist okay.
2. + Praxis Dr. Glas, Seidel, guten Tag.
– Hier ist Finster. Ich habe heute um 10.45 Uhr einen Termin, aber ich stehe leider im Stau. Ich bin erst um 11.15 Uhr in Frankfurt. Kann ich da noch kommen?
– Ja, das geht.
3. + Praxis Dr. Glas, Seidel am Apparat.
– Weimann, guten Morgen. Ich hätte gern heute einen Termin.
+ Guten Morgen, Frau Weimann. Heute um Viertel nach zehn geht es.
– Schön, vielen Dank.

Ü 13

1. Queen Elisabeth ist am 21. Vierten 1926 geboren.
2. George Clooney ist am 6. Fünften 1961 geboren.
3. Heidi Klum ist am 1. Sechsten 1973 geboren.
4. Vitali Klitschko ist am 19. Siebten 1971 geboren.

Fit für Einheit 7?
Mit Sprache handeln

+ Wann rufst du deine Mutter an?
– Ich rufe sie zwischen 10 und 12 Uhr an.

7 Berufe

1 2

1. Mein Name ist Sascha Romanov. Ich bin von Beruf Koch und arbeite in einem Restaurant in Köln.
2. Ich bin Dr. Michael Götte. Ich bin Bauingenieur bei Hochtief in Rostock.
3. Ich heiße Sabine Reimann. Ich arbeite als Sekretärin bei einer Versicherung in Basel.
4. Ich heiße Stefan Jankowski. Ich bin Student, aber im Moment mache ich ein Praktikum bei Siemens und schreibe Computerprogramme.
5. Ich bin Jan Hartmann. Ich bin Taxifahrer in Berlin.

Ü 2

1. Hallo, ich heiße Abbas Samet und lebe in Düsseldorf. Ich arbeite schon viele Jahre als Taxifahrer in Dortmund und Bochum. Ich fahre gern Auto.
2. Mein Name ist Anna Zimmermann. Ich bin Floristin von Beruf und arbeite in einem Blumenladen in Stuttgart. Ich lebe mit meiner Familie in Leonberg in der Nähe von Stuttgart.
3. Ich bin Simon Winter. Ich bin Ingenieur. Ich komme aus Deutschland und lebe in Freiburg und Bern. Ich arbeite in Bern bei einer großen Firma.
4. Hi, mein Name ist Frieda Neumann. Ich arbeite als Krankenschwester in einem Krankenhaus in Graz.

Ü 5

b) Hallo, ich heiße Benjamin Herbst. Mein Geburtstag ist der 17.10.1978. Ich lebe in Frankfurt und bin Kfz-Mechatroniker. Ich arbeite im Autohaus Weber, die Adresse ist Hellerhofstraße 5 in Frankfurt am Main. Meine Telefonnummer ist 069/78634 und meine Handynummer ist 0176 748 95 52.

Ü 7

1. + Guten Tag.
– Guten Tag. Reparieren Sie auch Motorräder? Das Licht ist kaputt.
+ Ja, ja. Bringen Sie das Motorrad in die Werkstatt.
2. + Hallo, sind Sie frei?
– Ja.
+ In die Zillestr. 9, bitte.
– Aber gern.
3. + So, wie schneiden wir die Haare?
– Na ja, ich möchte sie kurz haben.
+ Kurz?! Sie haben aber doch so schöne Haare!
4. + Wie kann ich helfen?
– Mir geht es nicht gut, ich denke, ich bin krank.
+ Na, dann untersuche ich Sie erst einmal. Machen Sie Aah!
5. + Frau Toberenz, schreiben Sie bitte eine E-Mail an Herrn Wagner. Der Termin mit Herrn Böttger ist am Dienstag um 10 Uhr.
– Ja, mache ich. Ich rufe auch Frau Späth an. Sie haben morgen mit ihr einen Termin.
+ Oh, ja! Wann denn?
– Um 14 Uhr.
6. + Der Schrank hier ist schön. Was kostet er?
– 899 Euro.
+ Hmm, das ist teuer.

Ü 9

b) Guten Tag, mein Name ist Maren Kaiser. Ich komme aus Hamburg, das ist in Norddeutschland. Ich lebe mit meinem Mann und meinen drei Kindern in Halle. Ich bin Programmiererin und arbeite seit sechs Jahren bei Brüder & Hansen. Ich arbeite viel mit Computern und schreibe Programme für Computer. Hier bitte, das ist meine Karte.

Ü 12

a) – Jana, magst du deinen Beruf als Erzieherin in einem Kindergarten?
  + Ja, sehr. Es ist mein Traumberuf.
  – Was magst du an deinem Job?
  + Ich kann jeden Tag mit Kindern arbeiten. Ich muss nicht im Büro am Computer sitzen. Das ist super!
  – Was machst du mit den Kindern?
  + Ich kann gut Gitarre spielen und singen. Also singe ich oft mit den Kindern.
  – Was magst du nicht an deinem Beruf?
  + Ich muss sehr früh aufstehen. Und ich kann nicht viel Geld verdienen.
  – Jana, vielen Dank für das Interview …

8 Berlin sehen

1 2

c) Wir fahren auf unserer Route jetzt durch den Tiergarten. Links seht ihr das Schloss Bellevue, das ist der Sitz des Bundespräsidenten. Jetzt links kommt das neue Bundeskanzleramt. Die Berliner nennen das Gebäude „Waschmaschine". Vor uns seht ihr den Reichstag und jetzt rechts das Brandenburger Tor. Dort hinten ist der Potsdamer Platz. Dort ist auch das Sony Center. Wir sind jetzt in der Straße Unter den Linden. Hier sind viele Botschaften. Rechts, das große Haus, das ist die russische Botschaft. Wir fahren jetzt über die Friedrichstrasse. Das ist eine beliebte Einkaufsstraße. Die Staatsoper ist hier rechts. Links kommt die Humboldt-Universität. Und jetzt fahren wir über die Schlossbrücke. Links, das ist der Berliner Dom und dann kommt die Alte Nationalgalerie. Vor uns sehen wir den Fernsehturm auf dem Alexanderplatz.

2 2

1. + Entschuldigung, wie kommen wir von hier zum Pergamonmuseum?
   – Das ist ganz leicht. Hier ist das Rote Rathaus. Sie gehen geradeaus bis zur Karl-Liebknecht-Straße, dann nach links am Berliner Dom vorbei. Danach ist es die erste Straße rechts und Sie kommen direkt zum Pergamonmuseum.
   + Vielen Dank!
2. + Entschuldigen Sie, wir suchen die Staatsoper.
   – Das ist nicht weit. Gehen Sie hier an der U-Bahn die Friedrichstraße immer geradeaus bis zur Straße Unter den Linden. Dann biegen Sie nach rechts, gehen geradeaus und finden auf der rechten Seite die Staatsoper. Viel Spaß!
   + Dankeschön!

Ü 6

1. + Entschuldigung. Wo ist das Schloss?
   – Das Schloss? Ah, ja. Gehen Sie die Straße hier links bis zum Schillerplatz. Und dann geradeaus bis zur Galerie. Bei der Galerie biegen Sie wieder links ab. Da ist dann das Schloss.
2. + Entschuldigung. Ich will zum Schloss. Können Sie mir helfen?
   – Ja, das ist einfach! Gehen Sie geradeaus bis zur dritten Kreuzung. Dann gehen Sie links und immer weiter geradeaus. Das Schloss ist das große Gebäude auf der rechten Seite.

Ü 8

+ Entschuldigung, wo geht es zur Deutschen Bank?
– Ja, gehen Sie geradeaus und an der nächsten Kreuzung rechts. Dann die nächste Straße links.
+ Also geradeaus und an der nächsten Kreuzung links?
– Nein, an der nächsten Kreuzung rechts.
+ Ach so, an der nächsten Kreuzung rechts.
– Die Bank ist das große moderne Haus auf der rechten Seite.
+ Vielen Dank. Ist es weit?
– Na ja, etwa fünf Minuten.
+ Danke. Auf Wiedersehen!

Ü 11

b) + Können Sie mir helfen? Wie komme ich zur Humboldt-Universität?
  – Zur Humboldt-Universität? Zuerst gehen Sie hier links.
  + Also zuerst hier links?
  – Genau, und dann gehen Sie bis zur dritten Kreuzung geradeaus.
  + Ok, dann bis zur dritten Kreuzung geradeaus.
  – Ja, genau. Auf der linken Seite sehen Sie dann die Humboldt-Universität.
  + Dann sehe ich auf der linken Seite die Humboldt-Universität?
  – Genau!

Ü 15

c) Paula und Alejandro schlafen lange. Am Mittag gehen Sie in den Zoo. Danach bummeln sie über den Flohmarkt. Anschließend fahren Sie zur Museumsinsel und gehen ins Museum. Am Abend treffen Sie ihre Freunde. Sie laufen zusammen durch den Park und gehen in einem Restaurant essen.

9 Ab in den Urlaub

1 2

a) 1. + Wo warst du im Urlaub?
     – Ich war im Allgäu.
     + Und wie war´s?
     – Es war super und auch das Wetter war gut.
   2. + Wo wart ihr in den Ferien?
     – An der Ostsee, auf Rügen. Es war nicht so schön.
     + Warum?
     – Es hat oft geregnet.

Transcripts

3. + Hast du schon Urlaub gemacht?
  – Nein, wir machen erst im August Urlaub.
  + Und was macht ihr?
  – Wir fahren nach Österreich. Wir wollen in den Bergen wandern.
  + Oh, schön!
4. + Warst du im Urlaub?
  – Nein, ich mache dieses Jahr keinen Urlaub.

3 3
gefallen – gespielt – geflogen – passiert – aufgestanden – angerufen – gekommen – verloren – geschrieben – geholfen – gemacht – weitergefahren

3 6
a) 1. Ich bin Kerstin Biechele. Ich war auf der Insel Sylt. Ich habe Freunde getroffen, wir sind oft Rad gefahren und haben die Insel angesehen. Und ich habe immer lange geschlafen!
  2. Hallo, ich bin Markus Demme. Ich habe im Urlaub einen Freund in München besucht. Wir haben die Stadt besichtigt und dann sind wir in die Alpen gefahren. Wir sind viel gewandert.
  3. Ich bin Manja. Ich war in den Ferien an der Ostsee. Ich war oft am Strand. Ich habe in der Sonne gelegen, viel gebadet und gelesen.

Ü 2
1. Hallo, mein Name ist Carina. Ich war im Urlaub in Heidelberg. Ich war bei meiner Tante und meinen Cousinen. Sie haben ein Einfamilienhaus mit einem Garten. Es war sehr schön, auch das Wetter war prima.
2. Hi, ich bin Julia. In den Ferien war ich mit meiner Klasse und meinem Lehrer im Allgäu. Wir waren in den Bergen. Ich wandere sehr gern, es war toll.
3. Hi, ich bin Cora. Meine Freundin und ich waren an der Ostsee und dann auf Rügen. Das Wetter war leider nicht so gut. Wir waren nur an einem Tag am Strand.
4. Guten Tag, ich heiße Lena. Ich bin jeden Sommer mit meiner Familie auf Sylt. Wir haben auf Sylt ein kleines Reetdachhaus, dort ist es immer sehr schön. Der Strand ist gleich in der Nähe. Die Kinder spielen am Strand und wir können lesen.

Ü 3
– Guten Tag, Frau Mertens.
+ Guten Tag, Herr Marquardt. Waren Sie im Urlaub?
– Ja, zwei Wochen. Ich bin am Montag zurückgekommen.
+ Wo waren Sie denn?
– Wir waren auf der Insel Rügen, in Sassnitz.
+ Und wie war es?
– Es war toll. Wir waren jeden Tag draußen.
+ Und wie war das Wetter?
– Es war prima. 14 Tage nur Sonne!

Ü 6
+ Kommt mit in meine Stadt. Heute machen wir einen Spaziergang durch die Stadt Linz mit Thomas Seifert.
– Hi, ich bin Thomas und lebe seit 15 Jahren in Linz. Für Menschen, die noch nie in Linz waren: Die Stadt liegt an der Donau im Nordosten von Österreich. Viele Touristen fahren gern mit einem Schiff auf der Donau. So sieht man die Stadt vom Wasser. Linz ist die Stadt der Kultur, 2009 war Linz sogar die Kulturhauptstadt Europas. Hier gibt es viel Theater und Musik. Im Frühling und Sommer gibt es viele Festivals. Ich gehe jedes Jahr im Mai zum Linzfest, einem Musikfestival. Dort gibt es tolle Musik aus ganz Europa. Eine wichtige Touristenattraktion ist auch der Mariendom. Wenn Sie nach Linz kommen, müssen Sie unbedingt die Linzer Torte probieren. Sie ist sehr lecker und es gibt sie schon seit 1653! Und zum Schluss meine persönliche Empfehlung: Besuchen Sie auch den Botanischen Garten. Dort ist es schön ruhig und man kann dort den Stadtstress vergessen.

Ü 15
b) 1. Hi, ich fahre gern in den Urlaub. Ich mache gern Sporturlaub. Letztes Jahr habe ich eine Radtour gemacht. Ich bin mit dem Rad in die Berge gefahren – 300 km! Dort bin ich dann viel gewandert und Rad gefahren.
  2. Also, ich mache Urlaub immer in der Türkei in einem schönen Hotel am Strand. Ich liebe den Strand und das Meer. Ich lese gern und viel. Museen oder Städtetouren finde ich langweilig. Ich fahre immer mit zwei Freunden in den Urlaub. Wir haben zusammen viel Spaß.
  3. Ich mache gern Städteurlaube. In Europa war ich schon in vielen Städten, z. B. in London, Paris, Budapest oder Sevilla. Ich gehe gern in Cafés und Museen. Ich fahre immer mit meiner Freundin in den Urlaub. Nächstes Jahr fahren wir nach Brüssel.

Station 3

1 1
c) + Frau Manteufel, welche Aufgaben haben Sie im Reisebüro?
  – Als Reiseverkehrskauffrau organisiere ich Urlaubs- und Geschäftsreisen für unsere Kunden. Ich muss z. B. Abfahrtszeiten für die Reisen mit der Bahn, dem Bus, dem Flugzeug oder dem Schiff recherchieren und Fahrkarten und Tickets buchen. Ich reserviere Zimmer in Hotels, aber auch Ferienwohnungen oder Ferienhäuser, und ich organisiere Exkursionen. Wir müssen viele Länder sehr gut kennen. Ich bin Spezialistin für Reisen in die USA und Kanada, ich muss immer aktuelle Informationen haben.
  + Wie sammeln Sie Ihre Informationen?
  – Ich lese aktuelle Reiseführer und Kataloge, und man kann auch Informationen aus Videos sammeln. Mit dem Com-puter recherchiere ich z.B. Reiseziele, Preise oder Fahrpläne.
  + Verreisen Sie oft?
  – Wir reisen leider nicht so oft, nur im Urlaub. Manchmal muss ich eine Qualitätskontrolle in Hotels im Ausland machen oder mich über neue Reisetrends informieren. Dann fahre ich zu einer Messe. Letzte Woche war ich in Friedrichshafen zur Internationalen Touristikmesse „Reisen und Freizeit".
  + Für welche Länder haben Kunden großes Interesse?
  – In Europa sind es Griechenland und Italien. Im Trend sind ganz klar Trekking-Touren, z.B. auch in Nepal oder in Kenia. Abenteuerurlaub ist im Moment „in". Unsere Kunden lieben das!

1 3

+ Kevin, wie lange arbeitest du schon im Freibad Tuttlingen?
– Seit vier Jahren arbeite ich hier, gleich nach der Ausbildung habe ich angefangen.
+ Aha, wie lange hat die Ausbildung gedauert?
– Drei Jahre, in Frei- und Hallenbädern und einmal habe ich auch in einem Hotel gearbeitet.
+ Was macht so ein Schwimmmeister wie du den ganzen Tag?
– Oh, das ist ziemlich viel. Ich fange morgens um 7 Uhr an. Ich muss oft die Wasserqualität und die Technik kontrollieren, so drei- oder viermal am Tag.
+ Gibst du auch Schwimmunterricht?
– Nein, das macht eine Kollegin. Der macht das mehr Spaß mit den Kindern ...
+ Stimmt, hier sind immer viele Kinder. Passiert sehr viel im Schwimmbad – musst du oft Badegäste retten?
– Nein, zum Glück nicht oft. Aber das gehört zu meinen Aufgaben. Die Leute haben Spaß im Urlaub oder in der Freizeit und ich passe auf.
+ Muss ein Schwimmmeister eigentlich auch schwimmen trainieren?
– Na klar, ich trainiere regelmäßig, oft mehrmals in der Woche.
+ Und im Sommer, kannst du da Urlaub machen?
– Ja, das ist kein Problem, meine Kollegen und ich wechseln uns ab.
+ Was findest du an deinem Beruf vielleicht nicht so gut?
– Da muss ich überlegen, ja, ich kann nie um 6 Uhr nach Hause gehen. Meine Freundin findet das im Sommer nicht so gut, aber sonst macht's Spaß.

2 2

+ Entschuldigung, ich suche den Ausgang, bitte ganz, ganz schnell!
– So, den Ausgang suchen Sie. Also gleich hier links, dann wieder links, dann geradeaus, dann links, dann wieder geradeaus und links, und gleich rechts und noch zweimal rechts und dann zweimal links und noch zweimal links und rechts und noch einmal rechts und links – und dann sind Sie schon da.
+ Danke ..., aber leider ist es jetzt zu spät!

10 Essen und trinken

2 1

1. + Guten Tag, ich hätte gern 2 Kilo Kartoffeln.
2. + Was darf es sein?
   – 1 Kilo Äpfel bitte.
3. + Sie wünschen?
   – Ich nehme 10 Eier.
   + Darf es noch etwas sein?
   – Ja, bitte noch 4 Bananen.
4. + Bitte schön?
   – 8 Brötchen, bitte.

2 6

c) + Ich trinke sehr gern Vanilletee.
   – Ich nehme lieber Erdbeertee.
   + Ich trinke sehr gern schwarzen Tee.
   – Ich nehme lieber Früchtetee.

+ Ich trinke sehr gern Kirschtee.
– Ich nehme lieber Apfeltee.
+ Ich trinke sehr gern Eistee.
– Ich nehme lieber Zitronentee.

Ü 3

b) + Ich gehe einkaufen. Was soll ich kaufen?
   – 2 l Milch, 8 Brötchen, 100 g Salami ...
   + Warte, warte, ich schreibe einen Einkaufszettel. So, noch einmal bitte.
   – 2 Stück Butter, 2 l Milch, 8 Bananen, 8 Brötchen, 100 g Salami, 1 Stück Käse, 1 Brot und 4 Paprika.

Ü 4

Wo ist mein Einkaufszettel? Ach ja, hier. So, was brauchen wir?
1 l Milch, 2 Stück Butter, 4 Joghurt, 6 Eier, 1 kg Kartoffeln, 1 Eis, Nudeln, 500 g Erdbeeren, 5 Äpfel.

Ü 5

+ Guten Tag, Sie wünschen bitte?
– Guten Tag. Ich hätte gern fünf Äpfel.
+ Darf es sonst noch etwas sein?
– Ja, ich nehme noch zwei Paprika.
+ Noch etwas?
– Was kosten denn die Tomaten?
+ Das Kilo 3,99 Euro.
– Dann nehme ich bitte ein Pfund.
+ Bitte schön – sonst noch etwas?
– Danke, das ist alles.

Ü 7

+ 1 kg Tomaten nur 3,99 Euro, 1 kg Äpfel 2,95 Euro. Kommen Sie näher, heute haben wir ein großes Angebot! 1 Bund Möhren nur 1,49 Euro und 500 g Erdbeeren nur 1,99 Euro! Liebe Frau, schauen Sie, 1 kg Kartoffeln 1,80 Euro.
– Danke, Kartoffeln brauche ich nicht. Aber was kosten die Gurken?
+ Nur 1,29 Euro das Stück. Zwei Stück gebe ich Ihnen für 2 Euro!
– Gut, dann nehme ich zwei Gurken.

Ü 20

+ Susanne, was isst und trinkst du gern zum Frühstück?
– Ich esse am liebsten ein Müsli. Das ist gesund und schmeckt lecker. Dazu trinke ich Tee.
+ Und du, Jan, was magst du gern?
– Ich gehe noch zur Schule, da habe ich morgens wenig Zeit. Ich esse nur ein Brot mit Marmelade und trinke ein Glas Milch.
+ Herr Becker, was gibt es bei Ihnen zum Frühstück?
– Ich arbeite nicht mehr, da habe ich viel Zeit und frühstücke gern und lange. Ich hole frische Brötchen, dazu gibt es Marmelade, etwas Käse und Wurst, manchmal auch ein Ei. Und natürlich eine gute Tasse Kaffee.
+ Frau Weigmann, wie sieht Ihr Frühstück morgens aus?
– Ich esse morgens ein Brot mit Käse, dazu gibt es ein Glas Saft, am liebsten Orangensaft. Bei der Arbeit esse ich dann noch einen Joghurt.

11 Kleidung und Wetter

4 ▪3

a) Und hier das Wetter in Europa für morgen, Mittwoch, den 15. März: In Athen ist es bewölkt, um die fünf Grad. Berlin – heiter, 15 Grad. London – heiter bis wolkig und bis zu 17 Grad. In Madrid auch bewölkt und 17 Grad. In Moskau leichte Schneefälle bei minus drei Grad. Dagegen scheint in Rom die Sonne bei Temperaturen bis 16 Grad. In Lissabon ebenfalls 16 Grad, aber es ist mit Regen zu rechnen.

Ü ▪3

+ Frau Günther, was sind die Modetrends für den Frühling und Sommer?
– Im Frühling bleibt es klassisch. Frauen und Männer tragen die Farbe Weiß.
+ Und der Trend für den Sommer?
– Für den Sommer gibt es dieses Jahr viele Farben. Bei den Frauen sieht man viel Gelb und Rot, Männer tragen Hellblau.
+ Und welches Kleidungsstück ist im Sommer besonders in?
– Für Frauen ist es das Sommerkleid, bunt oder in Rot und Pink. Bei den Männern sind es helle Hosen. Männer tragen auch wieder mehr Hüte.

Ü ▪5

a) 1. + Trägst du gern Röcke?
　　　– Nein, ich trage lieber Hosen.
　　　+ Und magst du T-Shirts?
　　　– Ja, ich liebe T-Shirts.
　　2. + Trägst du gern Anzüge?
　　　– Nein, ich trage lieber Kapuzenpullover.
　　　+ Und magst du Hemden?
　　　– Hemden? Nein, ich mag keine Hemden.

Ü ▪13

+ Kann ich Ihnen helfen?
– Ich suche eine Hose.
+ Welche Größe haben Sie?
– Größe 40. Haben Sie eine schwarze Hose fürs Büro?
+ Diese hier ist Größe 40. Leider haben wir die nur in Blau oder in Rot.
– Kann ich die in Blau anprobieren?
+ Ja, gern. Hier, bitte.
– Hmm … die gefällt mir gut. Sie ist auch sehr bequem. Steht sie mir?
+ Ja, die steht Ihnen ausgezeichnet.
– Gut, dann nehme ich sie.

Ü ▪17

+ Kann ich Ihnen helfen?
– Ja, ich suche ein Hemd fürs Büro.
+ Welche Größe haben Sie?
– 40 bis 42.
+ In Größe 40 haben wir diese Hemden hier. Welche Farbe gefällt Ihnen?
– Ich mag Hellblau.
+ Hellblau sind diese beiden Hemden. Möchten Sie sie anprobieren?
– Dieses hier gefällt mir nicht, aber dieses probiere ich an.
+ Gut, die Umkleidekabine ist dort links.

Ü ▪19

Herzlich Willkommen beim Europawetter. In Madrid sind 27 Grad und es ist leicht bewölkt. In Lissabon ist es mit 30 Grad sehr heiß, aber windig. In Paris ist es sonnig bei 24 Grad. In London regnet es und es sind 19 Grad. In Berlin und Wien ist es warm mit 23 Grad, aber bewölkt. In Budapest gibt es leichten Regen und 25 Grad. In Warschau scheint die Sonne und es sind 22 Grad. In Kopenhagen ist es mit 18 Grad kalt und windig.

12 Körper und Gesundheit

2 ▪1

+ Praxis Dr. Otto, Viola, was kann ich für Sie tun?
– Guten Morgen, mein Name ist Aigner. Ich fühle mich nicht gut. Ich möchte einen Termin bei Frau Dr. Otto.
+ Heute ist die Praxis voll, aber morgen um 08.30 Uhr können Sie kommen.
– Morgen ist Dienstag … ja, das ist gut.
+ Also bis morgen, 08.30 Uhr, Herr Aigner, und bringen Sie bitte Ihre Versicherungskarte mit.

2 ▪2

a) + Guten Morgen, mein Name ist Aigner. Ich habe einen Termin.
　　– Morgen, Herr Aigner. Waren Sie in diesem Quartal schon mal bei uns?
　　+ Nein, in diesem Quartal noch nicht.
　　– Dann brauche ich Ihre Versichertenkarte.
　　+ Hier, bitte. Muss ich warten?
　　– Nein, Sie können gleich ins Arztzimmer gehen.

Ü ▪1

b) 1. Knien Sie auf dem Boden. Stellen Sie die Füße auf und strecken Sie Ihre Beine und Arme. Heben Sie Ihren Po. Ihr Rücken ist gerade.
　　2. Gehen Sie auf die Knie. Die Hände sind fest am Boden. Heben Sie Ihren Oberkörper. Der Rücken ist nicht gerade. Legen Sie den Kopf nach unten.
　　3. Legen Sie sich auf den Bauch. Heben Sie Ihren Oberkörper mit den Armen hoch. Strecken Sie Ihren Kopf.
　　4. Stehen Sie gerade. Legen Sie den linken Fuß an das rechte obere Bein. Die Arme sind vor dem Körper.

Ü ▪11

+ Was fehlt Ihnen?
– Ich habe Kopfschmerzen.
+ Haben Sie auch Halsschmerzen?
– Ja, seit zwei Tagen.
+ Sagen Sie mal Aaaah!
– Aaahhhhhhhh!
+ Sie haben eine Grippe. Ich schreibe Ihnen ein Rezept.
– Wie oft muss ich die Medikamente nehmen?
+ Dreimal am Tag. Immer vor dem Essen. Gute Besserung!
– Danke. Auf Wiedersehen!

Ü 14

+ Ich habe seit Tagen Halsschmerzen und keinen Appetit.
– Ja, Sie haben eine leichte Grippe. Bleiben Sie zu Hause und ruhen Sie sich aus. Ich verschreibe Ihnen Tabletten, dann geht es Ihnen besser.
+ Wie oft nehme ich die Tabletten?
– Nehmen Sie die Tabletten zweimal am Tag vor dem Essen. Trinken Sie keinen Alkohol, aber trinken Sie viel Tee. Essen Sie viel Gemüse und Suppe. In ein paar Tagen geht es Ihnen besser!

Station 4

1 5

b) 1. + Was kann ich für Sie tun?
  – Ich muss am 27. September in Istanbul sein.
  + Also, es gibt einen Flug am 27.09. um 11.35 Uhr.
  – Wann bin ich dann in Istanbul?
  + Um 14.10 Uhr.
  – Wie viel kostet der Flug?
  + 278 Euro, inklusive Steuern.
  – Ja, der ist gut, den nehme ich.

2. + Guten Morgen, Frau Otto. Wie geht es Ihnen?
  – Danke, besser. Ich habe kein Fieber.
  + Kein Fieber? Wir messen aber noch einmal vor dem Frühstück.
  – Wann gibt es Frühstück?
  + In zwei Minuten, danach nehmen Sie bitte die Tabletten, okay?
  – Gut aber geben Sie mir bitte noch ein Glas Wasser.

4

1. + Grüß Gott, möchten Sie bestellen?
  – Ja, ich hätte gern den faschierten Braten mit Erdäpfelsalat.
  + Gerne. Und zu trinken?
  – Apfelsaft gespritzt.
  + Gut, einen Apfelsaft gespritzt und den faschierten Braten mit Erdäpfelsalat …
  + Hat´s gepasst?
  – Ja, es war sehr lecker. Danke.

2. + Guten Tag, möchten Sie bestellen?
  – Ja, ich hätte gern die Forelle mit Bratkartoffeln.
  + Gerne. Und zu trinken?
  – Ein Mineralwasser, bitte. …
  + Hat es Ihnen geschmeckt?
  – Ja, danke.

3. Grüezi, was kann ich Ihnen bringen?
  – Ich hätte gern den Salatteller mit Pouletbruststreifen.
  + Gern. Und zu trinken?
  – Ein Bier.

Alphabetical word list

The alphabetical word list contains the vocabulary from the units which should be learned. Numbers, grammatical terms as well as the names of people, cities and countries are not in the list.

Words which are not *Zertifikat Deutsch* vocabulary are written in italics.

The numbers next to the words show where the words can be found in the unit (e.g. 5/3.4 means Unit 5, block 3, exercise 4).

The points (.) and the lines (–) under the words indicate the word stress:
ạ = short vowel
ạ = long vowel

A

ạb	5/3.4
der Ạbend, die Abende	5/3.1
das Ạbendessen, die Abendessen	5/2.2a
ạbends	8/4.1
ạber	4/1.1
die Ạbfahrt, die Abfahrten	8/1
ạbholen, er holt ab, er hat abgeholt	7/4.3
ạbwechselnd	12/3.1a
die Adrẹsse, die Adressen	4/1.2
das Aerọbic	7/3.3a
die Aktivitạ̈t, die Aktivitäten	9/3.6a
der Ạlkohol	12/2.5
alkohọlfrei	1/4.3
ạlle	1/4.5
allein	2/4.1
ạlles	8/4.1
ạls	11/4.5a
ạlso	5/3.2b
ạlt	4/1.3
der Ạltbau, die Altbauten	4/0
die Ạltbauwohnung, die Altbauwohnungen	4/1
ạltmodisch	11/2.4
die Ạltstadt, die Altstädte	9/0
am bẹsten	10/3.1.5b
die Ạmpel, die Ampeln	8/3.1a
ạn	2/4.1
die Ạnanas	10/4.3
ạnbraten, er brät an, er hat angebraten	10/5.1
ạnderer	7/3.5b
ạnfangen, er fängt an, er hat angefangen	5/3.6a
die Ạngabe, die Angaben	7/5.4
das Ạngebot, die Angebote	11/3.1a
die Angina, die Anginas	12/2.3
der/die Animateur/in, die Animateure/Animateurinnen	7/3.3a
die Ạnkunft, die Ankünfte	8/1
ạnprobieren, er probiert an, er hat anprobiert	11/3.1a
der Ạnruf, die Anrufe	5/3.3a
ạnrufen, er ruft an, er hat angerufen	5/4.3
ạnschauen, er schaut an, er hat angeschaut	9/2
ạnschreiben, er schreibt an, er hat angeschrieben	2/1.2
ạnsehen, er sieht an, er hat angesehen	12/4.3a
ạntworten, er antwortet, er hat geantwortet	3/1.5
ạnwinkeln, er winkelt an, er hat angewinkelt	12/1
ạnziehen, er zieht an, er hat angezogen	11/2.2b
der Ạnzug, die Anzüge	11/0
der Ạpfel, die Äpfel	10/1.1b
der Ạpfelkuchen, die Apfelkuchen	10/4.3
der Ạpfelsaft, die Apfelsäfte	1/0
die Ạpfelsaftschorle, die Apfelsaftschorlen	1/4.3
die Apothẹke, die Apotheken	12/2.2b
der Aprịl	9/4.1
die Ạrbeit, die Arbeiten	2/4.1
ạrbeiten, er arbeitet, er hat gearbeitet	2/4.1
der/die Ạrbeitgeber/in, die Arbeitgeber/innen	12/2.5
der/die Ạrbeitnehmer/in, die Arbeitnehmer/innen	12/2.2b

die	Arbeitsanweisung,	
	die Arbeitsanweisungen	2/4.2a
der	Arbeitsort, die Arbeitsorte	7/3.3b
der	Arbeitsplatz, die Arbeitsplätze	10/5.1
die	Arbeitswelt, die Arbeitswelten	11/0
die	Arbeitszeit, die Arbeitszeiten	7/3.2a
das	Arbeitszimmer,	
	die Arbeitszimmer	4/2.1c
die	Architektur, die Architekturen	8/4.1
	arm	4/6.1a
der	Arm, die Arme	12/1
der	Ärmel, die Ärmel	11/3.1a
der	Artikel, die Artikel	2/4.2a
der/die	Arzt/Ärztin,	
	die Ärzte/Ärztinnen	5/2.7
die	Arztkosten (Pl.)	12/2.2b
die	Arztpraxis, die Arztpraxen	12/2.4
der	Arzttermin, die Arzttermine	6/4.1a
die	Atmosphäre, die Atmosphären	8/4.1
die	Attraktion, die Attraktionen	9/1
	attraktiv	6/5.1
	auch	Start 2.3
	auf	2/1.2
	auf dem Land	4/0
	Auf Wiederhören!	5/3.2b
	Auf Wiedersehen!	1/4.4a
der	Auflauf, die Aufläufe	10/5.1
	aufstehen, er steht auf,	
	er ist aufgestanden	5/2.3
das	Auge, die Augen	12/1
der	August	9/1
	aus	Start 2.1
	aus sein, es ist aus, es war aus	12/4.1
der	Ausgang, die Ausgänge	6/2.1
	ausgehen, er geht aus,	
	er ist ausgegangen	5/2.3
das	Ausland	7/3.3c
	ausruhen (sich), er ruht sich aus,	
	er hat sich ausgeruht	12/2.5
die	Ausrüstung, die Ausrüstungen	12/1
das	Auto, die Autos	Start 3.3
die	Autobahn, die Autobahnen	5/3.3a
das	Autohaus, die Autohäuser	5/1.3
der/die	Autourlauber/in,	
	die Autourlauber/innen	9/5.1

B

	backen, er backt/bäckt,	
	er hat gebacken	10/5.1
der/die	Bäcker/in, die Bäcker/innen	10/1.1b
der	Backofen, die Backöfen	10/5.1
das	Bad, die Bäder	4/2.1a

	baden, er badet, er hat gebadet	4/2.1a
das	Badezimmer, die Badezimmer	4/2.1c
die	Bahn, die Bahnen	5/4.6b
der	Bahnhof, die Bahnhöfe	5/2.7
	bald	8/4.1
der	Balkon, die Balkons	4/0
der	Ball, die Bälle	9/3.2
die	Banane, die Bananen	10/1.1b
die	Bank, die Banken	5/6.1
die	Bar, die Bars	6/2.1
der	Bauch, die Bäuche	12/1
die	Bauchschmerzen (Pl.)	12/2.5
das	Bauernhaus, die Bauernhäuser	4/1
der	Bauernhof, die Bauernhöfe	4/1.3
der	Baum, die Bäume	11/4.5a
die	Baustelle, die Baustellen	7/0
	beachten, er beachtet,	
	er hat beachtet	9/4.1
	beantworten, er beantwortet,	
	er hat beantwortet	8/1.2b
der	Becher, die Becher	2/1.3a
	beginnen, er beginnt,	
	er hat begonnen	5/4.5b
die	Begrüßung, die Begrüßungen	1/1.3
	bei	2/4.1
	beide	4/1.1
	beige	11/0
das	Bein, die Beine	12/1
	bekommen, er bekommt,	
	er hat bekommen	4/6.1b
	beliebt	8/1.2a
	beraten, er berät, er hat beraten	7/3.1
die	Beratung, die Beratungen	6/4.1a
der	Berg, die Berge	9/0
der	Bergsport	12/1
der/die	Bergsteiger/in,	
	die Bergsteiger/innen	12/1
der	Beruf, die Berufe	5/3.4
der/die	Berufstätige, die Berufstätigen	7/5.4
	berühmt	6/5.1
	besichtigen, er besichtigt,	
	er hat besichtigt	8/1.2a
die	Besichtigung, die Besichtigungen	9/1
	besonders	8/1.2a
die	Besprechung, die Besprechungen	6/4.1a
	besser (als)	10/3.1.5b
	bestellen, er bestellt,	
	er hat bestellt	1/2.3
	bestimmt	11/3.1a
der	Besuch, die Besuche	8/4.2b
	besuchen, er besucht,	
	er hat besucht	6/5.1

das **Bett**, die Betten	4/4.1
die **Bewegung**, *die Bewegungen*	12/1.1c
bewölkt	11/4.1
bezahlen, er bezahlt, er hat bezahlt	1/4.4b
die **Bibliothek**, die Bibliotheken	6/2.1
der/die **Bibliothekar/in**, *die Bibliothekare/Bibliothekarinnen*	6/1
das **Bier**, die Biere	1/0
das **Bild**, die Bilder	6/3.1a
bilden, er bildet, er hat gebildet	9/2.5b
billig	4/2.2b
das **Bio-Ei**, *die Bio-Eier*	10/3.1.6
die **Biografie**, *die Biografien*	2/4.2a
die **Birne**, die Birnen	10/2.6b
bis	4/6.1a
bis später	5/1.3
bitte	1/1.1b
blau	11/0
bleiben, er bleibt, er ist geblieben	9/3.5b
der **Bleistift**, die Bleistifte	2/0
die **Blume**, die Blumen	7/0
das **Blumengeschäft**, die Blumengeschäfte	7/0
die **Bluse**, die Blusen	11/0
der/die **Bodybuilder/in**, *die Bodybuilder/innen*	12/1
das **Bodybuilding**	12/1
die **Bratwurst**, die Bratwürste	10/4.3
brauchen, er braucht, er hat gebraucht	4/6.1a
braun	11/0
breit	4/6.1a
der **Brief**, die Briefe	7/5.1a
die **Brille**, die Brillen	2/0
bringen, er bringt, er hat gebracht	7/2.3
das **Brot**, die Brote	10/0
das **Brötchen**, die Brötchen	2/1.3a
die **Brücke**, die Brücken	8/2.4
der **Bruder**, die Brüder	2/2.5a
das **Buch**, die Bücher	2/0
das **Bücherregal**, die Bücherregale	4/2.2b
die **Buchmesse**, *die Buchmessen*	6/5.1
der **Buchstabe**, *die Buchstaben*	2/4.2a
buchstabieren, er buchstabiert, er hat buchstabiert	2/1
das **Buffet**, die Buffets	5/3.5
der **Bummel**, *die Bummel*	9/2
bummeln, er bummelt, er ist gebummelt	8/1.2a
das **Bund**, die Bunde	10/1
bunt	11/0

das **Büro**, die Büros	Start 1.2a
der **Bürostuhl**, die Bürostühle	4/4.3
der **Bus**, die Busse	6/0
der **Busbahnhof**, *die Busbahnhöfe*	8/1
die **Butter**, die Butter	10/0

C

das **Café**, die Cafés	5/3.6b
das **Call-Center**, *die Call-Center*	7/3.2a
der/die **Call-Center-Agent/in**, *die Call-Center-Agenten/Agentinnen*	7/3.2a
der **Cappuccino**, die Cappuccini	1/0
die **CD**, die CDs	2/4.2a
der **Cent**, die Cents	10/2.7
das **Chaos**	4/2.2b
chaotisch	4/3.5
checken, er checkt, er hat gecheckt	12/1
der **Chef**, die Chefs	6/4.1a
die **Chipkarte**, *die Chipkarten*	12/2.2b
der **Chor**, die Chöre	6/5.1
circa, ca.	4/6.1a
der **Club**, *die Clubs*	8/4.2a
die **(Coca-)Cola**, die Colas	1/0
der **Computer**, die Computer	Start 1.2a
das **Computerprogramm**, die Computerprogramme	7/2.1
cool	4/7.1
die **Currywurst**, *die Currywürste*	10/3.1a

D

da sein, er ist da, er war da	5/1.3
das **Dach**, die Dächer	9/1
danach	8/2.4b
daneben	4/3.5
danke	1/4.4a
dann	5/1.3
darauf geben, er gibt darauf, er hat darauf gegeben	10/5.1
dazu	10/5.1
dazu geben, er gibt dazu, er hat dazu gegeben	10/5.1
denken, er denkt, er hat gedacht	11/3.2
denn	3/1.5
deutsch	3/4.2
das **Deutsch (auf Deutsch)**	2/1
der/die **Deutsche/r**, die Deutschen	5/4.6b
der **Deutschkurs**, die Deutschkurse	1/1.1b
Deutschland	Start 1.3
der/die **Deutschlehrer/in**, die Deutschlehrer/innen	Start 2.1
der **Dezember**	9/4.1
dick	12/3.2

der **Dienstag**, die Dienstage	5/1
die *Dienstreise*, *die Dienstreisen*	6/4.1a
dieser, dieses, diese	8/4.3
das **Ding**, die Dinge	7/2.1
die **Disko**, die Diskos	5/3.6b
doch	3/2.1a
der **Dom**, die Dome	3/0
der *Döner*, *die Döner*	10/3.1.2
der **Donnerstag**, die Donnerstage	5/1
das **Dorf**, die Dörfer	3/0
dort	6/2.1
die **Dose**, die Dosen	10/4.3
draußen	11/4.1
dreimal	12/2.5
drin	10/4.3
der **Drucker**, die Drucker	6/3.1a
dunkel	4/2.1b
dunkelblau	11/0
dunkelgrau	11/3.1a
durch	8/1.2a
dürfen, er darf, er durfte	10/2.3
duschen, er duscht, er hat geduscht	12/3.1a
die *DVD*, *die DVDs*	4/6.1a

E

egal	11/3.1a
das **Ei**, die Eier	10/0
ein bisschen	3/4.2
einfach	4/6.1a
das **Einfamilienhaus**, die Einfamilienhäuser	4/1
einkaufen, er kauft ein, er hat eingekauft	5/2.7
die *Einkaufspassage*, *die Einkaufspassagen*	6/5.1
der **Einkaufszettel**, die Einkaufszettel	10/2.2
die **Einladung**, die Einladungen	6/4.1a
einmal	Start 3.7b
einpacken, er packt ein, er hat eingepackt	7/5.3
einreiben, *er reibt ein, er hat eingerieben*	12/2.5
das **Eis**	10/4.3
der **Eiskaffee**, die Eiskaffees	1/0
der **Eistee**, die Eistees	1/0
die **Eltern** (Pl.)	6/4.1a
die **E-Mail**, die E-Mails	7/2.4
die **Energie**, die Energien	12/3.1a
eng	11/0
das **Englisch**	2/4.1
entlang	8/2.1a

entscheiden (sich), er entscheidet sich, er hat sich entschieden	9/5.1
die **Entschuldigung**, die Entschuldigungen	1/1.1b
die *Entspannung*, *die Entspannungen*	12/1
die **Erdbeere**, die Erdbeeren	10/1
das **Erdgeschoss**, die Erdgeschosse	6/2.1
das *Ergebnis*, *die Ergebnisse*	10/3.1b
erholen (sich), er erholt sich, er hat sich erholt	12/1
erkälten (sich), *er erkältet sich, er hat sich erkältet*	12/2.3
erkältet	12/2.3
die **Erkältung**, die Erkältungen	12/3.1a
erklären, er erklärt, er hat erklärt	2/4.3
erleben, *er erlebt, er hat erlebt*	9/4.3
die *Ernährung*, *die Ernährungen*	12/3.1a
erreichen, er erreicht, er hat erreicht	9/2
erst	5/4.6b
der/die **Erwachsene**, die Erwachsenen	12/Ü4
der **Espresso**, die Espressi	1/4.3
essen	4/2.1a
das **Essen**, die Essen	5/2.7
die *Essenszeit*, *die Essenszeiten*	10/5.1
der *Esstisch*, *die Esstische*	4/4.2b
die **Etage**, die Etagen	6/1
die *Etappe*, *die Etappen*	9/2
etwas	1/2.3c
der **Euro**, die Euros	Start 1.2a
der/die *Europäer/in*, *die Europäer/innen*	5/4.6b
die *Europäische Union (EU)*	1/4.5
die *Eurozone*, *die Eurozonen*	1/4.5
existieren, *er existiert, er hat existiert*	6/5.1
die *Exkursion*, *die Exkursionen*	8/1

F

die *Fabrik*, *die Fabriken*	7/3.5
das *Fachwerkhaus*, *die Fachwerkhäuser*	4/0
die **Fähre**, die Fähren	6/0
fahren, er fährt, er ist gefahren	5/4.6b
das **Fahrrad**, die Fahrräder	2/3.4c
die **Fahrt**, die Fahrten	5/1.3
fallen, er fällt, er ist gefallen	9/3.2
falsch	2/Ü18a
die **Familie**, die Familien	Start 4.1a
die *Fanta*, *die Fantas*	1/4.3
die **Farbe**, die Farben	11/5.1
fast	9/1
der **Februar**	9/4.1
fehlen, *er fehlt, er hat gefehlt*	11/4.5a
feiern, er feiert, er hat gefeiert	8/4.2a

das **Fenster**, die Fenster	2/3.4c
die **Ferien** (Pl.)	7/4.3
der **Ferientermin**, die Ferientermine	9/4.1
fernsehen, er sieht fern, er hat ferngesehen	7/4.3
der **Fernseher**, die Fernseher	4/5.1
der Fernsehturm, die Fernsehtürme	8/1.2c
die **Feuerwehr**	1/4.2a
das **Fieber**	12/2.3
der **Film**, die Filme	5/3.6a
die Finanzen (Pl.)	Start 3.3
finden (etwas gut/... finden), er findet, er hat gefunden	Start 4.1a
finden (etwas finden), er findet, er hat gefunden	6/2.1
der **Finger**, die Finger	12/1
die Fingerspitze, die Fingerspitzen	12/1.1
die **Firma**, die Firmen	9/Ü17
der **Fisch**, die Fische	10/1.2
das Fitness-Studio, die Fitness-Studios	5/3.5
die **Flasche**, die Flaschen	10/2.3
das **Fleisch**	10/1.1b
die **Fleischerei**, die Fleischereien	10/1.1b
das Fleischgericht, die Fleischgerichte	10/3.1b
flexibel	7/3.2a
fliegen, er fliegt, er ist geflogen	Start 4.1a
der **Flieger**, die Flieger	9/4.3
der Flohmarkt, die Flohmärkte	8/1.2a
der/die **Florist/in**, die Floristen/Floristinnen	7/1.1
das **Flugticket**, die Flugtickets	7/3.2a
die Flugzeit, die Flugzeiten	7/3.2a
der **Flur**, die Flure	4/2.1a
der **Fluss**, die Flüsse	9/0
folgen, er folgt, er ist gefolgt	10/3.1b
formulieren, er formuliert, er hat formuliert	8/4.2b
das **Foto**, die Fotos	2/2.2
fotografieren, er fotografiert, er hat fotografiert	8/1.2a
die **Frage**, die Fragen	2/2.2
fragen, er fragt, er hat gefragt	3/1.5
die **Frau**, die Frauen	Start 2.1
frei	1/1.1b
der **Freitag**, die Freitage	5/1
die **Freizeit**, die Freizeiten	8/4.2b
die **Fremdsprache**, die Fremdsprachen	7/3.2b
freuen (sich), er freut sich, er hat sich gefreut	12/4.3b
der/die **Freund/in**, die Freunde/Freundinnen	2/4.1
freundlich	7/3.2a
frisch	12/3.1a
der/die **Friseur/in**, die Friseure, Friseurinnen	5/4.5b
der **Friseursalon**, die Friseursalons	7/0
die **Frucht**, die Früchte	11/4.5a
früh	7/3.5
früher	10/3.1b
der **Frühling**	9/4.1
das **Frühstück**, die Frühstücke	5/2.2a
frühstücken, er frühstückt, er hat gefrühstückt	5/2.3
fühlen (sich), er fühlt sich, er hat sich gefühlt	12/2.5
der Füller, die Füller	2/0
funktionieren, er funktioniert, er hat funktioniert	4/6.1a
für	2/4.1
der **Fuß** (zu Fuß), die Füße	6/0
der **Fußball**, die Fußbälle	2/3.4c
das **Fußballtraining**, die Fußballtrainings	7/4.3
die **Fußgängerzone**, die Fußgängerzonen	8/3.5

G

die **Galerie**, die Galerien	8/1.2c
ganz	8/2.1a
ganze	6/5.1
gar nicht	10/4.1
die **Garage**, die Garagen	4/0
die Garderobe, die Garderoben	6/2.1
der **Garten**, die Gärten	4/0
der **Gast**, die Gäste	10/3.1b
geben, er gibt, er hat gegeben	6/5.1
geben (es gibt), es gibt, es hat gegeben	4/7.2
der **Geburtstag**, die Geburtstage	6/4.2
gefallen, er gefällt, er hat gefallen	8/4.1
gegen	12/2.2b
gehen (ich gehe), er geht, er ist gegangen	2/4.1
gehen (geht es am ...?), es geht, es ist gegangen	5/3.2b
gehen (wie geht's?), es geht, es ist gegangen	3/2.1a
gelb	11/0
das **Geld**, die Gelder	7/3.5
das **Gemüse**	10/2.6b
gemütlich	4/1.1
genau	8/3.1a
genauso	5/4.6b

geradeaus	8/2.1a
das **Gericht**, die Gerichte	10/3.1b
gern(e)	1/2.3b
das **Geschäft**, die Geschäfte	5/2.7
das **Geschenk**, die Geschenke	8/3.3
die **Geschwister** (Pl.)	9/Ü12
das **Gespräch**, die Gespräche	4/5.2a
gestern	8/4.2b
gesund	10/3.1b
die **Gesundheit**	12/ 3.1a
das **Getränk**, die Getränke	1/4.3
getrennt	1/4.4a
die *Gitarre, die Gitarren*	2/4.1
das **Glas**, die Gläser	10/3.1.4
glauben, er glaubt, er hat geglaubt	5/4.6b
gleich	1/4.5
gleicher, gleiches, gleiche	11/4.1
das **Glück**	4/6.1a
glücklich	12/4.3a
der **Grad**, die Grade	10/5.1
das **Gramm**, die Gramm	10/2.1b
das **Gras**, die Gräser	11/4.5a
grau	11/0
die *Grillparty, die Grillpartys*	11/4.1
groß	4/1.1
die **Größe**, die Größen	11/3.1a
die **Großeltern** (Pl.)	9/Ü12
die **Großstadt**, die Großstädte	6/5.1
grün	11/0
die **Gruppe**, die Gruppen	8/4.1
der **Gruß**, die Grüße	4/6.1a
Grüß dich!	1/1.1b
die **Gurke**, die Gurken	10/2.5a
gut	3/2.1a
Gute Besserung!	12/2.3
Guten Abend!	5/3.1
Guten Appetit!	10/5.1
Guten Morgen!	5/1.3
Guten Tag!	Start 2.1
die *Gymnastik, die Gymnastiken*	12/0

H

das **Haar**, die Haare	7/2.1
haben, er hat, er hatte	Start 4.1a
der **Hafen**, die Häfen	9/0
das *Hähnchen, die Hähnchen*	10/0
hätte gern	10/1.0
halb	5/2.2a
hallo	Start 2.1
der *Hals, die Hälse*	12/1.2b

die *Halsentzündung, die Halsentzündungen*	12/2.3
die *Halsschmerzen* (Pl.)	12/2.5
die *Halstablette, die Halstabletten*	12/3.2
der *Hamburger, die Hamburger*	10/3.1b
die **Hand**, die Hände	7/3.5
der **Handschuh**, die Handschuhe	Stat. 4/2.1b
das **Handy**, die Handys	2/0
hängen, er hängt, er hat gehängt	6/3.2b
hart	12/1
hassen, er hasst, er hat gehasst	7/5.4
hässlich	11/2.4
der **Hauptbahnhof**, die Hauptbahnhöfe	6/1
die *Hauptmahlzeit, die Hauptmahlzeiten*	10/5.1
die **Hauptstadt**, die Hauptstädte	3/3.4
das **Haus**, die Häuser	2/2.1
der/die **Hausarzt/Hausärztin**, die Hausärzte/Hausärztinnen	12/2
die **Hausaufgabe**, die Hausaufgaben	2/4.3
die **Hausfrau**, die Hausfrauen	7/2.2
der **Haushalt**, die Haushalte	7/3.2a
der **Hausmann**, die Hausmänner	7/2.2
heben, er hebt, er hat gehoben	12/1
das **Heft**, die Hefte	2/0
die **Heimat**, die Heimaten	2/4.1
heiß	6/3.3
heißen, er heißt, er hat geheißen	Start 2.1
heiter	11/4.3a
die **Heizung**, die Heizungen	7/2.3
helfen, er hilft, er hat geholfen	4/6.1b
hell	4/2.2b
hellblau	11/0
das **Hemd**, die Hemden	11/0
der **Herbst**	9/4.1
die *Herbstferien* (Pl.)	9/4.1
der **Herd**, die Herde	4/5.1
die *Herde, die Herden*	11/4.5a
der **Herr**, die Herren/Herrn	Start 2.1
das **Herz**, die Herzen	12/1
heute	3/4.1
hier	4/2.1b
die **Hilfe**, die Hilfen	4/6.1a
der **Himmel**, die Himmel	11/4.5a
hinter	6/2.3
der **Hit**, die Hits	8/1.2a
die **Hitze**	11/4.2
das **Hobby**, die Hobbys	2/4.1
das *Hochhaus, die Hochhäuser*	4/0

hoffen, er hofft, er hat gehofft — 11/0
die Hoffnung, die Hoffnungen — 11/0
hören, er hört, er hat gehört — 2/1.3b
die Hose, die Hosen — 11/0
das Hotel, die Hotels — 6/1.1
der Hund, die Hunde — 2/3.4a
husten, er hustet, er hat gehustet — 12/2.3
der Husten — 12/2.5
der Hustensaft, die Hustensäfte — 12/2.2b
der Hut, die Hüte — 11/0

I

die Idee, die Ideen — 12/1.1c
im — 2/4.1
immer — 7/3.2a
das Immunsystem,
  die Immunsysteme — 12/3.1a
in — Start 2.3
in Ruhe lassen — 12/4.3b
die Industriestadt, die Industriestädte — 6/5.1
die Information,
  die Informationen — 6/2.4a
informieren, er informiert,
  er hat informiert — 7/3.2a
der/die Ingenieur/in,
  die Ingenieure/Ingenieurinnen — 7/1.1
die Insel, die Inseln — 9/0
interessant — 7/3.3a
interessieren (sich), er interessiert
  sich, er hat sich interessiert — 8/4.1
international — 6/5.1
die Internetseite, die Internetseiten — 6/2.1
der Irrtum, die Irrtümer — 8/3.2

J

ja — 1/1.1b
die Jacke, die Jacken — 11/0
das Jahr, die Jahre — 3/4.2
die Jahreszeit, die Jahreszeiten — 11/4.1
der Januar — 9/4.1
die Jeans, die Jeans — 11/0
jeder, jedes, jede — 6/1
jemand — 7/2.1
jetzt — Start 2.3
der Job, die Jobs — 7/5.4
joggen, er joggt, er ist gejoggt — 12/3.1a
der/das Joghurt, die Joghurts — 10/0
jüdisch — 8/4.2b
der Juli — 9/1
der Junge, die Jungen — Start 3.7a
der Juni — 8/1

K

der Kaffee, die Kaffees — 1/0
die Kaffeetasse, die Kaffeetassen — 6/3.1a
das Kaffeetrinken — 6/4.1a
der Kakao, die Kakaos — 1/0
der Kalender, die Kalender — 5/0
die Kalorie, die Kalorien — 10/3.1b
kalt — 6/3.3
die Kälte — 11/4.2
die Kamera, die Kameras — 8/3.3
die Kantine, die Kantinen — 10/3.1b
kaputt — 7/2.3
die Karte, die Karten — 8/1
die Kartoffel, die Kartoffeln — 10/0
der Käse — 10/0
die Kasse, die Kassen — Start 1.2a
der Katalog, die Kataloge — 6/2.1
die Katze, die Katzen — 2/3.6
kaufen, er kauft, er hat gekauft — 8/1
kein, kein, keine — 2/1
Keine Ahnung! — 2/3.4a
der Keller, die Keller — 4/2.1b
kennen, er kennt, er hat gekannt — 7/5.2
kennenlernen, er lernt kennen,
  er hat kennengelernt — 8/4.1
der Ketchup, die Ketchups — 10/2.3
der/die KfZ-Mechatroniker/in,
  die KfZ-Mechtroniker/innen — 7/2.1
das Kilogramm (Kilo, kg),
  die Kilogramme — 10/2.1b
das Kind, die Kinder — 2/4.1
der Kindergarten, die Kindergärten — 7/4.3
das Kinderzimmer, die Kinderzimmer — 4/2.1b
das Kino, die Kinos — 5/3.6a
die Kirche, die Kirchen — 8/0
klar — 1/1.1b
klassisch — 8/4.1
das Kleid, die Kleider — 11/0
die Kleidung, die Kleidungen — 11/1.2
klein — 4/1.1
klopfen, er klopft, er hat geklopft — 12/4.3a
das Kloster, die Klöster — 9/2
das Kilometer (km), die Kilometer — 9/2
das Knie, die Knie — 12/1.2a
der/die Koch/Köchin,
  die Köche/Köchinnen — 7/1.1
kochen, er kocht, er hat gekocht — 4/2.1a
der Koffer, die Koffer — 7/5.3
der/die Kollege/Kollegin,
  die Kollegen/Kolleginnen — 7/3.2a
kombinieren, er kombiniert,
  er hat kombiniert — 11/0

kommen, er kommt,
er ist gekommen — Start 2.1

der/die **Komponist/in**,
die Komponisten/Komponistinnen — 6/5.1

können, er kann, er konnte — 2/1

kontrollieren, er kontrolliert,
er hat kontrolliert — 7/3.3a

die **Konzentration**, *die Konzentrationen* — 12/1

das **Konzert**, die Konzerte — Start 1.2a

der **Kopf**, die Köpfe — 12/1

die **Kopfschmerzen** (Pl.) — 12/2.2b

der **Körper**, *die Körper* — 12/1

korrigieren, er korrigiert,
er hat korrigiert — 7/3.4

kosten, es kostet, es hat gekostet — 4/2.2b

krank — 12/2.3

das **Krankenhaus**, die Krankenhäuser — 7/

die **Krankenkasse**, *die Krankenkassen* — 7/2.3

der/die **Krankenpfleger/in**,
die Krankenpfleger/innen — 7/2.2

die **Krankenschwester**,
die Krankenschwestern — 7/1.1

die **Krankenversicherung**,
die Krankenversicherungen — 12/2.2b

die **Krankenversicherungskarte**,
die Krankenversicherungskarten — 12/2.2a

die **Krankheit**, *die Krankheiten* — 12/2.4

die **Krankmeldung**,
die Krankmeldungen — 12/2.5

krankschreiben, er schreibt krank,
er hat krankgeschrieben — 12/2.3

die **Kreuzung**, die Kreuzungen — 8/2.4

die **Küche**, die Küchen — 4/2.1a

der **Kuchen**, die Kuchen — 10/0

die **Küchenlampe**, *die Küchenlampen* — 4/4.2b

der **Küchenschrank**,
die Küchenschränke — 4/4.1

der **Küchentisch**, *die Küchentische* — 4/4.2a

der **Kühlschrank**, die Kühlschränke — 4/5.1

der **Kuli**, die Kulis — 2/0

die **Kultur**, die Kulturen — 3/4.1

der/die **Kunde/Kundin**,
die Kunden/Kundinnen — 7/3.1

der **Kurs**, die Kurse — 2/4.1

der/die **Kursleiter/in**,
die Kursleiter/innen — 2/4.3

der/die **Kursteilnehmer/in**,
die Kursteilnehmer/innen — 2/4.3

kurz — 3/4.2

kurz vor — 9/3.2

küssen, er küsst, er hat geküsst — 11/4.5a

L

lachen, er lacht, er hat gelacht — 12/4.3b

die **Lampe**, die Lampen — 2/0

das **Land**, die Länder — 1/4.5

landen, er landet, er ist gelandet — 10/3.1b

die **Landkarte**, *die Landkarten* — 2/1.3a

lang — 4/2.2b

lange — 7/3.2b

langsam — 2/4.3

langweilen (sich), *er langweilt sich,*
er hat sich gelangweilt — 12/4.5a

langweilig — 9/1.2b

der **Latte macchiato** — 1/1.1b

das **Laub** — 11/4.5a

laufen, er läuft, er ist gelaufen — 8/3.5

die **Laune**, *die Launen* — 12/3.1a

laut — 4/1.1

leben, er lebt, er hat gelebt — 2/4.1

das **Leben**, die Leben — 9/4.3

das **Lebensmittel**, die Lebensmittel — 10/2.4

lecker — 3/Ü11

der/die **Lehrer/in**, die Lehrer/innen — Start 2.1

leicht — 7/3.2a

leider — 4/6.1a

leidtun, er tut leid, er hat leidgetan — 5/1.3

leiten, er leitet, er hat geleitet — 7/3.1

der/die **Leiter/in**, *die Leiter/innen* — 6/5.1

lernen, er lernt, er hat gelernt — 2/4.1

der **Lerntipp**, *die Lerntipps* — Start 4.0

lesen, er liest, er hat gelesen — 2/1.3b

der **Lesesaal**, *die Lesesäle* — 6/2.1

die **Leute** (Pl.) — 5/4.6b

lieb — 8/4.2a

die **Liebe**, die Lieben — 11/4.5a

liebe …, lieber … (Name) — 4/6.1a

lieben, er liebt, er hat geliebt — 7/5.4

lieber — 1/1.1b

das **Lieblingsessen**, *die Lieblingsessen* — 10/3.1a

das **Lieblingshobby**, *die Lieblingshobbys* — 12/1

die **Lieblingsmannschaft**,
die Lieblingsmannschaften — 11/2.7b

der **Lieblingsmonat**,
die Lieblingsmonate — 9/4.2

liegen, er liegt, er hat gelegen — 3/2.4

lila — 11/2.7a

die **Linie**, die Linien — 8/1

links — 4/2.2a

die **Liste**, die Listen — 6/4.1a

der **Liter**, die Liter — 10/2.1b

die **Lottozahl**, *die Lottozahlen* — 2/4.2a

die **Luft**, die Lüfte — 10/3.1.4

die **Lunge**, die Lungen — 12/1

die **Lust** — 11/0

M

	machen, er macht, er hat gemacht	2/1
das	**Mädchen**, die Mädchen	Start 3.7a
das	*Magazin, die Magazine*	2/4.2a
die	**Magenschmerzen** (Pl.)	12/2.5
der	**Mai**	9/4.1
der/die	*Makler/in, die Makler/innen*	4/2.1b
	mal	3/2.1a
das	*Malbuch, die Malbücher*	11/4.5a
	mancher, manches, manche	8/3.2
	manchmal	5/4.6b
der	**Mann**, die Männer	2/3.2
der	**Mantel**, die Mäntel	11/0
die	**Marke**, die Marken	11/3.1a
der	*Marktplatz, die Marktplätze*	3/0
die	**Marmelade**, die Marmeladen	10/5.1
der	**März**	6/5.1
die	**Maschine**, die Maschinen	7/2.1
die	**Mauer**, die Mauern	8/4.2b
die	**Maus**, die Mäuse	6/3.1
das	**Medikament**, die Medikamente	12/2.2b
das	**Meer**, die Meere	9/1
das	*Meeting, die Meetings*	6/4.1a
	mehr	8/4.1
	meinen, er meint, er hat gemeint	8/3.2
	meistens	5/2.7
der	**Mensch**, die Menschen	7/3.5
die	*Messe, die Messen*	6/5.1
das	*Messegelände, die Messegelände*	8/3.5
der	**Meter**, die Meter	12/1.1c
	mieten, er mietet, er hat gemietet	8/4.1
die	**Milch**	1/0
der	**Milchkaffee**, die Milchkaffees	1/4.3
das	**Milchprodukt**, die Milchprodukte	12/1
die	**Million**, die Millionen	1/4.5
das	**Mineralwasser**, die Mineralwasser	1/4.3
	minus	12/3.3b
die	**Minute**, die Minuten	Start 4.1a
	mit	2/2.3
das	**Mitglied**, die Mitglieder	7/3.3a
	mitkommen, er kommt mit, er ist mitgekommen	5/4.4a
der	**Mittag**, die Mittage	5/3.1
das	**Mittagessen**, die Mittagessen	5/2.2a
	mittags	9/2
die	**Mittagspause**, die Mittagspausen	5/2.3
die	**Mitte**, die Mitten	8/4.2b
der	**Mittwoch**, die Mittwoche	5/1
die	**Möbel** (Pl.)	4/4.1
	möchten, er möchte, er mochte	1/1.1b

die	**Mode**, die Moden	11/0
	modern	4/1.3
der	*Modetrend, die Modetrends*	11/0
	mögen, er mag, er mochte	10/3.2
die	**Möhre**, die Möhren	10/1
der	**Moment**, die Momente	2/4.1
der	**Monat**, die Monate	5/0
der	*Monatsname, die Monatsnamen*	9/4.1
der	*Monitor, die Monitore*	6/3.1a
der	**Montag**, die Montage	5/1
das	**Moped**, die Mopeds	6/0
	morgen	4/6.1a
der	**Morgen**, die Morgen	5/3.1
	morgens	5/2.5a
das	**Motorrad**, die Motorräder	2/3.4c
	müde	9/2
der	**Mund**, die Münder	12/1.2b
die	**Münze**, die Münzen	1/4.5
das	**Museum**, die Museen	3/0
die	**Musik**, die Musiken	Start 1.2a
der	*Musikfan, die Musikfans*	6/5.1
der	*Muskel, die Muskeln*	12/1
das	**Müsli**	10/5.1
	müssen, er muss, er musste	5/4.5b
der	*Mut*	11/0
die	**Mutter**, die Mütter	9/3.2
die	*Mütze, die Mützen*	Stat. 4/2.1b

N

	nach (+ Land)	2/4.1
	nach Hause	6/Ü4a
der/die	**Nachbar/in**, die Nachbarn/Nachbarinnen	4/1.1
der	**Nachmittag**, die Nachmittage	5/3.1
	nächster, nächstes, nächste	5/3.2b
die	**Nacht**, die Nächte	5/3.1
die	**Nähe**	3/2.5
der	**Name**, die Namen	Start 2.1
die	**Nase**, die Nasen	12/1.2a
	national	1/4.5
die	**Natur**, die Naturen	Start 1.2a
	natürlich	12/2.3
der	**Nebel**	11/4.2
	neben	6/3.2a
	neblig	11/4.2
	nehmen, er nimmt, er hat genommen	1/2.3b
	nein	1/2.1
	nerven, er nervt, er hat genervt	12/4.5a
	nett	4/1.1

	neu	2/4.1
	nicht	2/1.2
der/die	Nichtraucher/in,	
	die Nichtraucher/innen	12/3.4
	nie	7/3.5
	niemals	11/4.5a
	noch	1/1.1b
	noch einmal	Start 3.7b
der	Norden	3/2.4
	nördlich	3/2.4
	nordöstlich	3/2.4
	nordwestlich	3/2.4
	normal	11/4.1
der/die	Notarzt/Notärztin,	
	die Notärzte/Notärztinnen	1/4.2a
der	Notizblock, die Notizblöcke	6/3.1a
der	November	9/4.1
die	Nudel, die Nudeln	10/3.1b
der	Nudelauflauf, die Nudelaufläufe	10/5.1
die	Nummer, die Nummern	1/4.1
	nur	4/2.2b

O

	o.k.	3/2.1a
	oben	6/2.1
das	Obst	10/2.6b
	oder	1/1.1b
	offiziell	1/4.5
	öffnen, er öffnet, er hat geöffnet	5/2.7
die	Öffnungszeit, die Öffnungszeiten	5/2.7
	oft	5/4.6b
	ohne	1/2.3a
das	Ohr, die Ohren	12/1
der	Oktober	8/3.4
das	Oktoberfest, die Oktoberfeste	5/3.5
die	Oma, die Omas	12/Ü13
	online	6/2.1
die	Oper, die Opern	Start 1.2a
die	Orange, die Orangen	10/1.1b
	orange	11/0
der	Orangensaft, die Orangensäfte	1/0
	ordnen, er ordnet, er hat geordnet	2/4.3
der	Ordner, die Ordner	6/3.1a
	organisieren, er organisiert, er hat organisiert	7/3.3a
der	Ort, die Orte	9/3.6a
der	Osten	3/2.4
die	Osterferien (Pl.)	9/4.1
das	Ostern	9/4.1
	Österreich	Start 3.7c
	östlich	3/2.4

P

das	Paar, die Paare	3/4.2
	packen, er packt, er hat gepackt	4/6.1a
die	Panne, die Pannen	5/1.3
das	Papier, die Papiere	2/1.3a
der	Papierkorb, die Papierkörbe	6/3.1a
die	Paprika, die Paprikas	10/2.5a
die	Parade, die Paraden	8/4.2b
der	Park, die Parks	3/0
das	Parlament, die Parlamente	Start 1.2a
die	Party, die Partys	5/4.6a
	passen, er passt, er hat gepasst	5/4.5b
	passieren, es passiert, es ist passiert	9/3
der/die	Patient/in,	
	die Patienten/Patientinnen	7/2.1
die	Pause, die Pausen	2/1.3b
die	Pension, die Pensionen	9/2
die	Person, die Personen	6/2.3b
die	Pfanne, die Pfannen	10/5.1
der	Pfeffer	10/5.1
das	Pferd, die Pferde	11/4.5a
das	Pfingsten	9/4.1
die	Pflanze, die Pflanzen	6/3.1a
das	Pfund, die Pfunde	10/2.1b
der	Picknick, die Picknicke	9/2
der/die	Pilot/in,	
	die Piloten/Pilotinnen	Start 1.2a
	pink	11/0
die	Pizza, die Pizzen	Start 1.2a
der	Plan, die Pläne	6/5.2
	planen, er plant, er hat geplant	7/3.1
der	Platz, die Plätze	3/1
	plötzlich	9/3.2
die	Polizei	1/4.2a
die	Pommes (frites) (Pl.)	10/3.1b
die	Postleitzahl (PLZ),	
	die Postleitzahlen	4/6.1a
die	Praxis, die Praxen	5/3.2b
der	Preis, die Preise	1/4.3
	prima	9/1.2b
	privat	7/2.4
	pro	4/6.1a
	probieren, er probiert, er hat probiert	9/2
das	Problem, die Probleme	4/6.1a
	produzieren, er produziert, er hat produziert	6/5.1
das	Programm, die Programme	7/2.3
der/die	Programmierer/in,	
	die Programmierer/innen	7/1.1
das	Projekt, die Projekte	8/4.3
die	Projektleitung, die Projektleitungen	7/2.3

das *Protokoll, die Protokolle* 9/3.2
das **Prozent**, die Prozente 3/5.2
der **Pullover**, die Pullover 11/2.2b
der **Punkt**, die Punkte 5/1.2
   pünktlich 5/4.6a
die **Pünktlichkeit** 5/4.6b

Q

der **Quadratmeter (qm)**,
   die Quadratkilometer 4/1.1
das *Quartal, die Quartale* 12/2.2a
die **Querstraße**, *die Querstraßen* 8/2.1a

R

das **Rad**, die Räder 2/3.4c
der **Radiergummi**, die Radiergummis 2/1
das **Radio**, die Radios 2/4.2a
die *Radtour, die Radtouren* 9/2
der *Ratschlag, die Ratschläge* 12/3.2
   rauchen, er raucht,
   er hat geraucht 12/2.3
die *Raucherkneipe,*
   die Raucherkneipen 12/3.4
die **Rechnung**, die Rechnungen 1/4.3a
   rechts 4/2.2a
der/die **Redakteur/in**,
   die Redakteure/Redakteurinnen 7/2.4
das **Regal**, die Regale 4/4.2c
der **Regen**, die Regen 9/4.3
die *Regenzeit, die Regenzeiten* 11/4.1
das *Regierungsviertel,*
   die Regierungsviertel 8/1.2a
   regnen, es regnet, es hat geregnet 11/4.1
die **Reihe**, die Reihen 8/1.2a
das **Reihenhaus**, die Reihenhäuser 4/1
der **Reis** 10/ 3.1.5b
der **Reiseführer**, die Reiseführer 9/2.3
das *Reiseziel, die Reiseziele* 9/1
das *Rennen, die Rennen* 10/3.1b
   reparieren, er repariert,
   er hat repariert 7/2.1
   reservieren, er reserviert,
   er hat reserviert 7/3.1
der *Rest, die Reste* 10/5.1
das **Restaurant**, die Restaurants Start 1.2a
das **Rezept (Kochrezept)**,
   die Rezepte 10/3.1a
das **Rezept (für Medikamente)**,
   die Rezepte 12/2.2b
   richtig 11/2.1b
die **Richtung**, die Richtungen 8/3.2
das *Riesenrad, die Riesenräder* 9/2

der **Rock**, die Röcke 11/0
   romantisch 9/1
   rosa 11/0
die *Rose, die Rosen* 11/4.5a
die *Rosine, die Rosinen* 10/4.3
   rot 11/0
der **Rotwein**, die Rotweine 1/0
der **Rücken**, die Rücken 4/6.1a
die **Rückenschmerzen** (Pl.) 4/6.1b
die **Rückfahrt**, die Rückfahrten 8/4.2b
die **Ruhe** 12/1
   ruhig 4/1.1
   rund 9/5.1
die *Runde, die Runden* 12/1

S

die **Sache**, die Sachen 9/4.3
der **Saft**, die Säfte 1/0
   sagen, er sagt, er hat gesagt 2/4.1
die **Sahne**, die Sahnen 10/3.1.5b
die **Salami**, die Salamis 10/1
der **Salat**, die Salate 10/3.1b
das **Salz** 10/5.1
   sammeln, er sammelt,
   er hat gesammelt 1/2.6a
der **Samstag**, die Samstage 5/1
das **Sandwich**, die Sandwich(e)s 6/2.1
der **Satz**, die Sätze 2/4.2a
das *Sauerkraut* 10/1.4
die *Sauna, die Saunen* 12/3.1a
der/die *Schäfer/in, die Schäfer/innen* 11/4.5a
   schaffen, er schafft, er hat geschafft 9/2
der *Schal, die Schals* 11/0
der **Schein (Euroschein)**, die Scheine 1/4.5
   schick 11/2.4
der **Schinken**, die Schinken 10/4.1
   schlafen, er schläft,
   er hat geschlafen 4/2.1a
das **Schlafzimmer**, die Schlafzimmer 4/2.1c
   schlecht 9/1.2b
   schließen, er schließt,
   er hat geschlossen 5/2.7
der **Schluss**, die Schlüsse 8/4.2a
der **Schlüssel**, die Schlüssel 4/2.1b
   schmal 9/1
   schmecken, er schmeckt,
   er hat geschmeckt 10/3.1.5b
der **Schmerz**, die Schmerzen 12/2.4
der **Schnee** 11/4.2
   schneiden, er schneidet,
   er hat geschnitten 7/2.1

	schneien, es schneit,	
	es hat geschneit	11/4.1
das	Schnitzel, die Schnitzel	10/3.1b
der	Schnupfen, die Schnupfen	12/2.5
die	Schokolade, die Schokoladen	10/0
die	Schokoladentorte,	
	die Schokoladentorten	10/3.1.5b
	schon	3/2.1a
	schön	4/2.1b
der	Schrank, die Schränke	4/4.1
	schreiben, er schreibt,	
	er hat geschrieben	2/1
der	Schreibtisch, die Schreibtische	4/4.1
die	Schreibtischlampe,	
	die Schreibtischlampen	4/4.2a
der	Schuh, die Schuhe	4/7.1
das	Schuhgeschäft, die Schuhgeschäfte	7/2.1
die	Schule, die Schulen	2/4.1
der/die	Schüler/in, die Schüler/innen	6/5.1
die	Schulter, die Schultern	12/1
	schwach	10/3.1.7
	schwarz	11/0
das	Schweinefleisch	10/4.3
die	Schweiz	Start 3.7c
	schwer	4/6.1a
die	Schwester, die Schwestern	9/2
das	Schwimmbad, die Schwimmbäder	5/3.5
	schwimmen, er schwimmt,	
	er ist geschwommen	5/3.5
der	See, die Seen	9/0
die	See, die Seen	9/1.1
	sehen, er sieht, er hat gesehen	4/6.1a
die	Sehenswürdigkeit,	
	die Sehenswürdigkeiten	8/3.6
	sehr	4/1.1
	sein, er ist, er war	Start 2.1
	seit	2/4.1
der/die	Sekretär/in,	
	die Sekretäre/Sekretärinnen	7/1.1
das	Sekretariat, die Sekretariate	6/2.5
der/die	Senior/in,	
	die Senioren/Seniorinnen	12/1
der	September	9/4.1
der	Sessel, die Sessel	4/4.1
das	Shopping-Paradies,	
	die Shopping-Paradiese	6/5.1
	singen, er singt, er hat gesungen	7/Ü12a
	sitzen, er sitzt, er hat gesessen	7/3.2a
	Ski fahren, er fährt Ski,	
	er ist Ski gefahren	12/0
	so	1/3.3c
das	Sofa, die Sofas	4/4.1

die	Software	7/2.4
der	Sohn, die Söhne	3/4.2
der	Sommer, die Sommer	Start 4.1a
die	Sommerferien (Pl.)	9/4.1
die	Sonne, die Sonnen	9/1
	sonnig	11/4.1
der	Sonntag, die Sonntage	5/1
	sortieren, er sortiert, er hat sortiert	1/2.6a
die	Spaghetti (Pl.)	10/3.1b
der	Spaß, die Späße	2/4.1
	spät	2/4.3
	spazieren gehen, er geht spazieren,	
	er ist spazieren gegangen	9/Ü18
der	Spaziergang, die Spaziergänge	8/1.2a
	speziell	12/1
der	Spiegel, die Spiegel	4/4.1
	spielen, er spielt, er hat gespielt	2/4.1
der/die	Spieler/in, die Spieler/innen	11/2.6
der	Sport	2/4.1
der/die	Sport- und Fitnesskaufmann/	
	kauffrau, die Sport- und Fitness-	
	kaufmänner/kauffrauen	7/3.3
die	Sportabteilung,	
	die Sportabteilungen	11/3.1a
der	Sportclub, die Sportclubs	7/3.3a
das	Sportgerät, die Sportgeräte	7/3.3a
der	Sportkurs, die Sportkurse	7/3.3a
der/die	Sportler/in, die Sportler/innen	12/1
	sportlich	8/4.1
die	Sprache, die Sprachen	4/4.1
die	Sprachschule, die Sprachschulen	8/3.7
	sprechen, er spricht,	
	er hat gesprochen	1/2.6a
die	Spüle, die Spülen	4/5.1
das	Stadion, die Stadien	5/3.6b
die	Stadt, die Städte	3/0
der	Stadtbummel, die Stadtbummel	8/1
die	Städtereise, die Städtereisen	9/2.4
die	Stadtführung, die Stadtführungen	8/4.2b
das	Stadtmuseum, die Stadtmuseen	8/3.1c
die	Stadtrundfahrt,	
	die Stadtrundfahrten	8/1.2a
der/die	Stadturlauber/in,	
	die Stadturlauber/innen	9/1
der	Stadtverkehr, die Stadtverkehre	6/1
das	Stadtviertel, die Stadtviertel	8/4.3
das	Stadtzentrum, die Stadtzentren	6/5.1
	stark	12/1
	stärken, er stärkt, er hat gestärkt	12/3.1a
	stattfinden, es findet statt,	
	es hat stattgefunden	6/5.1
der	Stau, die Staus	5/3.3a

der **St<u>au</u>b**		11/4.5a
st<u>e</u>hen (ich stehe), er steht,		
er hat gestanden		4/6.1a
st<u>e</u>hen (etwas steht mir),		
es steht, es hat gestanden		11/3.2
die **St<u>e</u>hlampe**, die Stehlampen		4/4.1
der **St<u>ie</u>fel**, die Stiefel		11/0
st<u>i</u>mmen, es stimmt,		
es hat gestimmt		2/3.6
der **St<u>o</u>ck**, die Stöcke		4/6.1a
der **St<u>o</u>pp**, die Stopps		2/2.7
der **Str<u>a</u>nd**, die Strände		9/0
der **Str<u>a</u>ndkorb**, die Strandkörbe		9/1
die **Str<u>a</u>ße**, die Straßen		4/1.1
die **Str<u>a</u>ßenbahn**, die Straßenbahnen		6/0
str<u>e</u>cken, er streckt, er hat gestreckt		12/1
der **Str<u>ei</u>fen**, die Streifen		10/5.1
der **Str<u>e</u>ss**		12/3.1a
das **St<u>ü</u>ck**, die Stücke		10/2.1b
der/die **Stud<u>e</u>nt/in**,		
die Studenten/Studentinnen		2/4.1
das **Stud<u>e</u>ntenwohnheim**,		
die Studentenwohnheime		4/1
stud<u>ie</u>ren, er studiert,		
er hat studiert		2/4.1
das **St<u>u</u>dio**, die Studios		7/3.1
das **St<u>u</u>dium**, die Studien		3/5.1
der **St<u>u</u>hl**, die Stühle		2/1.3a
die **St<u>u</u>nde**, die Stunden		5/0
st<u>u</u>ndenlang		7/3.2a
s<u>u</u>chen, er sucht, er hat gesucht		4/5.2a
der **S<u>ü</u>den**		3/2.4
s<u>ü</u>dlich		3/2.4
s<u>ü</u>döstlich		3/2.4
s<u>ü</u>dwestlich		3/2.4
s<u>u</u>per		8/4.1
der **S<u>u</u>permarkt**, die Supermärkte		Start 1.2a
die **S<u>u</u>ppe**, die Suppen		6/2.1
s<u>ü</u>ß		10/5.1
das **Syst<u>e</u>m**, die Systeme		7/2.4

T

die **Tabl<u>e</u>tte**, die Tabletten		12/2.2b
die **T<u>a</u>fel**, die Tafeln		2/1.3a
der **T<u>a</u>g**, die Tage		4/6.1a
t<u>ä</u>glich		12/1.1c
t<u>a</u>nken, er tankt, er hat getankt		12/3.1a
die **T<u>a</u>nkstelle**, die Tankstellen		5/2.7
die **T<u>a</u>nte**, die Tanten		9/Ü2b
t<u>a</u>nzen, er tanzt, er hat getanzt		12/0
die **T<u>a</u>sche**, die Taschen		2/1.3a

die **Tastat<u>u</u>r**, die Tastaturen		6/3.1
die T<u>ä</u>tigkeit, die Tätigkeiten		7/3.3b
***t<u>au</u>chen**, er taucht, er hat getaucht*		12/0
das **T<u>a</u>xi**, die Taxen		7/1.1
der/die **T<u>a</u>xifahrer/in**,		
die Taxifahrer/innen		7/1.1
die **T<u>e</u>chnik**, die Techniken		4/5.2a
der **T<u>ee</u>**, die Tees		1/0
der/die **T<u>ei</u>lnehmer/in**,		
die Teilnehmer/innen		8/1
das **Telef<u>o</u>n**, die Telefone		Start 1.2a
telefon<u>ie</u>ren, er telefoniert,		
er hat telefoniert		7/3.2a
die **Telef<u>o</u>nnummer**,		
die Telefonnummern		1/4.1
der **T<u>e</u>ppich**, die Teppiche		4/4.1
der **Term<u>i</u>n**, die Termine		12/2.1
die **Terr<u>a</u>sse**, die Terrassen		4/0
t<u>eu</u>er		4/3.4
der **T<u>e</u>xt**, die Texte		Start 4.0
das **The<u>a</u>ter**, die Theater		3/0
das **Th<u>e</u>ma**, die Themen		10/3.1a
them<u>a</u>tisch		8/4.2b
das **T<u>i</u>cket**, die Tickets		7/3.1
das **T<u>ie</u>r**, die Tiere		7/3.5
der **T<u>i</u>pp**, die Tipps		6/5.1
der **T<u>i</u>sch**, die Tische		4/4.1
die **T<u>o</u>chter**, die Töchter		7/3.2a
die **Toil<u>e</u>tte**, die Toiletten		4/3.4
t<u>o</u>ll		8/4.1
die **Tom<u>a</u>te**, die Tomaten		10/0
der Tom<u>a</u>tensaft, die Tomatensäfte		10/4.3
die **Tom<u>a</u>tensoße**,		
die Tomatensoßen		10/3.1b
der T<u>o</u>n, die Töne		2/2.5a
das T<u>o</u>preiseziel, die Topreiseziele		9/1.1
das **T<u>o</u>r**, die Tore		3/1
die T<u>ou</u>r, die Touren		9/2
der/die **Tour<u>i</u>st/in**, die Touristen/		
Touristinnen		Start 1.2a
die **Tour<u>i</u>steninformation**,		
die Touristeninformationen		8/3.5
die **Tradit<u>i</u>on**, die Traditionen		6/5.1
tr<u>a</u>gen, er trägt, er hat getragen		11/0
der/die **Tr<u>ai</u>ner/in**, die Trainer/innen		7/3.3a
train<u>ie</u>ren, er trainiert,		
er hat trainiert		7/3.1
das **Tr<u>ai</u>ning**, die Trainings		12/1
der Tr<u>ai</u>ningsanzug,		
die Trainingsanzüge		11/2.6
der Transp<u>o</u>rt, die Transporte		Start 3.3

der **Traum**, die Träume	4/3.5
die **Traumfrau**, die Traumfrauen	12/4.3a
der **Traummann**, die Traummänner	12/4.3b
treffen (sich), er trifft sich,	
er hat sich getroffen	5/3.6a
der **Trend**, die Trends	11/0
trinken, er trinkt,	
er hat getrunken	1/1.1b
die **Trockenzeit**, die Trockenzeiten	11/4.1
tschüss	5/3.6a
das **T-Shirt**, die T-Shirts	11/0
tun, er tut, er hat getan	5/3.3a
die **Tür**, die Türen	2/2.1
türkis	11/2.7a
der **Turm**, die Türme	3/1
die **Tüte**, die Tüten	10/2.7
das **TV**, die TVs	Start 3.3
die **TV-Serie**, die TV-Serien	3/4
typisch	9/1

U

die **U-Bahn**, die U-Bahnen	6/0
üben, er übt, er hat geübt	1/2.6a
über	1/4.5
überall	12/1
überarbeiten, er überarbeitet,	
er hat überarbeitet	8/4.2b
überhaupt nicht	11/2.4
übernachten, er übernachtet,	
er hat übernachtet	9/2
überraschen, er überrascht,	
er hat überrascht	10/3.1b
übersetzen, er übersetzt,	
er hat übersetzt	12/3.1a
die **Übung**, die Übungen	12/1
die **Uhr**, die Uhren	Start 4.1a
um	5/1.3
die **Umfrage**, die Umfragen	10/3.1a
die **Umkleidekabine**,	
die Umkleidekabinen	11/3.3a
der **Umzug**, die Umzüge	4/6.1a
der **Umzugskarton**,	
die Umzugskartons	4/6.1a
und	Start 2.1
der **Unfall**, die Unfälle	9/0
ungefährlich	12/1
die **Universität (Uni)**,	
die Universitäten	2/4.1
unten	6/2.1
unter	6/3.2a
unterrichten, er unterrichtet,	
er hat unterrichtet	7/2.1

untersuchen, er untersucht,	
er hat untersucht	7/2.1
unterwegs	8/4.1
der **Urlaub**, die Urlaube	5/2.4
der/die **Urlauber/in**, die Urlauber/innen	9/1
das **Urlaubserlebnis**,	
die Urlaubserlebnisse	9/0
das **Urlaubsland**, die Urlaubsländer	9/5.1
die **Urlaubsplanung**,	
die Urlaubsplanungen	9/4.1
die **Urlaubsreise**, die Urlaubsreisen	9/5.1
das **Urlaubsziel**, die Urlaubsziele	9/5.1

V

die **Vase**, die Vasen	4/3.1a
der **Vater**, die Väter	9/3.2
der/die **Vegetarier/in**,	
die Vegetarier/innen	10/4.3
vegetarisch	10/5.1
die **Verabredung**, die Verabredungen	5/4.5b
verbinden, er verbindet,	
er hat verbunden	8/4.2b
verbrauchen, er verbraucht,	
er hat verbraucht	12/1
verdienen, er verdient,	
er hat verdient	7/3.5
vergehen, er vergeht,	
er ist vergangen	11/4.5a
vergessen, er vergisst,	
er hat vergessen	12/1
vergleichen, er vergleicht,	
er hat verglichen	8/4.3
verheiratet	2/4.1
verkaufen, er verkauft,	
er hat verkauft	7/2.1
der/die **Verkäufer/in**,	
die Verkäufer/innen	7/2.1
der **Verkehr**	6/1.2
der **Verlag**, die Verlage	7/2.4
verlieren, er verliert,	
er hat verloren	9/3.2
verrühren, er verrührt,	
er hat verrührt	10/5.1
verschreiben, er verschreibt,	
er hat verschrieben	12/2.3
versichern (sich), er versichert sich,	
er hat sich versichert	12/2.2b
der/die **Versicherte**, die Versicherten	12/2.2b
die **Verspätung**, die Verspätungen	5/4.1
verstehen, er versteht,	
er hat verstanden	2/1.2
die **Verwaltung**, die Verwaltungen	6/2.1

	verwẹchseln, er verwechselt, er hat verwechselt	8/3.2
	viel	1/2.2b
	Vielen Dạnk!	4/3.2
das	**Viertel**, die Viertel	5/2.2a
die	**Viertelstụnde**, die Viertelstunden	6/1
der	*Vọlkssport, die Volkssports*	12/1
	voll	8/1.2a
der	*Vọlleyball*	12/0
	von	3/2.4
	von ... bịs	7/3.3a
	von Berụf	7/1.2
	vor	5/2.2a
	vorbei an	8/2.4
	vorbei sein, es ist vorbei, es war vorbei	12/1
der	**Vormittag**, die Vormittage	5/3.1
	vormittags	9/2
der	**Vorname**, die Vornamen	Start 3.8

W

	wählen, er wählt	8/2.4a
der	**Wald**, die Wälder	9/0
die	**Wạnd**, die Wände	6/3.2a
	wạndern, er wandert, er ist gewandert	9/1
die	*Wạnderung, die Wanderungen*	9/2.4
	wạnn	5/2.3
	wạrm	1/4.3
die	**Wạ̈rme**	11/0
	wạrten, er wartet, er hat gewartet	5/4.1
die	*Wạrteschlange, die Warteschlangen*	9/1
das	*Wạrtezimmer, die Wartezimmer*	12/2.2a
	wạs	1/1.1b
	wạs für ein	4/2.2b
das	**Wạschbecken**, die Waschbecken	4/5.1
	wạschen, er wäscht, er hat gewaschen	Stat. 4/1.4
die	**Wạschmaschine**, die Waschmaschinen	4/6.1a
das	**Wạsser**, die Wasser/Wässer	1/0
der	**Wẹcker**, die Wecker	5/0
der	**Weg**, die Wege	6/2.3b
	wehtun, es tut weh, es hat wehgetan	12/2.3
die	*Weihnachtsferien (Pl.)*	9/4.1
der	**Wein**, die Weine	1/1.4
	weiß	11/0
das	**Weißbrot**, die Weißbrote	10/1.4
der	*Weißwein, die Weißweine*	1/0
	weit	8/2.1a

	weiterfahren, er fährt weiter, er ist weitergefahren	9/3.2
die	*Weiterfahrt, die Weiterfahrten*	9/2
	welcher, wẹlches, wẹlche	3/5.5
die	**Wẹlt**, die Welten	6/5.1
	wenig	1/2.3a
	wẹnn	11/4.5a
	wer	Start 2.1
die	**Wẹrbung**, die Werbungen	6/2.2a
die	**Wẹrkstatt**, die Werkstätten	7/0
der	**Wẹsten**	3/2.4
	wẹstlich	3/2.4
das	**Wẹtter**	9/1.2b
	wichtig	2/4.1
	wie	Start 2.1
	wie bitte?	2/1.2
	wie viel	5/2.3
	wieder	8/3.7
	wiederhọlen, er wiederholt, er hat wiederholt	2/1
das	**Willkọmmen**	9/4.3
der	**Wịnd**, die Winde	11/4.2
	windig	11/4.1
der	**Wịnter**, die Winter	9/4.1
die	*Wịnterferien (Pl.)*	9/4.1
	wirklich	4/2.2b
	wịssen, er weiß, er hat gewusst	3/1.5
	wo	Start 2.3
die	**Wọche**, die Wochen	5/0
das	**Wọchenende**, die Wochenenden	5/0
	woher	Start 2.1
	wohnen, er wohnt, er hat gewohnt	Start 2.3
die	*Wohngemeinschaft, die Wohngemeinschaften*	3/4.2
das	*Wohnheim, die Wohnheime*	4/1.1
die	**Wohnung**, die Wohnungen	4/1.1
das	**Wohnzimmer**, die Wohnzimmer	4/2.1a
die	**Wọlke**, die Wolken	11/4.2
	wọllen, er will, er wollte	8/1.2a
das	**Wọrt**, die Wörter	2/2.7
das	**Wörterbuch**, die Wörterbücher	2/0
das	*Wörternetz, die Wörternetze*	4/5.1
	wunderschön	12/4.3b
	wünschen, er wünscht, er hat gewünscht	10/1
der	*Würfel, die Würfel*	10/5.1
die	**Wụrst**, die Würste	10/1.1b

Y

das	*Yoga*	12/0

Z

z. B. (= zum Beispiel)	4/5.1
die Zahl, die Zahlen	1/3.3b
zahlen, er zahlt, er hat gezahlt	1/4.4a
das Zahlungsmittel, die Zahlungsmittel	1/4.5
der/die Zahnarzt/Zahnärztin,	
die Zahnärzte/Zahnärztinnen	5/4.1
zehn	1/3.1
zeigen, er zeigt, er hat gezeigt	11/4.5a
die Zeit, die Zeiten	5/2.3
die Zeitung, die Zeitungen	6/2.1
zelten, er zeltet, er hat gezeltet	9/2.4
zentral	4/6.1a
das Zentrum, die Zentren	6/5.1
der Zettel, die Zettel	4/5.1
das Ziel, die Ziele	9/5.1
ziemlich	4/1.1
die Zigarette, die Zigaretten	12/2.3
das Zimmer, die Zimmer	4/1
der Zoo, die Zoos	5/3.6b
zu	2/4.3
zu Hause	7/3.5
der Zucker	1/2.3a
der Zug, die Züge	5/4.1
zunehmen, er nimmt zu, er hat zugenommen	12/3.1a
zurückdenken, er denkt zurück, er hat zurückgedacht	11/4.5a
zusammen	1/4.4a
zusammenarbeiten, er arbeitet zusammen, er hat zusammengearbeitet	7/3.5
zusammengehören, es gehört zusammen, es hat zusammengehört	12/1
die Zutat, die Zutaten	10/5.1
zweimal	12/3.1a
die Zwiebel, die Zwiebeln	10/5.1
zwischen	5/2.3

List of picture references

Cover Robert Nadolny, Grafikdesign – **Inhaltsverzeichnis** *Start links* Fotolia/Jan Kranendonk; *Start rechts* pdesign; *1 links* Fotolia/Monkey Business; *1 rechts* Shutterstock/Apples Eyes Studios; *2 links* Cornelsen Schulverlage/Thomas Schulz; *2 rechts* Fotolia/Rich Sargeant; *3 links 1* Colourbox; Fotolia: *2* Kristan; *3* schulz; Fotolia: *4 links* Kzenon; *4 rechts* Kara; *5 links* Shutterstock/Marco Cappalunga; *5 rechts* Fotolia/iofoto; *6 links* Cornelsen Schulverlage/Hugo Herold-Fotokunst; *6 rechts* Shutterstock/Krivosheev Vitaly; Fotolia: *7 links* ArtmannWitte; *7 rechts* EyeAmi; *8 links* Philipus; *8 rechts* Buddy Bär Berlin GmbH; Fotolia: *9 links* idee23; *9 rechts* Sebastian Helminger; *10 links* Mauriciojordan; *10 rechts* Kalle Kolodziej; *11 links* Iakov Filimonov; *11 rechts* Robert Hoetink; *12 links* Monkey Business; *12 rechts* by-studio – **S. 8** Fotolia: *a* Jan Kranendonk; *b* Bergfee; *c* Shutterstock/Monkey Business Images; *d* Fotolia/Monkey Business – **S. 9** *e* Bildagentur Huber; Fotolia: *f* Ingo Bartussek; *g* Contrastwerkstatt; *h* E Reichelt Verwaltungsgesellschaft mbH; *i* Lufthansa, Ingrid Friedl; *j* Fotolia/PDesign – **S. 10** Fotolia: *links* Robert Kneschke; *rechts* Henlisatho – **S. 12** *v. oben n. unten* RTL interactive GmbH; IBM Deutschland GmbH; Deutsche Bahn AG; Volkswagen AG; ORF Online und Teletext GmbH & Co KG; Shutterstock/Vladimir Wrangel; Zweites Deutsches Fernsehen – **S. 13** Goethe-Institut – **S. 14** *1* Fotolia/gstockstudio; *2* Picture Alliance/dpa-Zentralbild/Jan Woitas; Fotolia: *3* ARochau; *4* julenochek – **S. 15** Cornelsen Schulverlage/Hermann Funk – **S. 16** Fotolia: *a* Contrastwerkstatt; *unten v. l. n. r.* Teamarbeit; Lilia Beck, Bremen; Blue Lemon Photo; Cut; MAK; Shutterstock: Eric Gevaert; Apple Eyes Studio – **S. 16/17** *b* Shutterstock/mimagephotography – **S. 17** *c* Fotolia/Monkey Business; *unten v. l. n. r.* Shutterstock/Chris Christou; Fotolia: Elena Moiseeva; Julián Rovagnati; DKImages; Iosif Szasz-Fabian; Günter Menzl; Digieye – **S. 18** Cornelsen Schulverlage/Andrea Mackensen – **S. 19** Ullsteinbild/TopFoto – **S. 21** Fotolia: *oben* nenetus; *unten links* Andy Dean – **S. 22** Fotolia: *oben* ferkelraggae; *Mitte* Jacek Chabraszewski – **S. 23** *unten* Fotolia/Mani35 – **S. 24** *a* iStockphoto/Webphotographer; Fotolia: *b* Olesia Bilkei; *c* Igor Mojzes; *d* iStockphoto/Kristian Sekulic – **S. 25** *links* Shutterstock/Thomas DiMauro; *rechts* Fotolia/Ben – **S. 26** Fotolia/Kzenon – **S. 28** Deutsche Bahn AG – **S. 29** Shutterstock/Everett Collection – **S. 30** Picture Alliance/Rainer Hackenberg – **S. 32** Cornelsen Schulverlage/Thomas Schulz; *unten v. l. n. r.* Fotolia: Andreas F.; Marek Kosmal; Pedro Díaz; Shutterstock/Thank You; Fotolia: seen – **S. 33** Cornelsen Schulverlage/Thomas Schulz; Fotolia: *unten* Kramographie; *unten v. l. n. r.* Rick Sargeant; photoGrapHie; liquidImage; al62; Endrille – **S. 36** *oben links, oben 2. v. l.* Fotolia/Contrastwerkstatt; *oben 3. v. l.* Pixel974; *Mitte links* Shutterstock/Ahmadfaizal Yahya; *Mitte* Picture Alliance/efe/Manuel Bruque; *oben rechts* Shutterstock/Monika Wisniewska; Fotolia: *links v. oben n. unten* T. Michel; *rechts oben* Dark Vectorangel; *rechts unten* Moonrun – **S. 37** *v. oben n. unten* Shutterstock/MiloVad; Fotolia/ALX; Shutterstock: Baloncici; Zoltan Kiraly; Beavskiy Dmitry; Fotolia/seen – **S. 38** *oben links* Shutterstock/Goodluz; *oben rechts* Colourbox; *unten* Shutterstock/Tabayuki – **S. 39** Cornelsen Schulverlage/Hermann Funk – **S. 40** Fotolia: *oben links* photoGrapHie; *oben Mitte* Rick Sargeant; *oben rechts* Kramografie; *1* liquidImage; *2* al62; *3* photoGrapHie; *4* seen; *5* Marek Kosmal; *6* Endrille; *7* Pedro Díaz; *8* Andreas F.; *9* Photoman; *10* Shutterstock, RzymuR – **S. 42** Fotolia/Kitty – **S. 43** *oben* Shutterstock/Mangostock – **S. 44** Fotolia: *oben links, unten rechts* T. Michel; *oben rechts* Moonrun; *unten links* Dark Vectorangel; *Mitte* Shutterstock/Goodluz; *unten* Fotolia/Le monde en photos – **S. 45** *a* Shutterstock/leungchopan; Fotolia: *b* www.foto-und-mehr.de; *c* Karen Struthers – **S. 46** *oben* Shutterstock/Jaggat2; *Mitte* Picture Alliance, dpa/Heinz Unger; *unten* Picture Alliance, dpa/Henning Kaiser – **S. 48** *links* Shutterstock/Jo Crebbin; *2. v. links* Colourbox; *3. v. links* Fotolia/Kristan; *rechts* Fotolia/schulz; *unten v. l. n. r.* Fotolia: Thomas Reimer; BildPix.de; Jürgen Feldhaus; BildPix.de – **S. 48/49** *oben* Fotolia/Word Travel Images – **S. 49** Fotolia: *Mitte links* Thomas Otto; *Mitte* Andreas; *Mitte rechts* Shutterstock/aslysun; Fotolia: *unten* Mikhail Starodubov; *unten v. l. n. r.* JackF; ivanukh; papa; Shutterstock/Jorg Hackemann – **S. 50** *oben* Shutterstock/Imagesolutions; Fotolia/Carlos101 – **S. 53** WDR/Gudrun Stockinger – **S. 54** *oben links* Shutterstock/Petrenko Andriy; *oben rechts* Fotolia/CURAphotography; *Mitte* Picture Alliance/Globus Infografik – **S. 55** *oben* Shutterstock/Monkey Business Images – **S. 56** Fotolia: *oben* Fotolyse; *1* I-pics; *2* Vladislav Gajic; *3* Elbphilharmonie, Herzog de Meuron; Fotolia: *4* Gül Kocher; *5* Digitalpress; *6* Simon Ebel – **S. 57** *oben* Cornelsen Schulverlage/Filma Media Productions; *unten* Fotolia/Alekup – **S. 58** *oben* Fotolia/Dmitry Koksharov; *unten* Shutterstock/Paul Vinten – **S. 59** Fotolia/Bloomua – **S. 60** Shutterstock: *oben* cinemafestival; *Mitte links* hightowernrw; Fotolia: *Mitte rechts oben* Siegmar; *Mitte rechts*

unten Monkey Business – **S. 61** *oben* Shutterstock/Stuart Jenner; *unten* Colourbox – **S. 64** Cornelsen Schulverlage/Thomas Schulz – **S. 65** Cornelsen Schulverlage/Hermann Funk – **S. 66** *oben links* Mauritius Images; *oben rechts* Shutterstock/Monkey Business Images; *Mitte* Fotolia/kbuntu – **S. 68** Cornelsen Schulverlage/Filma Media Productions – **S. 69** Cornelsen Schulverlage/Filma Media Productions – **S. 70** Fotolia: *v. l. n. r. v. oben n. unten* Ben; Photographee.eu; KorayErsin; Bernd Kröger; Kzenon; pureshot; Shutterstock: Whatafoto; spfotocz; Colourbox; Fotolia: Zanna; Felix Vogel; Shutterstock/YaiSirichai – **S. 71** Fotolia/*Sindy* – **S. 72** Cornelsen Schulverlage: *a* Hugo Herold-Fotokunst; *b* Hermann Funk; *unten v. l. n. r.* Fotolia: ArTo; Maler; Cornelsen Schulverlage/Hermann Funk; Fotolia: Laiotz; Thomas Reimer – **S. 73** Fotolia: *c* Kara; *d* Kara; *e* Cornelsen Schulverlage/K. Hoppe-Brill; *unten v. l. n. r.* Fotolia: Stefan Balk; Uzi Tzur; Tomispin; Flexmedia; GordonGrand – **S. 74** Fotolia: *1* Ant236; *2* Frank Seifert; *3* photo 5000 – **S. 78** Fotolia: *Küche* Günter Menzl; *Schrank* ChinKS; *Bett* AR; *Sessel* Werner Fellner; *Schreibtisch, Sofa* by-studio; *Tisch* Stockcity; Shutterstock: *Teppich* LeshaBu; *Lampe* yanugkelid; Fotolia: *Bücherregal* bramgino; *Spiegel* Stockcity – **S. 79** Fotolia: *links* Igor Ostapchuk; *rechts* Günter Menzl – **S. 80** Fotolia/Kzenon – **S. 81** Fotolia: *a* Tom Kuest; *b* Ioan Veres; *c* Cornelsen Schulverlage/Hugo Herold-Fotokunst; *d* Fotolia/Hansenn – **S. 82** Fotolia: *oben links,* Jean-Jacques Cordier; *oben Mitte* Thomas Reimer; *oben rechts* Cornelsen Schulverlage/K.-H. Schenkel; *unten links* Fotolia/Levent Sevimli; *unten Mitte* Cornelsen Schulverlage/K. Hoppe-Brill; *unten rechts* Cornelsen Schulverlage/Hugo Herold-Fotokunst – **S. 84** Shutterstock/Jack Frog – **S. 88** Fotolia/Franz Pfluegl – **S. 90** *a* Pixelio/Michael Bührke; Fotolia: *b* Marco Wydmuch; *c* Popova Olga; *d* Henlisatho – **S. 91** *e* Colourbox/Francois Destoc; *e*/TV Picture Alliance/dpa/Frank May; *f* Fotolia/charlesknoxphoto; Shutterstock: *g* Mega Pixel; *h* marco cappalunga; Fotolia: *i* Coloures-pic; *unten links* Canakris; *Mitte unten* Shutterstock/Sandra van der Stehen; *unten rechts* Fotolia/io foto – **S. 93** *rechts* Fotolia/Gina Sanders – **S. 94** Fotolia/creative studio – **S. 95** *unten links* Fotolia/Mehmet Dilsiz; *unten rechts* Colourbox – **S. 96** Fotolia/Detailblick – **S. 97** Fotolia: *oben* Kzenon; *unten* Minerva Studio – **S. 99** *1* Shutterstock/Anton Gvozdikov; Fotolia: *2* brat82; *3* Coloures-pic; *4* Cornelsen Schulverlage/Hermann Funk; *5* Fotolia/Photographee.eu; *6* Cornelsen Schulverlage/S. Lücking – **S. 100** *links* Fotolia/SnappyStock, Inc.; *rechts* Shutterstock/Odua Images – **S. 101** Picture Alliance/dpa/Andreas Gebert – **S. 104** Colourbox – **S. 106** Fotolia: *1* Angelika Bentin; *unten v. l. n. r.* Philipus; Shutterstock/Krivosheev; Fotolia: Stigtrix; AustralianDream; Goran Bogicevic – **S. 107** *oben links* F1online; *2* Shutterstock/Goodluz; *oben rechts* Ullsteinbild/Meißner; *3* Fotolia/Janina Dierks; *Mitte links* Cornelsen Schulverlage/Hermann Funk; *Mitte rechts* Dr. Ing. h. c. F. Porsche AG; *4* Fotolia/VgStudio; *unten v. l. n. r.* Deutsche Bahn AG; Fotolia: Michael Schütze; Luc Martin; Digitalstock/Steffi-Lotte; Shutterstock/connel – **S. 108** *oben links* Universitätsbibliothek Leipzig/Werner Drescher; *oben rechts, unten links, rechts* Cornelsen Schulverlage/Hermann Funk – **S. 109** Cornelsen Schulverlage/Hugo Herold-Fotokunst– **S. 110** Cornelsen Schulverlage/Thomas Schulz – **S. 111** Cornelsen Schulverlage/Thomas Schulz – **S. 112** Fotolia/Coloures-pic – **S. 113** Picture Alliance/dpa-Zentralbild: *oben links* Thomas Schulze; *Mitte links* Waltraud Grubitzsch; *Mitte* Leipziger Messe GmbH/Stephan Hoyer; *unten* Cornelsen Schulverlage/Hermann Funk – **S. 114** *oben 1* Fotolia/Philipus; *2* Shutterstock/Aodaodaodaod; Fotolia: *3* Fuxart; *4* chaoss; *5* Deutsche Bahn AG, Frank Barteld; *6* Fotolia/matteo NATALE; *unten* Fotolia: *1* Jean-Philippe Wallet; *2-3* Kzenon; *4* Claudia Paulussen – **S. 115** Fotolia/Artusius – **S. 116** Fotolia: *unten links, unten rechts* Robert Kneschke; *unten Mitte* Monkey Business – **S. 118** Cornelsen Schulverlage/Thomas Schulz – **S. 119** *Mitte* Fotolia/Bloomua; *unten:* *links* action press/Hussein, Anwar; *2. v. links* Shutterstock/Dfree; *2. v. rechts* Shutterstock/s_bukley; *rechts* Shutterstock/Featureflash – **S. 120** *links* Shutterstock/Skunk Taxi; *Mitte* Leipziger Messe GmbH/Stefan Hoyer; *rechts* Fotolia/Rena Marijn – **S. 121** Cornelsen Schulverlage/Thomas Schulz – **S. 122** *1* Fotolia/Jürgen Fälchle; *oben rechts* Ullsteinbild/Bodig; *2* Fotolia/auremar; *3* Shutterstock/StockLite; *4* Fotolia/WavebreakMediaMicro; *5* Colourbox – **S. 123** *links, rechts* Shutterstock/Wavebreakmedia – **S. 126** Cornelsen Schulverlage/Filma Media Productions – **S. 127** Cornelsen Schulverlage/Filma Media Productions – **S. 128** *v. oben n. unten:* Fotolia: JohanSwanePoel; HappyAlex; A9luha; Christian Nitz; Poligonchik – **S. 130** *a* Fotolia/Dron; *b* Corbis/Ocean; Fotolia: *c* Yuri Arcurs; *d* Tyler Olson; *unten v. l. n. r.:* Shutterstock: Pavel L Photo; Stanislav Komogorov; Fotolia/Broker; Shutterstock/mihas – **S. 131** Fotolia: *e* Kzenon; *f* ArtmanWitte; *g* Milan Markovic; *h* Shutterstock/Edw; *unten v. l. n. r.:* Shutterstock: Kanvag;

Kokhanchikov; Cyril Hou; PhotoFixPics – **S. 132** Fotolia/Eyeami –
S. 133 Shutterstock: *unten links* Andrey_Popov; *unten rechts* KPG_
Payless – **S. 134** Fotolia: *oben* Pressmaster; *unten* Contrastwerkstatt –
S. 135 Bundesagentur für Arbeit – **S. 136** Shutterstock/Konstantin
Chagin – **S. 138** Shutterstock: 1 Margoulliat photo; 2 Maxx-Studio;
3 Mircea Maties; 4 VladiesCern; 5 Fotolia/Rainer Golch; 6 Shutterstock/
Swapan – **S. 140** Corbis/Cardinal – **S. 142** Shutterstock/Dmitri Maruta
– **S. 144** Fotolia: *oben* Olly; *Mitte* Francesco83; *unten* WavebreakMedia
Micro – **S. 146** 1 Shutterstock/LensTravel; Fotolia: 2 Marco Richter;
3 Philipus; 4 Thomas Otto; 5 Ullsteinbild/Baar; 6 Fotolia/berlin2020;
unten Friedrich-Schiller-Universität Jena, Institut für Auslandsgermanistik/
DaF/DaZ – **S. 146/147** Berliner Verkehrsbetriebe (BVG) –
S. 147 7 Buddy Bär Berlin GmbH; 8 imago/Schöning; 9 Fotolia/Bernd
Kröger; 10 imago sportfotodienst – **S. 150** Fotolia/Light Impression –
S. 152 *oben* Fotolia/fotofreaks; *Mitte* Shutterstock/Claudio Divizia;
Fotolia: *unten links* Thomas Reimer; *unten rechts* Sale – **S. 154** Fotolia/
Anita Weyershaeuser – **S. 155** 1 Fotolia/Claudio Divizia; 2 Fotolia/
dpaint; 3 Shutterstock/Sean Pavone; 4 Fotolia/Andrey Popov –
S. 158 Fotolia/rbkelle – **S. 159** *oben* Cornelsen Schulverlage/Filma Media
Productions; *Mitte* Fotolia/Gpoint Studio – **S. 162** Fotolia: *a* idee23;
b Line-of-sight; Clipdealer/Koi88; *unten v. l. n. r.:* Fotolia: Andrzej Tokarski;
Sebastian Helminger; U.L.; Felinda – **S. 163** *d* Fotolia/Philipp Baer; *unten
v. l. n. r.:* Fotolia: VRD; Philipp Baer; Popeyeka; Lothar Lorenz –
S. 164 Fotolia: *a* pure-life-pictures; *b* Hendrik Schwartz; *c* Shutterstock/
Bernd Schmidt; *d* Fotolia/Jan Thomas Otte; *e* Mauritius Images/Phovoir
– **S. 167** Fotolia: *links* PictureArt; *Mitte* Dhanuss; *rechts* Odua Images –
S. 168 Fotolia/M. Rosenwirth – **S. 169** *oben* Fotolia/Monkey Business;
unten links Extremfotos; *rechts v. oben n. unten* Mar Scott-Parkin;
Andreas P. – **S. 170** Fotolia: 1 Horst Schmidt; 2 Bettina Eder;
Shutterstock: 3 Maridav; *unten links* R.S. Jegg; *unten Mitte* Fotolia/Bernd
Rehorst; *unten rechts* Shutterstock/Willem van de Kerkhof –
S. 171 Fotolia: *oben* Wiw; *unten* Yury Shchipakin – **S. 172** *oben links*
Linzfest/a_kep-subtext; *oben 2. v. links* Picture Alliance/Bildagentur
Huber/Leimer; *oben 3. v. links* Shutterstock/Reinhold Leitner; Fotolia:
oben rechts Sebastian Krüger; *unten* Fredredhat – **S. 174** Fotolia/lev
dolgachov – **S. 175** *oben* Fotolia/Docrabe Media; *unten links*
Shutterstock/auremar; *Mitte unten* Fotolia/Périg Morisse; *unten rechts*
Shutterstock/Peter Kirillov – **S. 176** *links oben* Picture Alliance/dpa-
Bildarchiv; *links unten* Fotolia/Christian Buck; *Mitte unten* Picture
Alliance/Bildarchiv; *rechts* Fotolia/Mostovye – **S. 178** Mauritius Images:
links Mitterer; *rechts* Klaus Hackenberg – **S. 179** *links* F1online; *rechts*
Shutterstock/Aispix by Image Source – *unten* Corbis RF – **S. 182**
Cornelsen Schulverlage/Filma Media Productions – **S. 183** Cornelsen
Schulverlage/Filma Media Productions – **S. 184** *oben* Shutterstock/
monticello; *unten* Red Bull – **S. 185** *oben* Fotolia/volff; *unten* Adidas –
S. 186 *links* Fotolia/Jeannette Dietel; *rechts* Shutterstock/Goran
Bogicevic; *unten v. l. n. r.:* Fotolia: Seite 3; Seite 3; Shutterstock/Dusan
Zidar; Fotolia: rdnzl; AK-DigiAr – **S. 187** Fotolia: *links* Mangostock;
oben Velazquez; *Mitte* Kalle Kolodziej; *unten* Stefan Gräf; *unten v. l. n. r.:*
Fotolia: ExQuisine; Fotolia; StockPhotosArt; Marina Lohrbach;
Teamarbeit – **S. 188** *links* Shutterstock/gpointstudio; *rechts* Fotolia/
Bloomua – **S. 190** Fotolia: *links* Candyboximages; *rechts* Gerhard Seybert
– **S. 191** Fotolia: *oben* Uros Petrovic; *links* ExQuisine; *Mitte* Michael
Rogner; *rechts* Unpict – **S. 192** *links* Fotolia/Jacek Chabraszewski; *Mitte*
Fotolia; *rechts* Fotolia/gradt – **S. 193** *Mitte links* Fotolia: Barbara
Pheby; *Mitte oben* Lavizzara; *Mitte rechts* Shutterstock/Adriana Nikolova;
Fotolia: *unten links* Jörg Rautenberg; *Mitte unten* Detlef; *unten* SG-Design
– **S. 194** *v. l. n. r.:* *oben* Fotolia: seen; Eyewave; Malyshchyts Viktar; atoss;
Mitte ExCuisine; rdnzl; Shutterstock/Pics Five; Vitaly Korovin;
Shutterstock/Peter Zijlstra; *unten* Fotolia: Robby Schenk; Seite 3; rdnzl –
S. 195 1 Shutterstock/Picsfive; 2 Fotolia: Seite 3; 3 Robby Schenk;
4 Seite 3; *unten* Mangostock – **S. 196** Fotolia: *oben* berc; *Mitte* Aleksangel
– **S. 197** Shutterstock: *links* michaeljung; *rechts* takayuki –
S. 198 Fotolia/Lunaundmo – **S. 199** Corbis – **S. 200** *links* Fotolia/Amir
Kaljikovic; *2. v. links* Shutterstock/Yuri Arcurs; Fotolia: *3. v. links*
contrastwerkstatt; *rechts* Narayan Lazic – **S. 202** Fotolia: *links* Eldad
Carin; *2. v. links* Viorel Sima; *3. v. links* Maridav; Shutterstock: *4. v. links*
Rob Byron; *rechts* Stockyimages; *unten v. l. n. r.:* Fotolia/Panthesja;
Shutterstock/Vadym Andrushchenko; Fotolia: Jarma; Photocrew;
Shutterstock/John Zhang – **S. 203** Fotolia: *links* Andres Rodriguez;
2. v. links Edyta Pawlowska; *3. v. links* Andrey Kiselev; *rechts* Shutterstock/
Sean Nel; *unten v. l. n. r.:* Fotolia: Pixelot; Jelle van der Wolf; Shutterstock:
Gemenacom; Chokniti Khongchum; Erik Lam; Iakov Kalinin –
S. 205 *oben links* Shutterstock/Fstockphoto; *oben rechts* Picture
Alliance/Sven Simon; *Mitte* Picture Alliance/Oryk Haist für Sven Simon –

S. 206 *oben* Shutterstock/Timur Kulgarin; *Mitte* Fotolia/Iakov Filimonov
– **S. 208** Fotolia:1 Sonne Fleckl; 2 Daniela Eva Schneider; 3 Miredi;
4 forkART Photography; 5 Maldesowhat; 6 flukesamed; 7 Robert
Hoetink; 8 Nazzu – **S. 209** Mauritius Images/Manfred Mehlig –
S. 210 Fotolia: *links* Alexander Shevchenko; *rechts* Stanislav Komogorov
– **S. 211** Fotolia: *oben* www.foto-und-mehr.de; *links* Andres Rodriguez;
2. v. links Edyta Pawlowska; *3. v. links* Eldad Carin; *rechts* Maridav –
S. 212 Fotolia/Marc Remó – **S. 213** *v. oben n. unten* Shutterstock/
Andresr; Fotolia/Amir Kaljikovic; Shutterstock/Yuri Arcurs; Fotolia:
rechts oben shock; *Mitte rechts* fancy123; *unten* Archideaphoto –
S. 214 Shutterstock/VannPhotography – **S. 216** *im Uhrzeigersinn:*
Fotolia: doris oberfrank; Frank-Peter Funke; mast3r; Shutterstock/Joy
Brown; Fotolia: Monkey Business; Andrey Kuzmin; Auremar; Andrzej
Tokarski; Marco Antonio Fdez.; Shutterstock/Nikolpetr; Fotolia:
Detailblick; DanielaEvaSchneider – **S. 218** *links* Fotolia/Monkey Business;
rechts Shutterstock/Holbox; *unten v. l. n. r.:* Fotolia: ARochau; .shock; Mika
Spekta; Nejron Photo – **S. 219** *links* Shutterstock/Rechitan Sorin;
oben rechts Phil Date; Fotolia: *unten links* Angie Knost; *unten rechts*
2436digitalavenue; *unten v. l. n. r.:* Fotolia: Robert Kneschke; ARochau;
Herl; Shutterstock: Andresr; Michelangelo Gratton – **S. 220** *oben links*,
Mitte Cornelsen Schulverlage/Thomas Schulz; *oben rechts* Fotolia/
red2000; *unten links* mauritius images/Jochen Tack; *unten rechts* Fotolia/
Klaus Eppele – **S. 221** Fotolia/5AM Images – **S. 222** Fotolia: *oben links*
Andilevkin; *Mitte* Fotowerk; *unten* Sandra Cunningham – **S. 224** Fotolia/
Bloomua – **S. 225** Fotolia/Yuri Arcurs – **S. 226** *oben alle* Shutterstock/
John Wollwerth; Fotolia: *unten links* Eric Isselée; *unten 2. v. links* Michael
Rosskothen; *unten 3. v. links* Fotowebbox; *unten rechts* Beboy –
S. 227 Fotolia: *oben links* EastWestImages; *oben rechts* Auremar; *unten
links* ARochau; *Mitte unten* Jane Becker; *unten rechts* 2Happy –
S. 229 Shutterstock/wavebreakmedia – **S. 232** *oben* Colourbox; Fotolia:
Mitte Jonas Glaubitz; *unten* Goodluz – **S. 234** *links* Shutterstock/Christy
Thompson; *rechts* Fotolia/Dmitri Maruta – **S. 235** *links, rechts* Mauritius
Images/Pöhlmann; *Mitte* Shutterstock/Minerva Studio – **S. 236** Fotolia:
links Esmeraldphoto; *2. v. links* Saskia Massnik; *3. v. links* Andrzej Tokarski;
rechts Stefan Katzlinger – **S. 238** Cornelsen Schulverlage/Filma Media
Productions – **S. 239** Cornelsen Schulverlage/Filma Media Productions
– **S. 240** Fotolia: *oben links* Jan Becke; *oben rechts* Günter Menzl; *Mitte*
8th; *v. r. n. l. oben* Fotolia: Angelo.Gi; lionel valenti; margo555; Gleb
Semenjuk; *v. l. n. r. unten* Irina Fischer; Shutterstock/Kuttelvaserova
Stuchelova; Fotolia/Rynio Productions; Shutterstock/Shankz –
S. 241 *oben* Fotolia/Beth van Trees; *unten links* Lassedesignen; *unten
rechts* Africa Studio – **S. 245** Fotolia/vege – **S. 250** *Mitte oben* Fotolia/
Pedro DÃaz; *oben rechts* Shutterstock/Sandra van der Stehen; Fotolia:
Mitte 2. v. oben Volker; *links 3. v. oben* fottoo; *rechts 3. v. oben* PixMedia;
Mitte unten yeehaaa – **S. 254** Fotolia: *oben links* You can more; *Mitte
oben* Günter Menzl; *oben rechts* Photoman; *Mitte links* PhotoSG; *Mitte
rechts* Franz Pfluegl – **S. 256** Cornelsen Schulverlage/Hermann Funk –
S. 261 Fotolia: *oben* Uros Petrovic; *Mitte* Olly

With the kind permission of:
S. 9 *h* E Reichelt Verwaltungsgesellschaft mbH – **S. 53** WDR, Gudrun
Stockinger – **S. 95** Komische Oper Berlin; *rechts* Jürgen Hebestreit/
Deutscher Jugendfotopreis/DHM – **S. 102** 1. Emil-Cauer-Kulturfest
Berlindabei – **S. 108** *oben links* Universitätsbibliothek Leipzig, Werner
Drescher – **S. 113** *Mitte* Leipziger Messe GmbH, Stephan Hoyer –
S. 135 Bundesagentur für Arbeit – **S. 146/147** Berliner Verkehrs Betriebe
(BVG) AöR – **S. 147** 7 Buddy Bär Berlin GmbH – **S. 172** *oben links*
Linzfest, a_kep-Subtext – **S. 179** Freibad Tuttlingen, Tuttlinger Bäder
GmbH

Maps: U2 Cornelsen Schulverlage/Carlos Borell; **S. 11, 49, 51, 106, 148,
157, 216** Cornelsen Schulverlage/Dr. V. Binder

Text sources:

S. 70 „Empfindungswörter" aus Beispiele zur Deutschen Grammatik,
Rudolf Otto Wiemer, Wolfgang Fietkau Verlag, Kleinmanchnow – **S. 71**
„Konjugation" aus Bundesdeutsch. Lyrik zur Sache Grammatik, Rudolf
Steinmetz, Peter Hammer Verlag, Wuppertal 1974 – **S. 128** „Ich denke"
Hans Manz – **S. 129** Statistisches Bundesamt, Forum der Bundesstatistik,
Bd. 43/2004) – **S. 150** „Lichtung" aus Poetische Werke, Ernst Jandl, Hrsg.
Klaus Siblewski, 1997 Luchterhand Literaturverlag, München/
Verlagsgruppe Random House GmbH – **S. 168** „Ab in den Süden" O.
Jeglitza, B. Köhler, S. Erl, 2001 Warner Chappell Music GmbH & Co. KG
Germany – **S. 209** „Welche Farbe hat die Welt" Drafi Deutscher, 1996
Nero Musikverlag Gerhard Hämmerling oHG

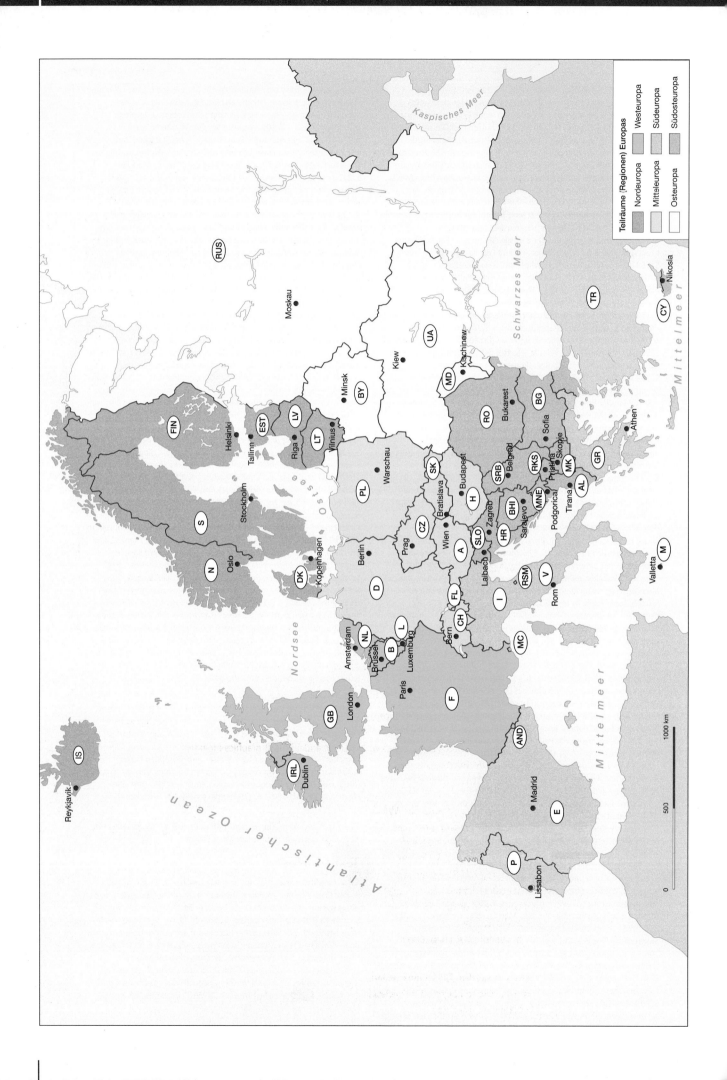

Teilräume (Regionen) Europas

- Nordeuropa
- Mitteleuropa
- Osteuropa
- Westeuropa
- Südeuropa
- Südosteuropa

Kaspisches Meer

Schwarzes Meer

Mittelmeer

Nordsee

Ostsee

Atlantischer Ozean

RUS — Moskau
FIN — Helsinki
EST — Tallinn
LV — Riga
LT — Vilnius
UA — Kiew
BY — Minsk
MD — Kischinew
S — Stockholm
N — Oslo
DK — Kopenhagen
PL — Warschau
SK — Bratislava
CZ — Prag
D — Berlin
A — Wien
H — Budapest
SLO — Laibach
HR — Zagreb
SRB — Belgrad
RO — Bukarest
BG — Sofia
RKS — Priština
MK — Skopje
GR — Athen
AL — Tirana
MNE — Podgorica
BHI — Sarajevo
TR
CY — Nikosia
IS — Reykjavik
IRL — Dublin
GB — London
NL — Amsterdam
B — Brüssel
L — Luxemburg
CH — Bern
FL
F — Paris
I — Rom
RSM
V
M — Valletta
MC
AND
E — Madrid
P — Lissabon

0   500   1000 km